エリア・スタディーズ 208

コンゴ民主共和国を知るための50章

木村大治
武内進一（編著）

明石書店

はじめに

「アフリカの毒」という言葉がある。毒とは本来体に悪いものだが、ここで言う毒は、摂り続けているとそれなしではいられなくなる、すなわち「中毒」というニュアンスを帯びている。私がその毒にあたったのは、1986年、人類学の調査のために、はじめてコンゴ民主共和国（以下「コンゴ」）の地を踏んだときだった。

琉球大学の安里龍さんと、飛行機で調査地ワンバから400キロの位置にある地方都市ボエンデに到着した。しかし、カトリック・ミッションに預けてあった日本隊のランドクルーザーは、バッテリーが上がってしまってエンジンが掛からない。1週間待ったが結局修理はできず、私たちは押し掛けでエンジンを掛けて出発した。熱帯林の中の悪路を進むが、泥道でスタックしたら、また押し掛けをするしかない。そのあたりは、村の道をわざと悪くしておいて、スタックした車を押して金をせびる人たちがいるという噂であった。私たちは夕方まで何とかエンジンを止めずに走り続けた。17時半頃、坂道で滑って左の溝にタイヤが落ち、エンジンが止まった。荷物を積んだ状態ではジャッキアップも不可能で、車の運転席で眠ることになった。月が出て、蛍が飛んでいた。次の朝5時頃、近くの村から男たちが集まりはじめた。荷物を下ろしタイヤを脱出させたあと、押したり引いたりするがエンジンは掛からない。あと250キロのワンバが、とてもたどり着けない場所に思えてきた。2時間ほど泥だらけになって押したり引いたりを繰り返した後、突然音を立ててエンジンが掛かった。車に手を合わせたくなるが、周りの男たちはすでに服を洗う石鹸代を要求し始めていた。

この旅は忘れようもない。このとき私は確実に、アフリカの、そしてその中でも一番きつい部類に入るコンゴの毒にあたったのだと思う。ひどい目にあって、もう来たくないと思いながら帰国しても、また行きたくなってしまう。行ったらしばらくは幸せだが、またしんどくなる。その繰り返しである。その後カメルーンでも長期の調査をして面白い発見をすることができたが、「毒」という点では若干物足りないのである。都留泰作君がはじめてカメルーンの調査に来たとき、森の道で四駆をスタックから脱出させる練習をしようとすると、一緒にいた小松かおりさんから「木村さんはスタックが好きなんですか?」と聞かれてしまった。それを否定できないのが、毒にあたった身の悲しさである。

前置きが長くなってしまったが、本書にはさまざまな形でコンゴに関わり、その魅力に触れた執筆者諸氏の文章が収められている。第Ⅰ部では、広大な国土の地形・植生、類人猿ボノボ、ゴリラ、タンガニーカ湖の魚類、自然保護、伝染病などについての記載がなされている。一方この国が、宗主国に搾取された植民地時代、独立直後のコンゴ動乱、その後の独裁と、苦難に満ちた歴史をたどってきたこともよく知られている。そのありさまは、第Ⅱ部に詳しく記述されている。第Ⅲ部では、ある種底の抜けた明るさを持つコンゴの文化が多様な側面から語られている。第Ⅳ部では、一方では自然と密着しているが、他方では世界経済につながっている人びとの生きざまが描かれている。第Ⅴ部ではさらに、国際関係の中のコンゴの位置づけが詳説され、最後の第Ⅵ部では、とくに日本との関わりについての記述がなされている。

1990年代はじめまでは、日本人研究者によるコンゴ（当時はザイール）研究は、アフリカ研究の花形と言っていいほど盛んであった。さまざまな分野の研究者がこの国に入って調査をおこなった。

その成果は、本書にも十分に反映されている。しかし90年代に入ってから、国内の混乱、それに続く第1次、第2次コンゴ戦争によって、調査はほとんどできない状態になってしまった。コンゴ東部では、いまだにそういった状況が続いている。私自身、16年間コンゴの調査地に行けない状態が続いた。コンゴは遠くなってしまったのである。しかしその後、新たに研究者が入れる状況になり、またさまざまな形でこの国に関わる人たちも増えてきた。私は10年ほど前にも一度、明石書店から本書の編集を依頼されたことがあるが、その当時はまだ研究再開の機が熟していない状態であったため、お引き受けすることができなかった。しかし今回、明石書店の長尾勇仁氏から再度の依頼を受け、武内進一氏に共編者をお願いして、本書を編集する決意を固めたのである。もし将来、本書の第2版が出版されることになれば、研究の進展とともに、さらに充実した内容になることを期待したい。

いまだ終息の兆しのない東部の紛争、鉱物資源を巡る問題、安定しない政治体制など、コンゴのかかえる課題は多い。そういった事柄に関する報道が、この国のイメージを形作っているのも事実である。しかし一方で、本書で描かれたさまざまな自然や人びとの姿は、私たちを驚かせ、興奮させてくれる。そしてそれ以上に、閉塞感の漂う私たちの社会の未来を考える手がかりを与えてくれると思う。無茶苦茶なところはあるけれど、そこがなにか楽しく、ほっとさせられる。強い「毒」はまた強い「薬」でもあるのだ。

２０２４年４月

木村大治

表記について

本書では、以下のような方針で、各章の地名、人名、用語等の表記を統一している。

・まず国名だが、「コンゴ」の名を冠する国は、コンゴ民主共和国のほかに北西隣のコンゴ共和国がある。外交や国際協力関係では「コンゴ民」「コンゴ共」と区別されることも多い。しかし本書では誤読の恐れがない限りはコンゴ民主共和国を「コンゴ」と表記することにした。

・地名、人名、組織名等に関しては、原則として外務省のホームページに記載されている表記に統一した。しかし一部、編者の判断で、それ以外の一般的に使われる表記にしたものもある。「コンゴ紛争／コンゴ戦争」「コンゴ河／コンゴ川」などはあえて統一はしていない。

・その他の用語についても、編者の判断で一般的なものに統一した。

コンゴ民主共和国を知るための50章

目次

I 自然・地理

Ⅱ　歴　史

Ⅲ 文化・社会

Ⅳ 生業・経済

V　政治・国際関係

Ⅵ　日本との関わり

CONTENTS

注　本文中、特記がない図表、写真は著者が作成または撮影したものである。

◉コンゴ民主共和国と周辺諸国

◉コンゴ民主共和国 基礎情報

■ 国名

コンゴ民主共和国（英語 : Democratic Republic of the Congo、フランス語 : République démocratique du Congo）

■ 面積

234.5 万平方キロ（日本の 6 倍強）

■ 人口

9,589 万人（2021 年、世銀推計）。2023 年現在は 1 億人を超えているという統計もある。

■ 首都

キンシャサ（人口は 1,500 万人を超えているとみられる）

■ 主な都市

ルブンバシ、ンブジ＝マイ、キサンガニなど

■ 民族

コンゴ、ルバ、モンゴなどが大きな民族だが、民族の数は 200 以上と言われる。大部分がバントゥー系諸語を話すいわゆるバントゥー系民族。

■ 言語

フランス語（公用語）、スワヒリ語、リンガラ語、ルバ語、コンゴ語（以上地域共通語）、さらにそれぞれの民族に民族語がある。

■ 宗教

キリスト教（80％）、イスラム教（10％）とされるが、キリスト教教会に通いつつも伝統宗教を信じる、といった形で伝統宗教と重層化しているのが実態である。

■ 独立年月日

1960 年 6 月 30 日（ベルギーより独立）

■ 政治体制

共和制

■ 元首

フェリックス・アントワン・チセケディ・チロンボ大統領（2024年4月現在）

■ 国会

上院（120議席）、国民議会（500議席）の2院制

■ 通貨

コンゴ・フラン（FC）だが、並行して米ドルも一般に流通している

■ GDP

553.5億ドル（2021年、世銀）

■ 主要産業

農林水産業（パーム油、綿花、コーヒー、木材、天然ゴムなど）

鉱業・エネルギー（銅、コバルト、ダイヤモンド、金、錫石、コルタン、原油など）

製造業（セメント、製鉄など）

■ 主要輸出品目

銅・銅製品、貴金属・希土類金属、鉱石、ココア、木材

■ 日本との時差

西部 日本時間－8時間

東部 日本時間－7時間

I

自然・地理

1

コンゴ国家の領域

★コンゴ川水系とコロニアルな思惑★

コンゴ民主共和国（以下、コンゴ）は、234・5万平方キロの面積を有する、中部アフリカの巨大な国家である。その国土は日本の6倍以上にあたり、アフリカ大陸ではアルジェリアに次いで大きい。国土のかなりの部分を人口希薄な熱帯林が占めているため、人口ではナイジェリア、エチオピア、エジプトに次いでアフリカ大陸第4位だが、アフリカ屈指の大国と言ってよい。

コンゴの国土は、コンゴ川の水系と大きく重なる。アフリカ大陸でナイル川に次ぐ長さ（4700キロ）を誇り、アマゾン川に次ぐ世界第2位の流域面積（約400万平方キロ）を有するこの巨大河川は、コンゴ国家の成立と切っても切れない関係にある。コンゴ国家の起源は、ベルギー国王レオポルド2世が主導した、コンゴ盆地における通商の自由を確保するプロジェクトであった。

コンゴ盆地は、アフリカ大陸の中でもヨーロッパ人の進出が最も遅れた地域である。コンゴ川の全体像も長く未知のままであった。この地域を初めて探査したのはアメリカ人のスタンレーで、1874～77年に999日をかけて、上流から大西洋までコンゴ川流域を踏破した。

植民地を渇望していたレオポルド2世はアフリカに目を付け、1876年にはブリュッセルで地理学会を開催して「アフリカ文明化国際協会」（ＡＩＡ）を設立した。そして、コンゴ川を踏破したスタンレーに接近すると、1879年にはＡＩＡを発展的に解消して、「コンゴ国際協会」（ＡＩＣ）を設立した。ＡＩＣは、コンゴ盆地での自由貿易の促進と現地住民の「文明化」を活動の目的とした。

レオポルド2世の命を受けてコンゴに再び旅立ったスタンレーは、コンゴ川流域の慣習的首長から数多くの保護条約を取り付けた。国王はこれによってＡＩＣが領域と住民を備えたと主張し、コンゴ盆地への「主権」を列強（特にアメリカ合衆国）に働きかけた。ＡＩＣは非政府組織に過ぎないが、これに主権があると国王が主張したのは、自国のベルギーがコンゴの植民地化に消極的だったせいである。

コンゴ盆地を全ての国に開かれた自由貿易地帯にするとの主張は、この広大な地域が特定国の支配下に置かれることを恐れる列強にとって好都合だった。1884年11月15日から翌年2月26日にかけてドイツ帝国の首都で開催されたベルリン会議では、コンゴ盆地とコンゴ川河口および周辺地域における貿易の自由が主要議題の1つで、レオポルド2世はこれを機にこの地域の主権獲得を狙っていた。その目論見どおり、ベルリン会議の前後、アメリカを皮切りに参加国は次々にＡＩＣのコンゴ盆地に対する主権を認め、コンゴ自由国を誕生させた。

コンゴ自由国は今日のコンゴ民主共和国の前身だが、その領域が確定するまでにはしばらく時間がかかった。その国境が最初に構想されたのは、ベルリン会議直前のことであった。1884年8月8

日付けのレオポルド2世からドイツ帝国の宰相ビスマルクへの手紙の中で、王は、国土の北辺は北緯4度、東はタンガニーカ湖（北方は東経30度）、西はコンゴ川、南は南緯6度という大まかな国境を提案した。この段階では、南東部の鉱業地帯カタンガ地方は含まれていなかった。その後、同年12月24日付けの手紙でカタンガ地方を含めることがレオポルド2世から提案され、ビスマルク、そしてイギリス、フランスもこの提案を受け入れた。この段階で、ＡＩＣが主権を持つ領域は各国が自由に貿易できる中立地帯という位置づけであり、レオポルド2世は統治領域の拡張にその大義名分を利用した。かくして、カタンガ地方を含めた領域がコンゴ自由国の国土として列強に認められた。

ベルリン会議以降も列強間でアフリカ植民地の領域を画定する作業が続き、コンゴについてもかなりの変化があった。西隣のフランス領との間では、仏領コンゴに対して、東経17度とウバンギ川西岸、そして北緯4度で挟まれ、南緯1度を頂点とする三角地帯を割譲した。その代わりに北部では、北緯4度よりも北側に、ウバンギ、ウエレ地域の広大な領域（北緯4度とウバンギ＝ボム川、そしてコンゴ・ナイル高地に挟まれた地域）を仏領ウバンギ＝シャリ（現中央アフリカ共和国）から獲得した。

イギリス領との隣接地帯では、英領東アフリカ（現ウガンダ）との境界において、アルバート湖に至る東経30度より東側の領域を獲得した。ここにはイトゥリの金産出地帯が含まれる。また英領北ローデシアとの国境は、１８９４年5月12日の条約で画定した。ポルトガル領との関係では、南部でクワンゴ、カサイ川上流域の南緯6度以南に広大な領域を獲得した。その交渉は難航し、ルンダ地方の境界が画定したのは１９２７年7月22日の条約であった（図1参照）。

コンゴ盆地全域にまたがる広大な国土は、国家の統治という観点で難題を抱えている。人口や資源

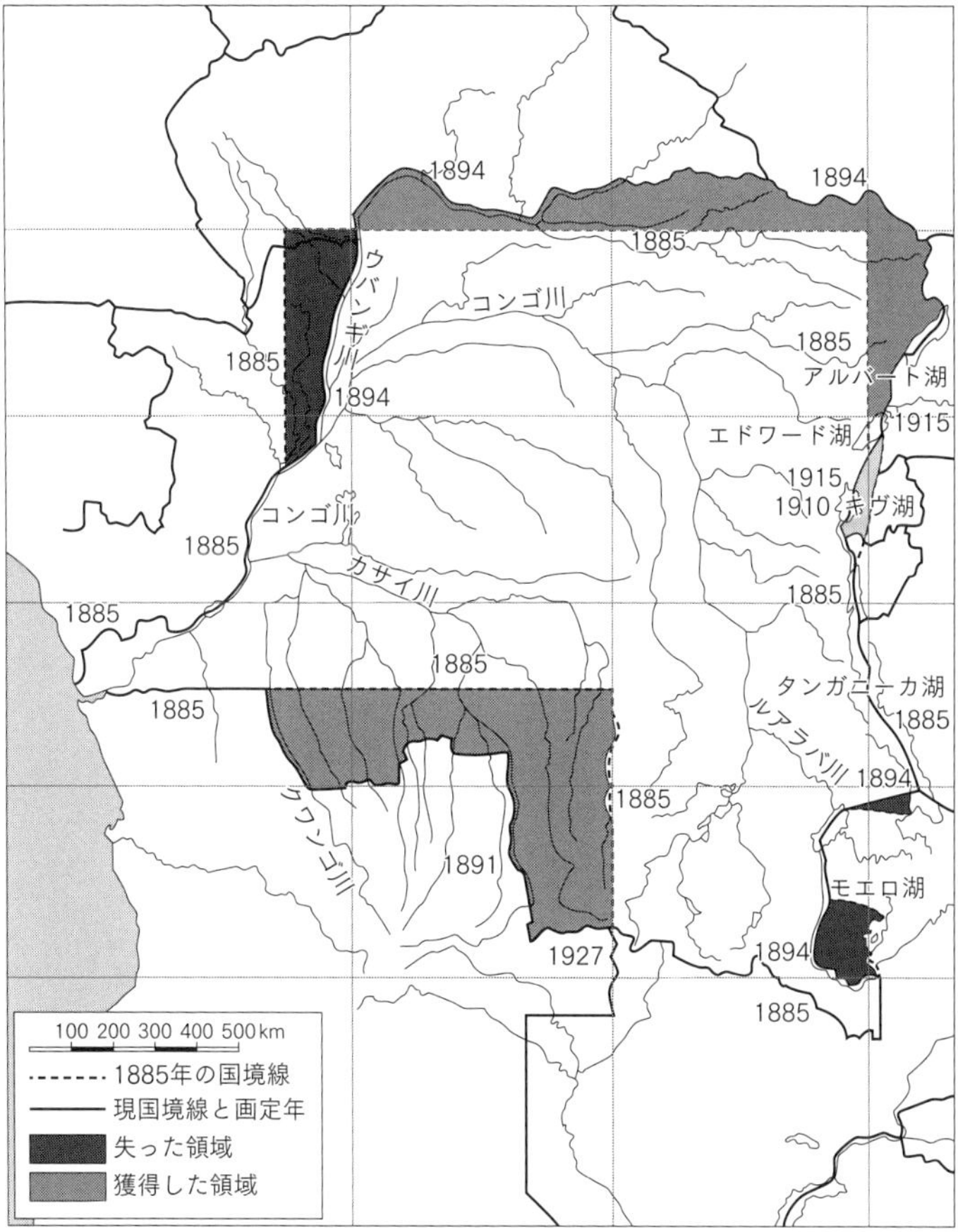

図１　コンゴ国境の変化

出典：Isidore Ndaywel è Nziem, *Histoire générale du Congo : De l'héritage ancien à la République Démocratique*. Paris,Bruxelles : De Boeck & Larcier, 1998, Carte 15. に基づいて作成。

が国土の周縁部に集中し、国家が遠心的な性格を持っているからである。首都キンシャサ、鉱物資源開発の中心都市ルブンバシ、東部のゴマやブカヴなど、国土の縁辺部に巨大な都市が散在する一方、国土の中心部――特に北半分――には広大で人口希薄な熱帯雨林が広がっている。銅やコバルトはザンビア国境のカタンガ地方で、スズやコルタン、金はウガンダ、ルワンダ、ブルンジ国境の旧オリエンタル州（現オー＝ウエレ州、イトゥリ州）、南北キヴ州で産出される。この地域の交易は、国内よりも国境の外を向いている。こうした周縁部が隣接する国々の利害と深く関わり、そこから干渉を受けやすいことは、１９７０年代のシャバ紛争や１９９０年代以降の東部紛争が如実に示している（第39章参照）。

しかし、国家の性格が遠心的だからといって、コンゴの人々が分割を望んでいるわけではない。国土の一体性はコンゴ人が強くこだわるところであり、彼らはその領域に強い愛着を抱いている。国土の分割を意味する「バルカン化」（Balkanisation）は、コンゴではきわめて強い否定的な含意を持つのである。レオポルド2世と欧米列強の思惑が創りあげたコンゴ国家の領域は、今日に至るまで、その領域に居住する人々を翻弄し続けていると言えるかもしれない。

（武内進一）

2

コンゴ盆地の地形・地質、コンゴ川の形成

★コンゴ盆地独特の地史とその生態系への影響★

コンゴ盆地はアフリカ大陸中央部の赤道直下に位置し、東西1100キロ、面積は120万平方キロにわたる巨大な円形の堆積盆地だ。盆地内は地層として固化していない膨大な砂の堆積物に覆われていて、熱帯雨林の中なのに、歩いているとまるで砂浜の上のような違和感がある。また、コンゴ川は南緯21度の高地湿地帯に源を発し、そこから北上してコンゴ盆地東端に入ったのち弧を描きながら西へ向きを変えて赤道を越え、北緯2度からは南下して赤道を再び越えて、最後は大西洋へと注ぐ。円形のコンゴ盆地の中心を奇妙な形で流れている。巨大なまるい盆地、弧を描くコンゴ川、砂の大地、これらコンゴ盆地の独特の景観はどのようにして作られ、生物にどのような影響を与えてきたのだろうか。

近年の地震波トモグラフィーや重力異常の解析でアフリカ大陸地殻の下のマントルの動きが詳しくわかってきた。コンゴ盆地の直下には低温マントル塊が認められ、周囲のマントルよりも密度が高いため地球中心部へと沈降を続けている。沈降が始まったのは先カンブリア代の8億年前からということだ。コンゴ盆地の歴史は古い。盆地が円形で、膨大な堆積物が載って

いるのはこの低温マントルの沈降のためだ。また東アフリカの地下には高温のマントル上昇流があり、5000万年前から大陸地殻を隆起させ、東西に引き裂き、巨大な地殻の割れ目・大地溝帯を作り出した。大地溝帯が高標高地域で、周辺にキリマンジャロ山やケニア山、ニーラゴンゴ山など沢山の火山があるのはこのマントル上昇流のせいだ。

1970年代以降、コンゴ川の歴史を探るための、もう1つ重要な情報が追加された。海底油田探索および国際海洋底掘削計画による海底堆積物からの証拠である。特にコンゴ川河口近くの海底コアサンプルには、コンゴ川の歴史が記されていた。それによると、コンゴ川からの堆積物はなんと中生代である1億1000万年以上前から存在していた。中生代後期から堆積は一旦止まるが、3400万年前、漸進世の開始とともに再びコンゴ川からの堆積物が流れ込み、現在まで続いている。つまり新生代のコンゴ川は、3400万年前という遥か昔から存在し、コンゴ盆地の物質を海へと運んでいたわけだ。この証拠と上に述べたマントルの動きや陸上地質の情報を重ね合わせると、以下のコンゴ川の歴史が浮かび上がってくる（図1）。

中生代以前のコンゴ川については証拠が少なく不明だが、アフリカ大陸と南アメリカ大陸が大陸移動によって分裂して間もない頃から大河が存在していた。その後中生代後期白亜紀、地球規模の海進の時代、コンゴ盆地にも海水が侵入して湾状となった。このため旧コンゴ川流域は湾に飲み込まれ、大西洋への流出が止まった（図1a）。新生代になって海水は後退するが、しばらくコンゴ川は大西洋に流れ出なかったようだ。コンゴ川は現在のコンゴ盆地の北の稜線を越えて、北西のチャド湖盆地へ直線的に流れていたのではないかという推測がある（図1b）。

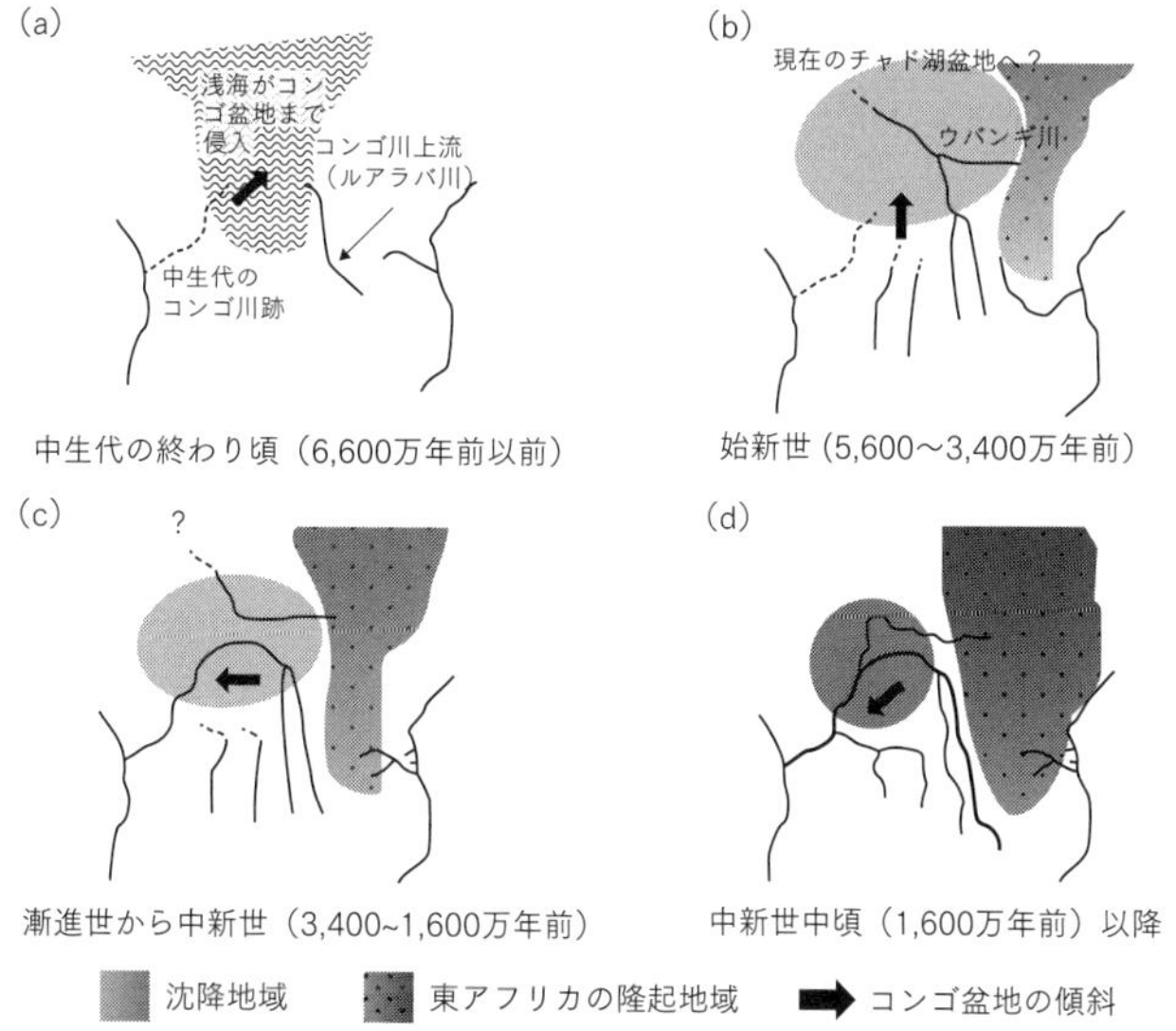

図１　推定されるコンゴ川の歴史

さて、そのコンゴ川が西へ方向を変え、中生代のコンゴ川の流路を捉えて大西洋へ流れ出したのが、３４００万年前だった（図１ｃ）。引き続く低温マントルの沈降と高温マントルの上昇によって、コンゴ盆地と東の大地溝帯の間にはすでに５００メートル以上の標高差があったことがわかっている。水は低きに流れるのだから、３４００万年前に西へと方向を変える傾斜となったのだろう。同位体元素の解析からも、この時にコンゴ盆地の大陸地殻が侵食されて崩壊し大西洋に流れ出たことが明らかになっている。１６００万年前にはさらに多くの支流が本流に流れ込んで、現在のような巨大河川になった（図１ｄ）。

現在、大地溝帯の運動はやや鈍っているが、コンゴ盆地の沈降は続き、大量の物質の堆積が続いている。古第三紀や新第三紀には現在よりも温暖な気候が続いた時があった。特にコンゴ盆地南にはコンゴ川に注ぐ支流がたくさんある。地球が乾燥した時代に広がったカラハリ砂漠などの砂漠起源の砂が、河川の氾濫によってコンゴ盆地に大量に運び込まれたと考えられる。全く層状になっていない砂が最大950メートルの厚さで堆積しているのだ。この砂の上に熱帯雨林が成立しているのだから、なんとも不思議ではある。

ここで紹介したコンゴ川の形成仮説は、もともとボノボの起源を追求する過程で生まれたものだ。ボノボはその近縁種であるチンパンジーとコンゴ川で明瞭に生息地が隔てられている。コンゴ川の左岸、南側の森林地域に生息するボノボが、コンゴ川右岸、北側に広く分布する他のチンパンジーの系統からどのように分岐したのか、わかっていなかったのだ。DNA研究からは両種は260〜80万年前のどこかで分岐したとされる。そこで、第四紀初頭（260万年前）に成立したコンゴ川が、両者の生息域を隔てたのだろうと曖昧に考えられていた。しかしコンゴ川は3400万年前から存在していたから、それは無理な話だ。第四紀の極度に乾燥した時代（およそ260万年前、180万年前、100万年前の3回ある）に流水量の減少したコンゴ川の上流の浅瀬を、ボノボの祖先集団が右岸から左岸に渡ったと考えた方が良い。コンゴ川の歴史を明らかにしたことで、以前の理解を覆したわけだ。

大学時代にアフリカ大陸中央地域を放浪したとき、ザイール共和国（現コンゴ民主共和国）のキサンガニで、キンシャサに行く船に乗り損ねた。飛行機代もないし、カヌーでできるだけ下流に下ってどこかの大きな町で貨物船を捕まえてキンシャサまで移動することを考えた。キサンガニ（コンゴ川の右岸）からまず左岸に渡るのだが、川の中央部は想像以上に流れが速く、現地の漕ぎ手はカヌーが転覆せぬよう必死に操作していた。もちろん私も「カヌーから落ちたらどうする？」と考えながら思いっきり櫂を漕いだ。とても泳いではコンゴ川の本流を対岸に渡れないと思った。大きな客船なら多少とも川岸から離れて運行しているが、小さな船は流速が小さく乱流が少ない川岸に沿って航行し、上りと下りのカヌーが川岸の木の枝が覆いかぶさる中を行き交う。実際、泳ぎが上手と言われるゾウでも、コンゴ川を渡ったことがないらしい。ＤＮＡ解析によれば、コンゴ川左岸森林地域に住むゾウの個体群は、東アフリカや中部アフリカではなく、アフリカ南部のザンベジ／ボツワナ地域のゾウの系統だったのだ。

生物の種多様性は熱帯地域がもっとも高く、赤道から両極へ向かうにつれ減少していく、というのが、生態学上のよく知られている法則だ。ところが、コンゴ川左岸の森林地域はそのパターンに従わない。熱帯雨林であるにもかかわらず、種多様性が極端に低いのだ。コンゴ川右岸の森林地域に比べても半分ほどの種数しか知られていない。ゾウに限らず、多くの森林動物にとって、コンゴ川は強力な移動障壁だったのだろう。３４００万年前という、途方もない昔から存在していた新生代のコンゴ川、その陸上動物の分布に与えてきた影響は大きい。

（竹元博幸）

3

コンゴ盆地熱帯林の生態

★マメ科が優占する種多様性の低い森林★

熱帯アフリカと森林

現在残っているアフリカの熱帯林（熱帯雨林と熱帯季節林を合わせたもの）は面積175万平方キロで、全世界の熱帯林の約20％を占める。そのうち、コンゴ川流域のコンゴ盆地にあたるコンゴ共和国やコンゴ民主共和国と、それに続く中央アフリカ共和国、カメルーンからガボン、ガーナ、コートジボワールなどギニア湾岸の低地に、南米、東南アジアに次いで世界第3の規模をもつ熱帯雨林が広がる。熱帯地域の植生は、降水量と乾季の長さによって決まる。大まかにいえば、降水量が1000ミリ以上で乾季が2ヶ月半未満の地域が熱帯雨林、1000ミリ以上だが乾季が2・5～5ヶ月の地域が熱帯季節林、250ミリ以上の降水量で乾季が5～7・5ヶ月の地域が熱帯サバンナ、250ミリ以下が砂漠・半砂漠となっている。

サバンナはおおむね背丈80センチ以上の草が生えている景観で、なかでも樹木が多い景観を森林サバンナとよぶ。しかし、アフリカの現在の植生は人為の影響を大きく受けていて、気候要因だけではサバンナ景観の分布が説明できない。熱帯季節林が成立する場所でも、人為的な野火などの影響でサバンナ、あるいはサバンナと森林のモザイクとなっていることが多い。

洪積世にアフリカの森林は、氷期における乾燥による縮退と、間氷期における回復を繰り返した。1万8000年前のヴュルム氷期には、熱帯林はわずかにコンゴ盆地東部とギニア湾岸などの一部にまで縮退した。多湿気候に適応した動植物は、氷期に残った森林を逃避地として生き残り、地理的に隔離されることによって種分化し、間氷期にそれぞれが分布を回復することによって姉妹種が共存するようになったと考えられている。動物では、類人猿やオナガザルの仲間などが現在の分布や種多様性と逃避地との関連が議論されてきた。

多様性の低い熱帯林

アフリカの降水量が十分な標高1000メートル以下に分布する熱帯雨林は、おもにマメ科の樹木が林冠を優占している。筆者らが調査をおこなったコンゴ・キヴ州の熱帯雨林では、胸高直径（地上130センチでの幹直径）10センチ以上の樹木を幅10メートルで長さ8キロのベルトで調べたところ、およそ150種（うちマメ科が20種）で6894本が記録された。この種数はアフリカ熱帯では標準的だが、東南アジアや南米の熱帯雨林にくらべるとかなり少ない。

この森林では6種のマメ科植物を含む上位10種で胸高断面積合計比（地上130センチでの幹直径の2乗の和、森林での優占度の指標とされる）が60％以上、とくに6種のマメ科植物で約4割を占める。この少数のマメ科植物で優占される特徴は長さ8キロのベルトを短く分けて扱うとより顕著だ。200メートルごとに区切った小ベルトの3分の2で、3種のマメ科植物のうち、ただ1種が胸高断面積合計比の3〜4割を占めることがわかった。このことは、この森林は複数の優占樹種が一様に分布しているのではなく、単一種が優占している小面積の森林のモザイクであることを意味している。

一般に熱帯雨林は種多様性が高く、特定の優占樹種が存在していないのが常識だ。しかし、熱帯雨林でもこのような優占樹種がはっきりとしている森林はほかにも知られていて、とくにアフリカ熱帯に多い。ウガンダ西部・ブドンゴではマメ科の *Cynometra alexandri* が林冠の75%以上、コンゴ東部・イトゥリではマメ科の *Gilbertiodendron dewevrei* が林冠の90%以上を占める森林が報告されている。筆者らが調査をしていた森林は、この両種が存在しており、東部と北西部からの両種の勢力がしのぎを削っている場所に位置している。

優占種と根系ネットワーク

熱帯雨林の高い種多様性を説明する有名な仮説に「中規模撹乱説」がある。適度な撹乱が熱帯雨林の種多様性を維持しているというものだ。逆に台風などがなく長期間にわたって撹乱を受けていない森林では、次第に親木の下の同種の幼木が更新される生活様式の樹種が優占するようになり、種多様性が低くなる例が知られている。このような樹種は、ゆっくりとした成長で長い寿命を持ち、親木から遠くに散布されない少数の大きな種子をもつ。近年、根と共生する菌根菌のネットワークを通じて親木と幼木がつながり、親木から幼木に栄養を供給していることがわかってきた。

菌根は、植物の根に菌類（菌根菌）が侵入した共生体である。菌根菌にはいくつかタイプがあるが、熱帯から亜寒帯にかけてフタバガキ科、マメ科、ブナ科、カバノキ科、マツ科など森林を優占する高木種はとくに外生菌根をもつことが知られている。アカマツと共生関係にあるマツタケのように、樹木と外生菌根菌の間には一定の種特異性がある。外生菌根では、菌糸が細根を覆って菌鞘ができ、根の細胞間で菌糸が分枝してハルティヒネットという構造が発達している。水域と違って土壌中では栄養分は土壌粒子の表面に強く結合していて、ほとんど移動しない。菌糸の量が多いほど、広範囲にわたって腐葉土や土壌鉱物を包み込み、土壌粒子の表面上の養分を引き剥がして植物に供給することができる。1リットルの土には、しばしば総延長5キロ以上の菌糸が詰め込まれている。外生菌根はハルティヒネットによって広範囲から養分を集めることができるため、森林で優占する高木種には必須のアイテムになっている。大規模な野外実験で、ハルティヒネットでつながる根系ネットワークを通じた隣接する樹木の間での水や養分のやりとりが立証された。親木と幼木は菌根菌を共有しており、暗い林床でも幼木は親木から栄養をもらって生きながらえている可能性が高い。

野生霊長類の住む森

このマメ科主体の森林で、ゴリラやチンパンジー、ボノボ、さらには各種のオナガザルは一体、なにを糧に生きているのだろうか。野生霊長類が好んで食べる果実は、熟すと黄、オレンジ、赤などの目立つ色になり、果肉が甘く、果肉と種子が離れにくい性質をもっている。森の近くで暮らす人々にとっても、貴重な食べ物だ。これらの果実の種子は、霊長類によって主に糞の内容物として親木から離れたところに運ばれ、運のいい種子は発芽成長する。おもに低木やつる植物、あるいは倒木跡に更新する高木が多い。

倒木跡に生えるトウダイグサ科の *Uapaca benguelensis* は大木が何本か一緒に立っていることが多いが、その下に幼木があることはない。この果実はじつに甘く、野生霊長類の大好物である。親木から離れたところに、糞から発芽した実生がかたまって生えているのを何度も見たことがある。このような果実食霊長類が、森林の種多様性を高めることに関与しているのは間違いない。

（湯本貴和）

4

ボノボが暮らす ワンバの森の植生

★熱帯林がもたらす豊かな食物資源★

コンゴには、チンパンジーの近縁種である大型類人猿ボノボ（*Pan paniscus*）が生息している。チンパンジーもボノボも、アフリカの熱帯林やサバンナに生息しているが、ボノボはコンゴ川の南側、国としてはコンゴ（コンゴ民主共和国）にしか生息していない。ボノボの生態や保全動向については他章を参照いただくとして、ここでは、ボノボの長期調査地の1つであるワンバを対象として、ボノボと住民の暮らしを支える熱帯林の植生について紹介する。

ボノボの主食は植物である。ボノボは多くの植物種の果実、種子、葉、芽、髄などの多様な部分を食している。ワンバ調査地を含むルオー学術保護区は、ボノボの生息地と人々が暮らす集落の双方を含み、ボノボが暮らす森を地域住民も利用し、二次林や焼畑耕作地もボノボの遊動域の一部を占める。すなわち、人々の手が入った環境も含めて、森林生態系がもたらす豊かな資源をボノボと人々が共有しているのである。

ボノボは幅広い採食メニューを持つが、好物の多くを占めるのが果実である。ワンバの森では、さまざまな種の果実が実っており、ボノボは季節ごとに、その時期に豊富な好物の果実を

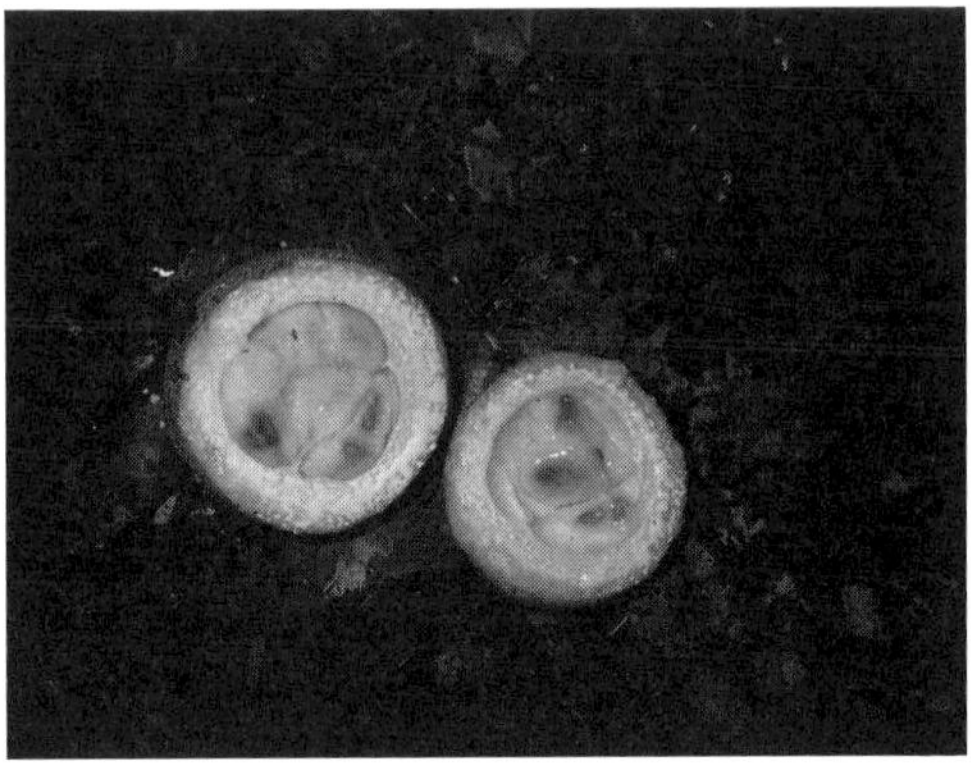

ボノボも人も食べるつる植物の果実（バトフェ）

順に食す。ワンバでは、ボノボが食べる種の果実が林床にそのまま残って腐っていることが、よくある。少なくともその時期には、ボノボにとって十分な量の果実が存在しているようである。

　季節的にボノボの主食となるボノボの好物の果実の中には、ボノボだけでなく、我々人間が好んで食べる果実もある。その代表的な種の1つが、現地でバトフェ（*Landolphia owariensis*）と呼ばれる、つる植物の果実である。バトフェは、キョウチクトウ科（Apocynaceae）ランドルフィア属の1種であり、例年8〜9月に豊富に実り、この時期のボノボの主食となる。私も初めてワンバを訪れた際に知人に嬉しそうに薦められて食べたのだが、ふんわりと広がる甘みと酸味が何とも美味しく、すぐに好きになった。ボノボは種を丸ごと飲みこむが、私は白い果肉を種からかじりとって食べることになる。まどろっこしくなりボノボの真似をして種ごと飲みこんでみたが、私ののどには少し大きかった。

　ワンバのボノボは、他にもランドルフィア属の他種を含む複数のつる植物の果実を食す。同時にマメ科（Caesalpiniaceae）ディアリウム属（*Dialium*）の複数の種の果実は、ランドルフィア属の果期の終わりから、数ヶ月にわたって、ワンバのボノボ集団が高頻度で食べる主要な採食物の1つとなるという。ボノボはこれらの種子を飲みこみ、糞から排泄することにより、熱帯林の種子散布者としての役割を果たしている。

このような季節性の高い果実と異なり、季節を問わず、安定してボノボに食物を提供しているのが草本である。熱帯林というと、樹木やつる植物をイメージしやすいかもしれないが、熱帯林の草本は、ボノボを含む大型類人猿の主要な採食メニューの1つである。そして、ここワンバでは、森の豊富な草本は、ボノボにとっても住民にとっても大切な資源となっている。

人の背丈を超える草本（ロコンゴ）

ワンバのボノボが食べる草本は、クズウコン科（Marantaceae）、ショウガ科（Zingiberaceae）、ツユクサ科（Commelinaceae）、ヤシ科（Palmae）の4科に大別される。

クズウコン科の草本はコンゴ盆地の熱帯林で一般的にみられ、ワンバの森のあちらこちらに豊富に存在する。ボノボはこれらのクズウコン科の髄や新芽の部分を好んで食べる。代表的なものは、ボコンベ（*Haumania* spp. など複数の属・種を含む）や、2メートルを超す高さにも生長する大型草本のロコンゴ（またはリクング）（*Megaphrynium macrostachyum*）である。ロコンゴの新芽の部分は、「ベイヤ」と呼ばれ、人間も食べる。森での調査の行き来に、ベイヤ採集をしている女性たちに出会うこともあった。もちろん我々研究者も、ベイヤを食べる。歯触りがよく、味は異なるが祖母が作ってくれたワラビやフキノトウの煮物を思い出し、懐かしい気持ちになった。

もう1つ、ボノボがよく食べる草本が、ショウガ科のボソンボコ（*Aframomum* spp.）と呼ばれるものである。ボノボは、ボソンボコの茎の中の髄の部分や、ミョウガのような形をした赤い実を食べる。ボソンボコや前述のロコンゴは、林の中でも光がよく入る倒木ギャップや焼畑跡地などの二次林に生えている。樹木が少なく果実の少ない場所には、草本が豊富にあるという、ボノボにとって何とも恵まれた食物資源の環境がうかがわれる。

ツユクサ科の草本では、インベケレと呼ばれる種（*Palisota* spp.）の茎の髄をボノボは食す。植生調査の結果、この種類の草本は、ワンバではマメ科の特定の樹種ボンボンゴ（*Gilbertiodendron dewevrei*）が集中して生育する場所の代表的な草本であることがわかった。ボノボはボンボンゴの種子も食べるため、1つの林分において、上層部の樹木由来の種子と下層植生の両方に潤沢な食物資源が存在していることがわかる。

ここまで、地面が浸水していない森林のつる植物の果実や草本を紹介してきたが、ワンバには地面が浸水した湿地林もある。湿地林には、非浸水エリアとは異なる、その環境に適した植物が生育している。湿地林特有のボノボの好物として、重要なのがトウダイグサ科（Euphorbiaceae）のボセンゲ（*Uapaca* spp.）と呼ばれる樹木の果実である。ボセンゲは、浸水していない森にも生育している大木であるが、湿地林一帯に広く分布しており、本数も多い。ボセンゲの結実には季節性があり、年によって微妙に時期がずれるが、おおよそ年に2回（6月頃と12月頃）豊作の時期を迎える。この季節には、ボノボの群れは頻繁に湿地林を訪れ、ときには浸水していない森林に帰らずに、そのまま湿地林に寝床を作る。

また湿地林には、非湿地林と同様にクズウコン科の植物も生えているが、ヤシ科の植物が多いのが特徴である。特にボノボは、ワンバの南部に位置するルオー川近くに群生するベリロ（*Raphia sp.*）と呼ばれるヤシの髄を好み、わざわざ食べに行くという。私もベリロ群生地を見届けるべく、南下したことがある。きらめくルオー川の水面と広がるヤシ林の美しさに感動したが、ボノボ研究者から噂に聞いていた湿地林を歩き続ける大変さも思い知った。この湿地林のヤシを活用しているのはボノボだけではない。背丈の高いペトと呼ばれるヤシ（*Sclerosperma mannii*）は、ボノボの食物であると同時に、村の家の屋根に使われている。

このようにワンバの森は、樹木・つる植物・草本など多様な植物によって、ボノボに豊富な食物資源を提供している。同時にこれらの植物は人々にとっても大切な資源であり、この豊かな森の維持が、ワンバのボノボと人々の暮らしに欠かせないのである。

（寺田佐恵子）

5

コンゴ盆地の固有種ボノボ

★メスの進化が意味するもの★

同じ*Pan*属に属するチンパンジー（*Pan troglodytes*）とボノボ（*Pan paniscus*）。*Homo*属のヒトと*Pan*属の共通祖先はチンパンジーとボノボのどちらに似ていたのか。研究者の間でもしきりに議論されてきたこの問いの答えは「どちらでもない」だ。ヒトが共通祖先から分かれて今日まで、様々な大きな進化を遂げてきたように、チンパンジーもボノボもそれぞれに進化を遂げてきたからだ。

ヒトと*Pan*属が共通祖先から分かれたのがおよそ700万年前、その後チンパンジーとボノボが分かれたのが80万～260万年前だと推定されている。したがって、チンパンジーとボノボはその進化の大半を同じ種として歩んできたことになる。実際チンパンジーとボノボは交雑も可能で、別種として扱っていいのかどうかにも疑問が残る。ところがチンパンジーが積極的な殺しを伴う集団間・集団内のオスの攻撃性を見せるのに対し、ボノボは類人猿中で唯一メスがオスと同等以上の社会的地位につき、メスのリーダーシップのもと、異なる集団でさえ何日も一緒に遊動するほどの平和的傾向を示す。そんな違いがあるからこそ、ではヒトの出発点となった共通祖先はどんな生きのだろうと考えさせられてしまうのだ。

　チンパンジーが赤道沿いのアフリカの中西部に広く分布しているのに対し、ボノボは逆Uの字型に湾曲するコンゴ川に囲まれた、コンゴ盆地の中心部にのみ生息する。そのため、豊かな熱帯雨林帯の中央部を占めるボノボの生息地はアフリカでももっとも豊かな環境であり、そこでゆったりと生活してきたことで平和な社会を作り上げてきたのだろうと、漠然と考えられることが多かった。ところが最近、ことはそう単純ではないことがわかってきた。

　近年のコンゴ川河口の海底のボーリング調査などの結果から、コンゴ川はそれまでに考えられてきた時期よりもはるかに早く、遅くとも今から３４００万年前には成立していたことがわかってきた（第２章参照）。だとすると、８０万〜２６０万年前に分かれたチンパンジーとボノボが、コンゴ川が形成されたことによって生息域が分断され、それぞれ別の種に進化したという考えは成り立たなくなる。

　どうやら現生のアフリカのヒト亜科、ゴリラ、チンパンジー、ボノボ、ヒトの共通祖先は、コンゴ川の右岸、すなわち外側にしか生息していなかったらしい。ではボノボはなぜ左岸に住んでいるのかというと、アフリカ全土を襲った第四紀の乾燥期に、コンゴ川の上流が類人猿が渡れる程度の細く浅い川となり、*Pan* 属の共通祖先の小さな個体群がそこを渡って左岸に入り込み、その後また隔離されてボノボとして進化したというのだ。つまりチンパンジーとボノボの行動の大きな違いは、遺伝的変異が発生・定着しやすい小さな個体群から出発したボノボの派生的な進化によると考えられるのだ。だとすると、ボノボで起こった特殊な進化とは、どういうものだったのだろうか。

　メスの高い社会的地位、母・息子関係の長期化と母親の地位が息子の順位に与える影響、メスを中心とした集団の凝集性、集団間の平和的関係など多くの行動学的特徴とは別に、ボノボには、チンパンジーと大きく異なる生理学的特徴がある。それは、授乳期初期における発情（性的サインを送って性的受容性を示す現象）の再開だ。チンパンジーのメスは、出産後3～4年は授乳を続け、その間は発情も性交渉も妊娠もしない。子供の離乳後にようやく発情を再開するが、半年から1年で妊娠すると、また妊娠と子育ての長い非発情期に突入する。このためチンパンジーのメスが発情を示すのは、性成熟後の人生の20分の1ほどに過ぎない。これは言い換えれば、集団内に雌雄が同数いたとしたら、1頭のメスを巡って20頭のオスが競い合うということになり、オス間の競合性・攻撃性はどうしても高くならざるを得ない。これに対してボノボのメスは、チンパンジーと同様出産後3～4年は授乳を続けて妊娠はしないにもかかわらず、わずか8ヶ月ほどで性皮（メスの陰唇部）を大きく腫らして発情し、性交渉を再開するのだ。これはいわば偽物の発情なのだが、これにより集団内に同時に発情を示すメスが多数存在することになり、低順位のオスもそれなりに交尾の機会を得ることができる。こうなると、オスにとって高順位であることの効果は相対的に小さくなり、攻撃的行動によって他のオスの性行動を抑圧することよりも、メスに気に入られてより多くメスとの交尾を成功させることの方が重要になる。

性交渉の成否をめぐる決定権を握ることの意味は大きい。交尾をめぐるメスの選択権が大きくなればメスの社会的地位は高まるだろうし、オスとも対等に渡り合えるようになったメスは順位や性交渉多い[illegible]息子の争いをサポートし、高順位のメスの息子がオスの第1位の座に就くといったケースも[illegible]きいのは、メスが社会のリーダーシップを握ることによって、集団内・集団間の社会

ボノボの３つの集団の平和的な出会い。中央の倒木上に集まっているのは、すべて３集団のメスとその子供たちだ。© 横山拓真

関係が大きく異なってくるということである。哺乳類の一般論として、オスは他のオスを抑圧して性交渉を独占すれば、それだけ多く自分と同じ遺伝子をもつ子を残すことができる。しかしメスは、他のメスの性交渉を抑圧して性交渉や食物を独占したとしても、その分多くの子を残すことはできない。それよりもメスにとって重要なのは、安定した社会関係の中で、安全に子供を育てあげることになる。このように考えると、ボノボに見られる多くの特徴を、授乳期間中に発情を再開させるというメスの生理的メカニズムの進化から説明することができる。

ボノボで起こったことは、一言で言えばそのときに性交渉可能なオスとメスの数の比（実効性比）を1対1に近づけるということである。そして、違った形ではあるが、それをさらに進めているのがヒトである。ヒトのメスは、ボノボのように性皮を腫らして発情のサインを送る期間を延ばすのではなく、生理的メカニズムとしての発情という現象そのものをなくし、その一方で排卵の有無やサイクルにかかわらず性交渉を持てる「恒常的性的受容性」を進化させている。これにより、実効性比を実質的に1対1にし、性交渉を特定の相手に限定するペアを形成して核家族を形成することが可能になっている。このことは、生息環境の乾燥化により大型肉食獣による捕食のリスクの増大や食物の密度の低下が進む東・南部のアフリカで、オスを育児に引き込み、少ない数の子を確実に育てるのに役立ったと考えられている。化石に残るヒトの進化で最初に起こった直立二足歩行も、主としてオスが危険地帯である遠くの草原から川辺林などの安全地帯に食物を運んできて、性関係の特定化によって認識できるようになった自分の子に与えるのに役だったとも考えられている。

このように、ボノボでもヒトでも、生理的メカニズムは異なるものの、実効性比を1対1に近づける進化が社会の形を大きく変えたといえる。ただひとつ大きく違うのは、ボノボではそれがメスの社会的地位の向上とメスのリーダーシップによる平和的な集団内・集団間関係の形成につながったのだが、ヒトでは残念ながらそうはならなかったという点である。それは、性関係が核家族の中に閉じ込められることによって、ヒトのメスの性の進化が家族の外の世界でのメスの社会的地位の向上にはつながらなかったからだ。集団内・集団間の社会関係を決めるのは、相変わらず父系社会を形成する身体の大きなオスたちだ。だとすれば、ヒトのメスの性の進化が平和な社会の形成につながる唯一の道は、メスが核家族に入らず、あるいは積極的に核家族の外に出て、発言力を高めていくことではないだろうか。結婚をしない女性が増え、社会における女性の発言力が高まっている現在の人間社会は、その方向を目指しているのかもしれない。

（古市剛史）

6

バリ（Mbali）のボノボ研究

★ゴリラと同じ草原生態系に暮らすボノボの不思議★

コンゴ中西部国境のコンゴ河沿い数十キロに広がるバリ地区は、中部アフリカをぶち抜くバテケ高原に典型的な森林・サバンナ混交の景観を持ち、一見、密林の類人猿ボノボが暮らす里とは思えない。しかしボノボ研究ではあまり知られていないが、1929年にヨーロッパで初めてボノボとして識別された標本が積み出された港とされるボロボの町を郡都に戴く、〝由緒正しい〟ボノボ生息地なのである（図1参照）。

私が大学院時代に最初にコンゴに足を踏み入れた1980年代当時、ボノボはまだ「ピグミーチンパンジー」と呼ばれていた。改名の議論が高まりはじめた頃で、いわく「長すぎていたずらに字数が増える」「〝ピグミー〟は差別用語である」「現地名を尊重すべきだ」等々、いくつもの改名の理由が挙げられた。ただ、肝心の現地名とされた「ボノボ」の由来がいただけない。ボロボ港で積み出された標本を見た研究者が、地名を動物名と勘違いし、スペルまで間違えて〝Bolobo〟を〝bonobo〟と記載したらしい。1954年にヨーロッパで「現地では『ボノボ』と呼ばれている」と書かれた文章が出回るに至って、欧米ではこの間違った名前が定着してしまった。改名の議論が喧し

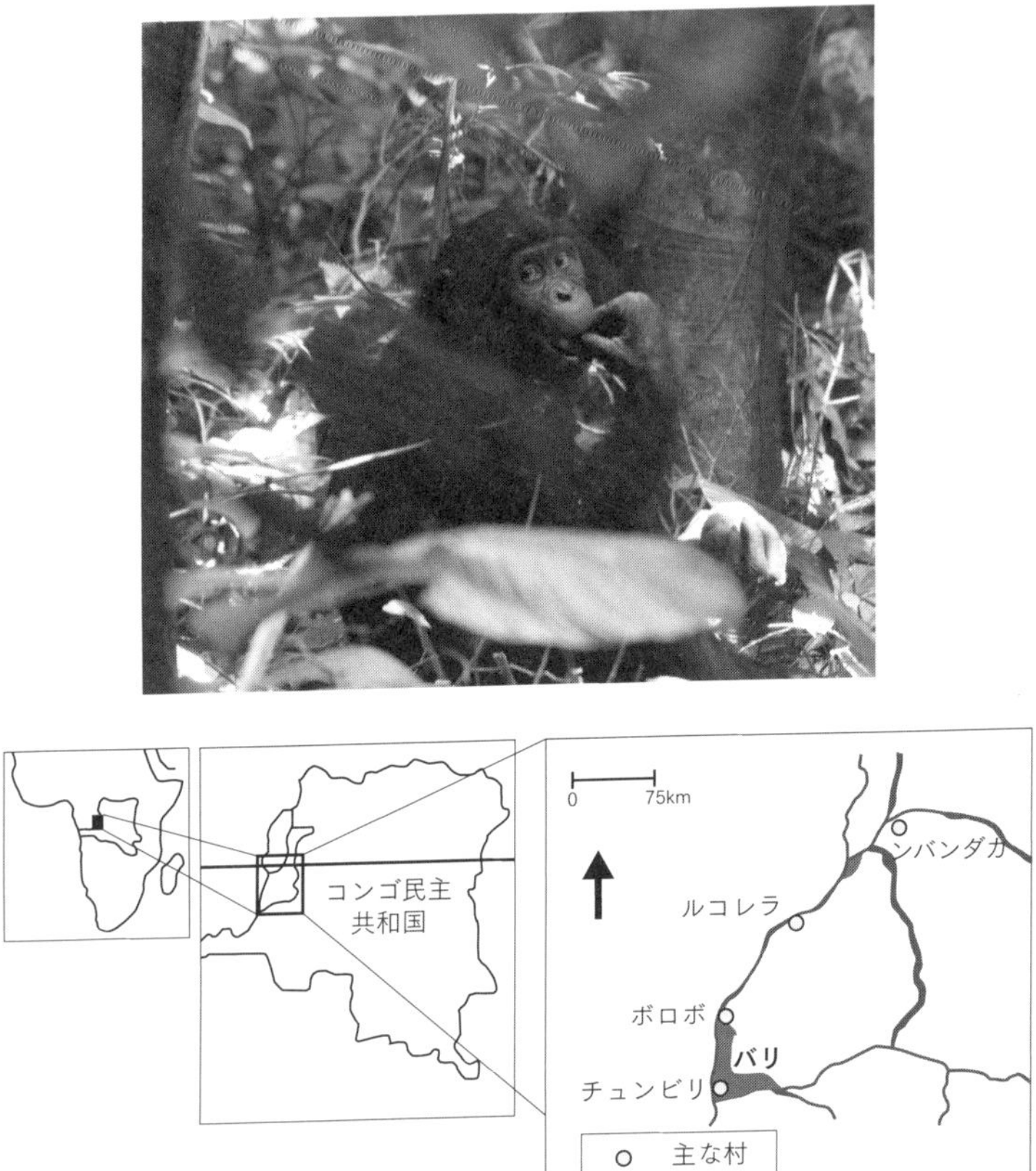

図1　バリのボノボ（オス）とバリ地区の地図。2013 年の弾丸視察で出会ったこのオスはよく慣れていて、この時も 20 メートルぐらいのところで、のんびり歯をせせっていた。ただ、残念ながらその後のインフルエンザの蔓延で、命を落とした。

かった当時、ボノボ研究をリードしていたのは京都大学だったので、その調査地ワンバにおける現地名「ビーリア bilia」を推す動きもあった。しかしこの呼称はアルファベットで読みづらく、単数形（elia）と複数形（bilia）が大きく違う等、英語中心の学術論文に馴染まず折り合いがつかなかった。

私がバリのボノボの存在を知ったのは２０１３年。すでに研究畑から足を洗って長く、ＷＷＦ（世界自然保護基金）の中で、カメルーンのゴリラ保護プロジェクトへの協力を開始した直後だった。アフリカ中部プログラムの全体会議がキンシャサで開催された折に、ＷＷＦベルギーの当時の自然保護室長から肩を叩かれ、何の話かと思えば、「お前の知り合いに、ボノボの西部個体群に興味を持ちそうな研究者はいないか？」とのお訊ね。ボノボ西部個体群？

１９８８年、ワンバにランドクルーザーを搬入するという大仕事で、調査隊の一員として赤道州ンバンダカでキンシャサからのフェリー待ちをする間に、トゥンバ湖のほとりの国立自然科学研究センター・マバリ支所を訪れたことがあった。その時、「この辺でボノボを観るのは難しい」と聞いたし、加納隆至先生が自転車でボノボ生息域を踏査した１９７０年代以降、それに続く先輩たちの広域調査でも、この界隈のボノボはほぼ絶滅という結論になっていた。それがミレニアムも越えた30年後（２００６年）に再発見され、推定数千頭の単位で現存しているというのだ。しかもエコツーリズム向けに人づけ（人間に慣れさせること）が済んでいて、「直接観察できる20頭以上のグループが２つ」ある。ブッシュミート消費増による野生動物の枯渇を懸念し、自分たちの森を守ろうと「地元コミュニティが１９９０年代後半に環境保全ＮＰＯを立ち上げ」て、「その象徴であるボノボ保護に取り組んでいる」。どれ1つとっても、にわかに信じがたい内容だった。おまけにボノボの生息環境としては想定外の、サバンナにも出てくる個体群だという。私は頭を抱えた。

「研究者を巻き込むことで、エコツーリズムが興隆するまで、地元NPOやトラッカーたちのやる気を盛り立てたい」。耳元では、やはりボノボ保護を推進していたWWFオランダの担当者も、西部個体群がもたらす研究成果のポテンシャルと、即研究に取り掛かれるチャンス（人づけには7年かかっている）を、じゅんじゅんと説いている。ざっと話を聞いただけでも有力な調査地なのは火を見るより明らかだし、ボノボ以外でも面白い研究テーマがゴロゴロ転がっていそうだ。

バテケ高原は私にとって、勝手知ったる庭のようなものだ。コンゴ河の対岸コンゴ共和国内には、かつて面倒を見た孤児ゴリラたちが野生復帰した、レフィニ鳥獣保護区がある。さらに西にたどればガボンのムカラバ・ドゥドゥ国立公園に行き着くが、ここは京大のゴリラ調査の立ち上げを手伝った懐かしい場所だ。高原にその名がつけられたテケの人々とまた仕事をするのは面白そうだし、周りに興味を持ちそうな研究者にも事欠かない。でもゴリラのプロジェクトと両立できるだろうか……。

迷う時にはまず自分の目で確かめようと、WWF会議が終わる頃には腹を括った。ただし猶予は1週間しかなく、件の自然保護室長は「うーん、チャーター機なら1・5時間だけど、船だと2日掛かりなんだ」と、私の強行軍を聞いて困り顔になった。慌ててバリのNPO「ボー・モン・トゥール」のキンシャサ事務所を訪ねると、千載一遇のチャンスで翌朝バリへ向けて出航する木造船ボノボ号に空席があり、現地滞在3泊4日の弾丸視察をこなすことにした。

そして3日後、朝4時から出かけたバリの森で出会ったボノボの美しさは、一生忘れられないだろう。それ以上に、若い案内人たちのトラッキング技術に目を見張った。3人でグループの鳴き交わしに目配りしながら、移動時はビジターを頂点に、スルスルと扇状に展開してボノボの1歩先に出る。彼らの動きを追っていれば、藪陰の見づらいボノボでも観察できて、しかも逃さない。そのお手並みは25年前にワンバで見て以来、他のどのフィールドでもお目にかかれなかったものだ。

バリの状況は、予想以上にポテンシャルが高かった。さっそく古巣の京大関係者に声を掛け、2016年までにはボノボ研究者だけでなく、人類学者や経済学者、マスコミ関係者等10人以上が現地を訪れた。ただ残念ながら、ボノボに蔓延したインフルエンザの被害や大統領選を巡る政情不安等で紆余曲折するうち、研究は停滞してしまった。さらに新型コロナのパンデミックでエコツーリズム振興も暗礁に乗り上げ、今ようやく再開しようかというところだ。

この原稿を書いている2023年8月に、私はバリのボノボ・グループを再訪し、昔馴染みの案内人の「技」に改めて感動した。感動ついでに、この正統「ボノボ」原産の地ボロボ郡の、ボノボの本当の現地名を宣伝したくなって確かめてみたところ、何と「エボボ」だと言うのには驚いた。「エボボ」は、バテケ高原はもちろん、コンゴ共和国北部～カメルーン南東部など広くコンゴ熱帯林で、ニシゴリラの現地名なのである。これでは、たとえ先祖のボノボがボロボ港で正しい現地名を記載されていても、「ピグミーチンパンジー改めエボボ」とはなり得なかっただろう。思わぬところでゴリラとボノボがつながって、これもバリ地区とのご縁かと、私自身は妙に納得したのである。（岡安直比）

7

ゴリラの研究と保護の狭間で

★チンパンジーと共存していたゴリラたち★

ゴリラは現在2種4亜種に分類されるが、そのうちナイジェリアのクロスリバーゴリラを除く2種3亜種がコンゴに分布している。マウンテンゴリラはウガンダ、ルワンダとの国境にまたがるヴィルンガ火山群に、ヒガシローランドゴリラは東部の北キヴ州、南キヴ州に、ニシローランドゴリラはコンゴ川の河口付近に生息する。このうちヒガシローランドゴリラはコンゴだけに生息しており、私は1978年以来最近まで最も長く調査を続けてきた。

ゴリラは1846年に初めてヨーロッパに紹介され、1855年には生きたゴリラがロンドンで公開されている。しかし、その後ゴリラは2つの大きな誤解から不幸な道を歩んだ。1つは発見当初に探検家たちが、ゴリラのドラミングという両手で交互に胸を叩く動作を攻撃の前触れと誤解して、「狂暴で闘争好きな性格」をしていると触れ回ったことである。おかげでゴリラは動物園で厳重な檻の中で太い鎖につながれ、肉食と間違えられ、キングコングのモデルとされた。もう1つは、動物園のゴリラはほとんどがニシローランドゴリラなのに、野外の研究が進んだのが地上性で草食や葉食のマウンテンゴリラだった

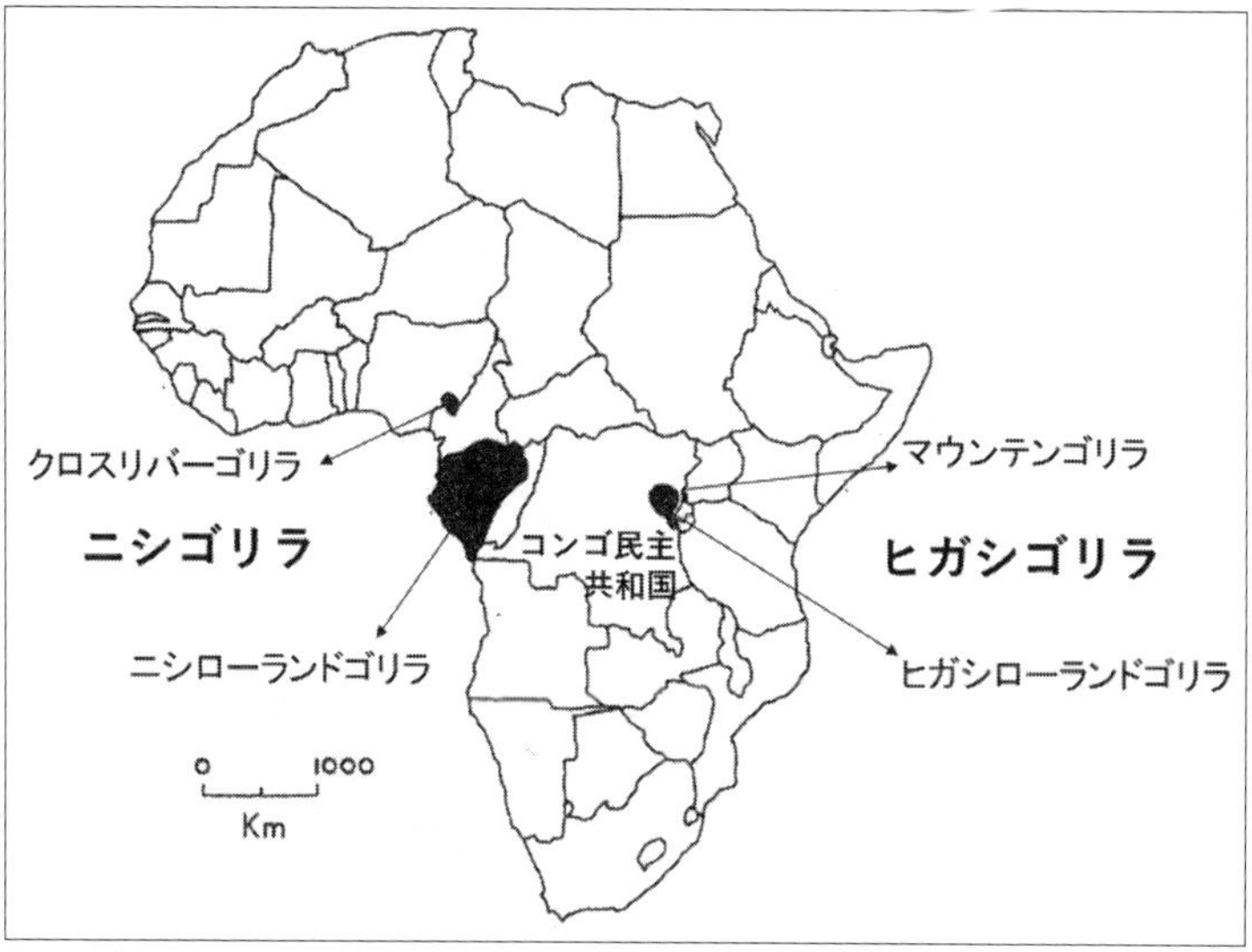

図１　ゴリラの現代の分布域

ためにニシローランドゴリラもそうであると見なされたことである。１９８０年代からニシローランドゴリラの野外研究が進み、ニシローランドゴリラが果実を好み樹上をよく使っていることが明らかになった。私が主として調査をしたヒガシローランドゴリラはこれら２つの種の中間的な特徴を持っていた。また、マウンテンゴリラと違い、チンパンジーと共存しているために、近縁な２種の類人猿が共存しながらどう進化してきたかを考察する上で多くのヒントを与えてくれた。

マウンテンゴリラが生息するヴィルンガ火山群は１９２５年にアフリカで最初に国立公園になった場所である。１９５０年代には欧米や日本から研究者がここに集まり、ゴリラの調査が行われた。今西錦司と伊谷純一郎による予備調査に引き続き、河合雅雄と水原洋城がウガンダ側のムハブラ山でゴリラの餌付けを試みたがうまくゆかず、食性と遊動に関する調査にとどまった。同時期にコンゴ側のミケノ山で調査を行ったジョージ・シャラーは餌を使わずにゴリラの群れに接近し、ゴリラの行動や社会の輪郭を『マウンテンゴリラ』という本にまとめた。1960年に勃発したコンゴ動乱で調査は中断されたが、1967年に単身で乗り込んだ米国のダイアン・フォッシーによって再開された。フォッシーはゴリラに受け入れられて2～3群のゴリラを間近に観察することに成功し、以後多くの研究者がフォッシーのもとに集って長期にわたる調査を継続することになった。私も1980年から2年間、ここでマウンテンゴリラの生活史や社会行動を調査した。

明らかになったマウンテンゴリラの野生生活の全容を要約すると、地上性の草本類を好んで食べ、リーダーのオス1頭と複数のメス、子どもたちから成る平均10頭前後の群れを作るが、複数のオスを含む群れもある。群れは年間20平方キロほどの範囲を遊動し、他の群れや単独のオスと出会った際にメスだけが移籍する。オスは生まれ育った群れを出て単独生活をするかオス集団で暮らした後に、他集団からメスを誘い出して自分の群れを作る。ただ、オスによる子殺しが頻発すると、メスがより着実な保護を求めて複数のオスがいる群れに移籍するようになる。すると、成熟しても親元を離れないオスが増え、複雄群が増える。これらの研究で注目されたのは、ゴリラがチンパンジーと同じくメスだけが移籍する父系的な社会を持つことだった。一方、チンパンジーとは違い、オスが育児に積極的に関わる家族的な群れを作り、群れどうしはなわばりを持たずに頻繁に出会う。オスが授乳中のメスを発情させるために子殺しをするという発見も注目された。

しかし、度重なる密猟とルワンダ側の国立公園域の削減によってマウンテンゴリラの生息数は激減し、私たちが1980年にヴィルンガ火山群の全域調査をした時は、シャラーが1959年に推定した生息数の半分以下の242頭まで減っていた。その後、1985年にフォッシーが何者かに殺害され、そののち内戦が勃発して1994年にはルワンダで80万人が虐殺される事態となり、研究活動は再び中断した。ルワンダは現在は政治情勢も安定してゴリラ観光が外貨獲得の1位を占めるようになり、ダイアン・フォッシー基金など国際的な支援も拡大して2019年にゴリラは459頭を数えるまでに回復した。しかし、コンゴ側はまだ政治的に不安定な状態が続いており、国立公園の職員が殺害されるなどの事件が相次いでいる。

さて、私が深くかかわったコンゴのカフジ＝ビエガは、1970年に山地部がゴリラ観光を目指して国立公園となり、1980年には低地部が併合され世界自然遺産に指定された。1978年に私が最初に調査した際は山地部に258頭のヒガシローランドゴリラを確認した。ここのゴリラはマウンテンゴリラに比べて体毛が短く、顔が長い。群れのほとんどは成熟したオスを1頭しか含まず、若いオスがメスを連れて群れを離れ、自分の群れを作ることも多い。子殺しはほとんど見られず、メスが子連れで群れを渡り歩くこともある。ヴィルンガより標高が低く、年間を通じて果実がなるのでゴリラも約2倍の遊動域をもち多様な食物を摂る。また、全域でチンパンジーと共存している。この2種の同所的共存についてコンゴの研究者バサボセ・カニュニと共同研究をした結果、同じ場所に棲むゴリラとチンパンジーは食べる果実が大幅に重複していた。だが、チンパンジーが個体単位で繰り返し果樹を訪れるのに対し、ゴリラは群れ単位で広い範囲を食べ歩く。また、果実が少ない時期にゴリラは樹皮食、チンパンジーは動物食というように食べ分けていることがわかった。低地のゴリラはさらに果実食や樹上性の傾向が強く、ゴリラとチンパンジーは行動域も食性もはっきり分けているという、これまでの見解を覆す発見だった。

ルワンダの内戦のあおりを受けて大量の難民が公園内外に住み着き、密猟が横行して20世紀末には130頭までゴリラが減った。そこで、ゴリラと人との共存を目指してポレポレ基金という現地のNGOを立ち上げ、公園の密猟や密伐の監視、植樹活動、家畜飼養や養殖池の拡大、環境教育などを実施、現在は200頭を超える数になった。しかし、まだ政治的混乱が続き保護の手が及ばない低地部ではゴリラの数は激減していると推測され、ヒガシローランドゴリラはIUCN（国際自然保護連合）により絶滅の危険が最も高い種に指定されている。

（山極壽一）

8

タンガニーカ湖の魚

★生態と進化の謎を探る★

シクリッドという魚のグループをご存じだろうか？　熱帯魚の愛好家のみなさんにはよく知られているが、初耳という方も多いだろう。シクリッドは、淡水魚の科のひとつであるカワスズメ科に属する魚類の通称で、アフリカ（マダガスカルを含む）、中南米、インド、スリランカなど、全世界の熱帯域に広く分布している。この科に属する魚の種数は２５００〜３０００に達すると考えられており、たいへん大きなグループだ。東アフリカ大地溝帯に分布する巨大湖であるタンガニーカ湖、ヴィクトリア湖、マラウイ湖は、アフリカ大陸におけるシクリッドの分布の中心で、タンガニーカ湖で２５０種、そのほかの２つの湖にはそれぞれ６００〜８００種を超えるシクリッドが生息している。しかもそのほとんどすべてが、世界でそれぞれの湖だけに分布する固有種であり、湖の成立以降に湖内部で進化したものと考えられる。大地溝帯の湖に生息するシクリッドは脊椎動物で最も急速な進化の実例とされており、その進化の仕組みと興味深い生態について、世界中の研究者によって活発な研究が行われている。

世界が注目するシクリッドの宝庫であるタンガニーカ湖は、

タンガニーカ湖の水中景観。浅い岩場に多様な魚が群れ泳いでいる。

コンゴの東端に位置する国際湖で、東西50キロ、南北670キロの細長い形をしている。湖の対岸はタンザニア、湖の北端はブルンジ、南端はザンビアに面し、湖の面積の40％がコンゴに属する。流入河川はいくつかあるが、コンゴ側にあるルクガ川が唯一の流出河川で、それがコンゴ川に合流する。タンガニーカ湖は、東西に広がり続ける大地溝帯の割れ目にできた湖なので、流れ込む土砂によって埋まることがなく、湖面の変動はあっても、600万年以上の間、湖として存在し続けてきたと考えられている。この古代湖と呼ばれるほどの長い湖の歴史が、たいへん多くのシクリッド固有種をはぐくんできた。

タンガニーカ湖の湖面の標高は海抜770メートルほどだが、最深部は1400メートル以上の深さがある。海面よりはるかに下まで急斜面に囲まれた湖が広がっている。しかし、熱帯に位置するため気温の季節変動が小さく、酸素を豊富に含む表面の水が冷えて深部に移動する対流がおこらないので、深いところに酸素が運ばれない。酸素があり魚が生息できるのは、水面から100～250メートルほどの範囲に限られる。また、シクリッドの多くは湖底近くに生息する底生魚であるため、湖の沿岸の浅い斜面にひしめくように生息している。スクーバダイビングで湖に飛び込むと、あたりはまるで水族館の水槽に入り込んだように、大小さまざま、色とりどりの魚に満ちている。そのほとんどすべてがシクリッドだ。生物進化の歴史の中では、600万年というのはほんの直近のことだが、その間にわずか7種ほどの祖先種から250種ものシクリッド固有種が湖内で進化し、しかも同じ科に属する近縁種が共存できている仕組みの謎が、多くの研究者を魅了している。

タンガニーカ湖のシクリッドはすべて、親が卵や稚魚の保護を行う。保護の方法には、親が岩などに産みつけた卵や子どもの群れを見張って保護する「見張り型保護」と、メス親が卵や子どもを口にくわえて持ち運んで保護する「口内保護」がある。保護期間は数週間から数ヶ月におよび、両親による保護だけでなく、メス親やオス親単独による保護が行われる場合がある。また、一夫一妻、一夫多妻、一妻多夫のすべての配偶システムが見られ、子の保護の単位を中心としたたいへん複雑な社会構造を持つ種もいる。たとえば、巻貝の殻を大型オスがたくさん集めて繁殖巣をつくり、その貝殻の中でメスが産卵して子の保護を行う種では、極端な一夫多妻が発達し、オスの体重がメスの14倍という脊椎動物最大の性的二型が生じている。しかも、メスよりもはるかに小さい超小型オスが出現し、巻貝の殻の内側に入り込み、大型オスの攻撃を逃れて寄生的に繁殖に参加するという特異な繁殖戦術を発達させている。

卵や子の保護をめぐる個体間、種間の関係もたいへん複雑だ。たとえば卵の間は口内保護を行い、泳ぎ始めた稚魚を両親が見張って保護するシクリッドの一種では、子どもの群れの一部を他の親が保護している群れに紛れこませる子預け行動が見つかっている。子どもの時期を他種の親に保護されている子どもの群れに入り込んで過ごす種もいる。親に保護されている子どもの群れは捕食者から守られた安全な空間であり、これを利用しあう関係が進化してきたものと思われる。このような相互依存の関係は、餌をめぐっても進化している。たとえば、岩の表面の藻類をついばんで食べる種の間では、同じ餌を利用する競合種の採餌行動が少しずつ異なっているために、同じ場所で餌を食べることが競合につながるのではなく、むしろ個々の種の摂餌効率が高まるという現象が見つかっている。このような繁殖や採餌行動の多様性と相互関係の複雑さが、シクリッドの急速な進化と近縁種の共存に大切な役割を果たしてきたことは確かだろう。

タンガニーカ湖の魚の驚異的な行動の究極は、シクリッドの口内保護種に卵を預けて育てさせる托卵ナマズだろう。シクリッドのメス親が産卵直後に卵を口にくわえ、その後数週間にわたって子どもを口の中で保護する口内保護は、とても安全な方法に見える。しかし、このようにして卵を保護しているメス親の口の中に数個の卵を紛れ込ませるモコクス科の小型ナマズが見つかった。このナマズもまた、タンガニーカ湖の固有種だ。ナマズの卵は宿主のシクリッドの卵よりずっと小さく、早く孵化して宿主に守られて成長し、餌を食べる時期になると、宿主の口内で、ちょうどそのころに孵化する宿主の子どもを片端から食べて成長する。その結果宿主の子どもはほとんどの場合全滅し、大きく育った托卵ナマズの子どもだけが、シクリッドのメス親の口の中で保護され、栄養を与えられ、巣立っていく。宿主の子への投資をすべて横取りする寄生的な托卵は、鳥類のカッコウの仲間などにみられる托卵と極めてよく似ている。このナマズのカッコウ型の托卵は、魚類で初めて見つかったものだ。相互に依存しあい、時には助け合っているかのように見える関係から徹底した寄生的な関係まで、きわめて多様な種間および個体間の関係が網の目のように入り組んでいることが、タンガニーカ湖の魚が織りなす生態系の特徴であり、面白さなのだ。

（佐藤哲）

9

ボノボの住む熱帯雨林の空洞化

★コンゴ戦争と世代交代がもたらしたもの★

チャーター機のセスナキャラバンで首都キンシャサを発ち、途中給油を挟みながら北東に4時間近く飛ぶと、いよいよボノボの調査地のルオー学術保護区ワンバ村の上空近くにさしかかる。眼下には広大な熱帯雨林が広がり、360度ぐるりと囲む森の地平線まで、森以外何もない。まるで太平洋上を飛ぶ飛行機から大海原を見ているような錯覚にとらわれる。緑のつぶつぶがぎっしりと敷き詰められ、まるでブロッコリーの表面のように見えるが、そのひとつひとつが30メートルを超す木なのだ。そんな景色を見るたびに、この広大な森の林冠の下、ボノボたちはどこにどのくらいいてどのように暮らしているのだろうかと思いを馳せる。

ボノボは、逆Uの字型のコンゴ川と、南を流れるカサイ川に挟まれた地域にのみ生息すると考えられている。しかし、そのかなりの部分は人の侵入を許さない湿地帯が占め、研究者たちによって実際にボノボの存在が確かめられたところはごく限られた保護区に過ぎない。よくボノボは今何頭くらい残っていますかとたずねられるが、そんなことは誰にもわからない。国際自然保護連合の作るレッドリストには絶滅危惧種に指定されたボノボの推定頭数も記載され、少なくとも1万5000〜2万頭はいるだろうとされている。しかしこれはあくまでも、比較的ボノボの保全状態のよい4ヶ所ほどの保護区での密度とボノボが生息すると「考えられる」生息域の面積からはじき出された不確かな数字にすぎない。研究者はおろか、村人

ボノボの生息域の熱帯雨林 © 古市剛史

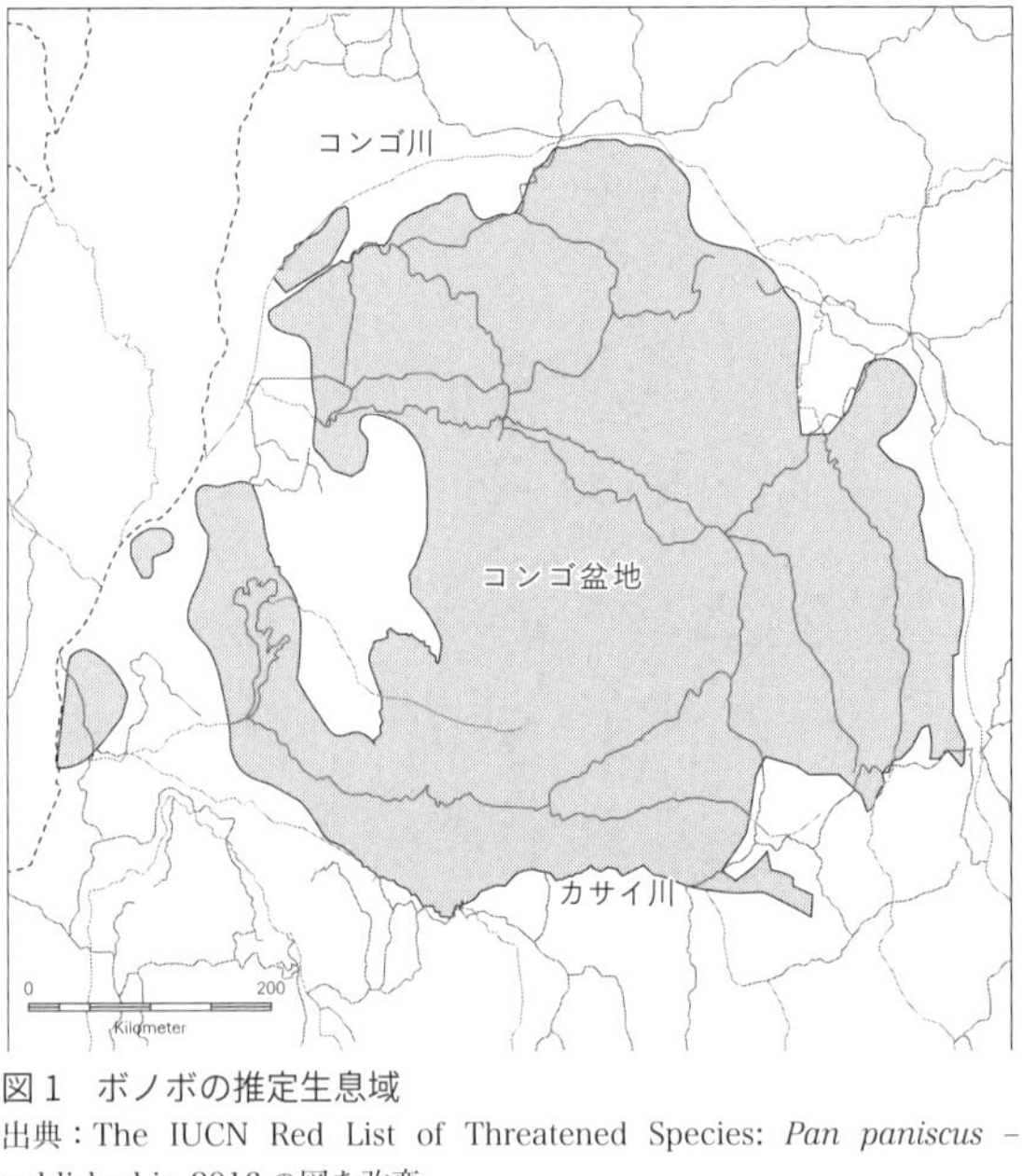

図1　ボノボの推定生息域
出典：The IUCN Red List of Threatened Species: *Pan paniscus* – published in 2016 の図を改変

たちですらほとんど足を踏み入れたことのない広大な地域にボノボがいるのかいないのか、いるとしたらどのくらいの密度でいるのかによって、その数字は大きく異なってくる。

1996年から続いた第1次、第2次コンゴ戦争が2003年ごろようやく終結し、研究者たちは一斉にそれまでの調査地に入ってボノボの生息状況を調べた。ジェフ・デュパン氏が戦前までボノボの研究を続けていたロマコ森林に調査に入ったところ、森はほぼそのままの姿を残しているものの、ボノボを含めて中に住む動物の密度は極端に低くなっていることを知り、エンプティ・フォレスト（空っぽの森）と化していると報告した。私たちが調査を続けていたルオー保護区ワンバ村周辺でも、戦前は6ついたボノボの集団が3つにまで減っていた。村に一番近いところに住む集団は幸い残っていたが、森の奥にいた集団が消滅していたのだ。この地域の森の様子を衛星画像で調べたジャネット・ナッコネイ氏は、戦争中に、それまであまり人の住んでいなかった森の奥に無数の小さな村人の居住地ができていることを見いだした。どうやら戦争中、戦闘や兵士によるハラスメントを恐れた村人たちが、家族単位で森の奥に逃げ込み、そこで小さな畑を作って暮らしていたらしいのだ。そしてそういったところでは、背に腹は代えられず、様々な密猟が行われていた可能性がある。

私たちのボノボの研究の始まりは、加納隆至氏の1973年の調査に遡る。加納氏は広大なコンゴ盆地を自転車で走り回り、ボノボが生息し、かつ人々が当時はまだ珍しかった外国からの訪問者を受け入れてくれるところを探し歩いた。その結果、村に入ろうとする道の傍らですでに人を恐れないボノボが見られ、かつ村人たちが加納氏を温かく迎え入れてくれたワンバ村にたどり着き、翌年から本格的な調査を開始した。以来、2023年で調査開始から50年になる。ボノボが生息する地域では、人とボノボが共通の祖先から生まれたとする言い伝えが信じられ、それゆえにボノボを殺したり食べたりしないという伝統の守られているところが多かった。だからこそ私たちは村に住みながら、村のまわりにいて人を恐れないボノボを観察することができ、保護区を作って村人を追い出すという旧来の自然保護の形ではなく、もともとそこにある人とボノボの共存をサポートするという形での研究と保護の活動を続けることができていた。

しかし、戦後になってこの伝統がどの程度守られているかを調査した横塚彩氏の報告は驚くべきものだった（第25章参照）。たしかにワンバ村ではその伝統が守られ、ボノボを食べないと答えた人が多かったが、保護区を一歩出ると、伝統は忘れ去られ、ボノボを食べたことがあると答える人がかなりの数に上っていた。そしてそのように答えた人の年齢を調べると、戦争の間にティーンエイジャーだった人の間で、ボノボを食べる習慣が広がったらしいことがわかった。今でもボノボを食べるのかという問いに対しては、今は食べないと答える人が多かったようだが、それはボノボの保護が大切だからではなく、彼らの森にはもうボノボがいないからだったという。悪びれることなくボノボを食べたと答えた人から、なぜボノボを食べてはいけないのか、ボノボを守ればどういういいことがあるのかと逆に問われた横塚氏は、答えに窮したという。

このように見てくると、ボノボは実は、ごく限られた保護区以外にはほとんどいないのではないか、広大な森はそのほとんどがエンプティ・フォレストなのではないかと思わざるを得なくなる。ボノボに対する研究や保護の活動が活発に行われ、それによって雇用や援助の利益が得られるところではボノボは守られるものの、そういう利益のないところではすでにボノボが失われている。守るべき伝統も、世界的なトレンドとなっている世代間のギャップで年長者から年少者に伝えられることが少なくなり、戦争中にコンゴ盆地を動き回った様々な民族から成る兵士によって、ボノボを食べる習慣が急速に広がったのかもしれない。私たちの調査地のワンバでも、ちゃんと残っていたのはそれを残すことによって将来の利益が期待できる私たちの調査対象集団だけだったというのもうなずける。

そのワンバでも、最近研究や保護の活動を続けるのがとても難しくなってきた。通信手段が発達し、村人が外の世界を知るようになるにつれ、あるいは一旦外の世界に出て様々な知識を身につけた人が戦後村に戻ってくるようになって、保護の見返りに村人が要求するものが桁外れに大きくなってきた。以前はわずかな学用品や薬品の寄付でも喜んでくれていたのが、病院の建設や鉄製の橋、舗装された滑走路、コンクリート造りの学校の建設と、もはや小さな研究者グループやNPOの手に負えるものではなくなってきている。

私たちは、保護活動の一環として、地元の学生に奨学金を与え、大学で生物学か医学を学んでもらうという活動を続けてきた。それは言うまでもなく、将来村に戻って村人の生活向上に貢献し、広い視野をもって自分たちのもつ森やボノボの価値を認識し、それを自分たちの手で活用していってほしいと思ったからだ。だが残念なことに、現在までのところでは、貴重な資源のワイズユースを自分たちで考えるのではなく、こんなに貴重なものなんだから研究者や保護活動家はもっともっと金を出すだろうと、要求をつり上げることにしかなっていない。そうやって、とうとう手に負えずに研究者や保護関係者が立ち去ることになってしまえば、残されたわずかな保護区もまたエンプティ・フォレストになってしまうに違いない。

（古市剛史）

10

コンゴ民主共和国のREDD＋

★森林のモニタリングとREDD＋活動★

アフリカ中部に位置するコンゴ盆地の熱帯雨林はアマゾンに次ぐ世界第2位の広さを有しており、そのおよそ半分の1億5600万ヘクタールはコンゴ民主共和国（以下、コンゴ）に分布している（2020年）。しかしコンゴでは2000年から2019年までの間に北海道の面積の3倍にあたる2800万ヘクタールの熱帯雨林が消失した。これにより森林が蓄積していた炭素が温室効果ガスとして大気中に放出され、地球温暖化の一因となっている。こうした背景からコンゴはREDD＋の取り組みを2009年から進めている。本章では、筆者らが従事した2つのJICA技術協力プロジェクトを振り返りつつ、コンゴでのREDD＋の展開を概説する。

REDD＋は、森林減少・劣化の抑制を通じた温室効果ガス削減を目的とする国際的な取り組みであり、“Reducing emissions from deforestation and forest degradation and the role of conservation, sustainable management of forests and enhancement of forest carbon stocks in developing countries”の略称である。この取り組みは、森林減少等の抑制分に対して地元国に経済的見返り（炭素クレジット）を与え、森

林減少問題を解決するための手段として、２００５年に気候変動枠組条約（ＵＮＦＣＣＣ）で提案された。ＲＥＤＤ＋の枠組みであるベースライン・森林モニタリング・戦略と計画の立案などは、２０１０年のＵＮＦＣＣＣで定められた。

ＪＩＣＡプロジェクトは、２０１２年よりベースライン算定及び森林モニタリングの仕組みの構築を支援した。ベースラインとは、ＲＥＤＤ＋を行わない場合にどの程度の温室効果ガスが排出されるかの予測値である。ベースラインとＲＥＤＤ＋実施後の実際の温室効果ガス排出量を比較し、排出量が減っていれば、地元国は見返りとして炭素クレジットを獲得できる。ベースラインを設定するために、まず過去の森林減少由来の温室効果ガス排出量の定量化が必要となる。そのため、ある期間の森林面積の増減をリモートセンシングにより推定し、同時に森林の単位面積あたりの温室効果ガス蓄積量を森林調査によって推定する。両者を掛け合わせて温室効果ガスの排出量を算出することができる（次式参照）。

温室効果ガス排出量（t-CO_2）＝（時点2の森林面積［ha］－時点1の森林面積［ha］）×森林の単位面積あたりの温室効果ガス蓄積量（t-CO_2/ha）

プロジェクトではリモートセンシングと森林調査のための物的・技術的な支援をおこなった。リモートセンシングを鳥の目とすれば、地上で実施する森林調査は虫の目に当たる。調査結果を統計処理できるように緯度経度の格子点か

森林調査。立木の直径を計測するコンゴ環境省技術者

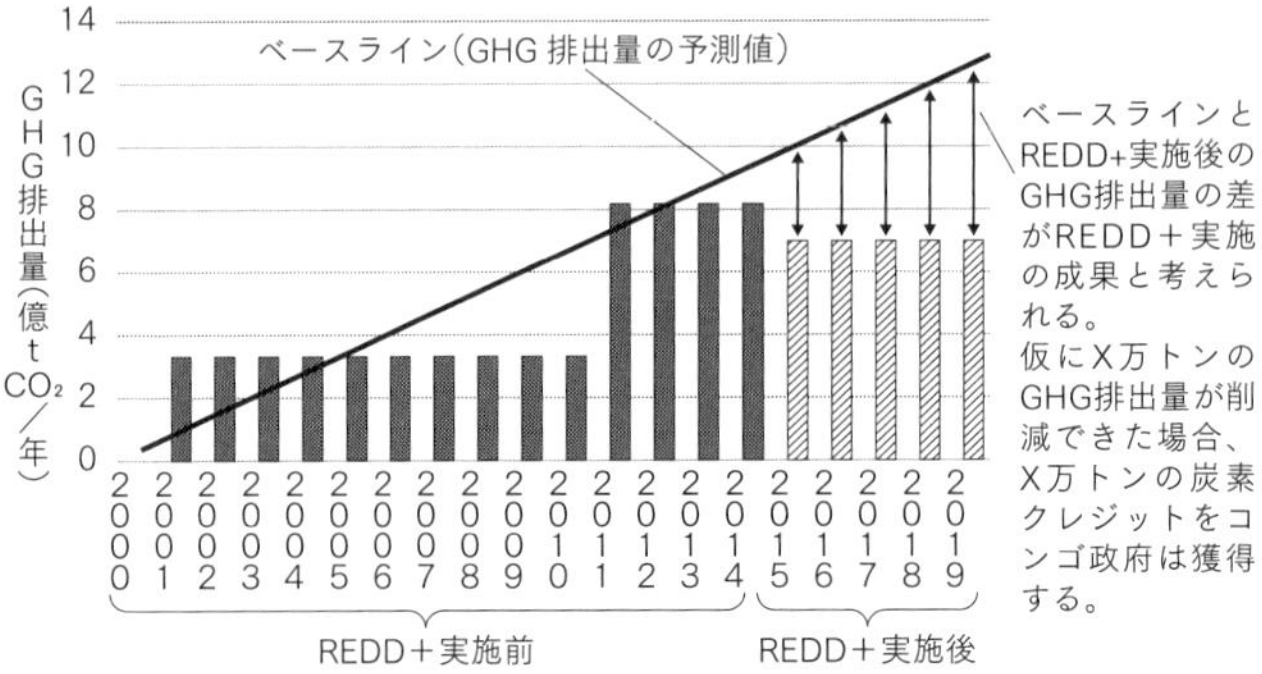

図１　コンゴの過去の温室効果ガス（GHG）排出量の推定値とベースライン
出典：コンゴ環境省 (2018) を基に筆者改編

ら調査地点を無作為抽出し、コンゴ環境省が森林技術者を調査地に派遣し調査を実施した。到達が極めて困難な僻地が調査地となる場合もあるため、森林調査技術そのものに加えて旅程や安全管理を含めた調査全体のオペレーションも非常に重要となった。

この技術協力の結果、６年後の２０１８年に、コンゴ環境省はベースラインの文書をＵＮＦＣＣＣに提出することができた。そこでは図のように、２０００〜10年および２０１１〜14年の期間において温室効果ガス排出量を推定し、２０１５〜19年のベースラインを設定している。

ベースライン・森林モニタリングの支援の後、筆者らはコンゴＲＥＤＤ＋投資計画（２０１５年）において「州プログラム」として位置づけられるクウィル州のＲＥＤＤ＋プログラムに従事した。クウィル州は首都キンシャサの東約４００キロに位置し、面積は北海道とほぼ同じ約８００万ヘクタールである。この州とキンシャサとの間には舗装された国道が整備されており、クウィル州はキンシャサの食料や薪炭の重要な供給地となっている。そのため、森林は

二次林での焼畑。１年目にはトウモロコシを栽培するが、地力が衰えるとキャッサバを栽培する

クウィル州の典型的な景観。過度の農業開発によって森林減少と劣化、草地化が進行している

開墾や薪炭製造のための強い人為的圧力にさらされてきた。森林面積割合は北海道が70％であるのに対し、クウィル州はおよそ20％であり、人里離れた地域にしか森林は残されていない。

クウィル州REDD＋プログラムは、森林減少の抑制・炭素蓄積の増加、及び地域住民の生計向上を目的に実施した。住民にとって森林は、食料や生活資材を得る重要な場所である。そのため、REDD＋の実施においては森林から住民を排除するといったネガティブな影響を及ぼさないための配慮が求められる。プロジェクトの主な活動は、州の政策レベルの取り組みと現場レベルの取り組みからなる。我々は政策レベルでは州のREDD＋アクションプラン作成や協議枠組みの設置などを支援し、現場レベルではアグロフォレストリーやゾーニングの実施を支援した。REDD＋によるネガティブな影響を予防・軽減するために、FPIC（Free Prior and Informed Consent: 自由意思による、事前の、十分な情報に基づく同意）のプロセスを踏み、かつ慣習的な土地所有への配慮を行った。

以上の2つのプロジェクトは、

REDD＋の計画段階（ベースライン算定）、活動の実施（クウィル州REDD＋プログラム）、政策評価（森林モニタリング）という一連の政策プロセスの推進に貢献できた。またその過程を通じて、コンゴ環境省がリモートセンシングや森林調査手法を学んだことや、クウィル州の住民が改良種子や植林技術を学んだことなど、現地人材の育成にも大きく貢献できた。

一方、プロジェクトに対する地域住民の姿勢や評価は様々であり、現場の多様な意見を調整していくことが求められた。例えば、アグロフォレストリーの活動参加に対して金銭的な対価を求める意見があった。また、植えた木は自然に生えている木と同様に特定の所有者がいないと考える住民もおり、収穫や土地利用に関する説明と対話が求められた。これらに対して完全な解決策はない。また、気候変動対策の推進と住民の主体的な参加については、特に気候変動問題が顕在化していない地域や植林が一般的ではない地域では、なおのこと困難となる。

プロジェクトの全体設計の課題としては、一連の投入によって森林減少は実際に抑制されたのか、原因と結果を含めた全体設計のレビューが重要である。また今後は、金銭的対価の支払いやREDD＋の活動原資を炭素クレジットの売却によって得られる資金で賄っていかなければならないが、どのように資金を獲得できるかコンゴ環境省・財務省は支援各国と調整・協議を進めている。

現場レベルの調整・全体設計・資金調達等、REDD＋の課題は多いが、この取り組みをレビューし得られた教訓を共有し、プロジェクトを次の段階に進めていくことが重要であろう。

（小林有人・原子壮太）

11

コンゴ民主共和国における自然保護活動

★グローバリゼーションで先鋭化する開発と複雑化する自然保護★

コンゴ民主共和国（以下「コンゴ」）の自然を一言で言えば、「コンゴ河の森」＝広大な水系が育む熱帯ジャングルに尽きる。コンゴ熱帯林は特に大型哺乳類の多様さで知られるが（次頁の表と地図）、中でもコンゴはボノボやオカピなど、固有種の宝庫として脚光を浴びてきた。加えて近年は、アマゾンに次ぐ世界第2の熱帯林、CO2の吸収源としても存在感を増している。コンゴの熱帯林総面積は約125万平方キロで日本の国土の3倍以上もあり、赤道部アフリカの残り5ヶ国の熱帯林を合わせたよりも広い。アマゾン森林が急速な劣化によって、CO2の吸収源から巨大な排出源へと変貌しつつある現在、この国のジャングルを守れるかどうかは、気候危機に直面する人類の課題となっている。

この森を育むコンゴ河の大きな特徴は、閉鎖性の高い水系であることだ。流域に降る雨の75～85％が植物を通じて蒸発する水蒸気由来とされ、アマゾン（50～62％）に比べて閉鎖性が高い。海からの水分補給が少なく、特に縁辺部ではわずかな森林破壊でも降水量のバランスが崩れ、乾燥が進み農作物や飲料水が不足するなどのリスクを招く恐れがある。

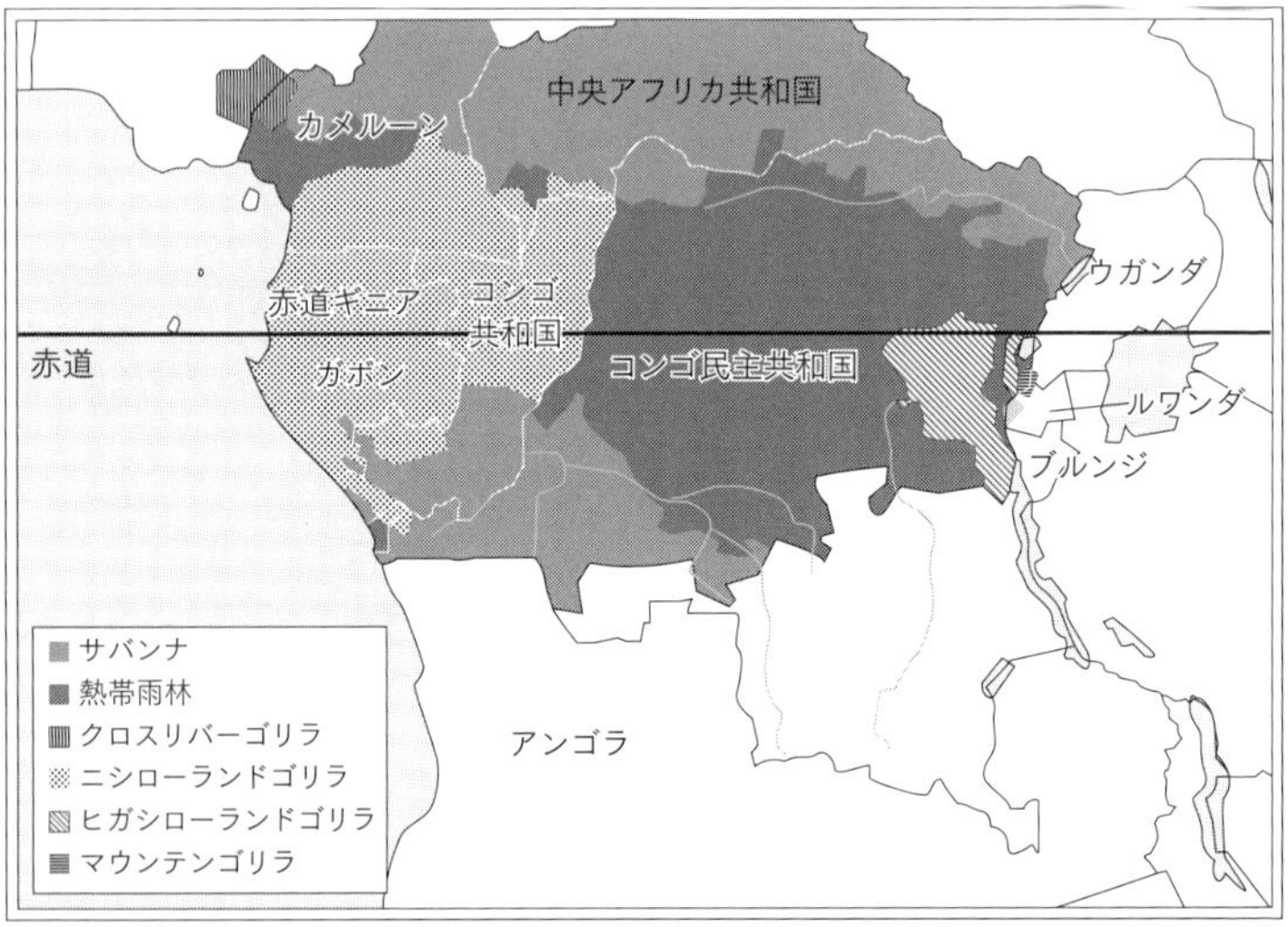

国	植物		哺乳類		鳥類	
	計	固有種	計	固有種	計	固有種
コンゴ共和国	6,000	1,200	200	2	449	0
ガボン共和国	6,551	-	190	3	446	1
中央アフリカ共和国	3,602	100	209	2	537	1
カメルーン共和国	8,260	156	409	14	690	8
赤道ギニア	3,250	66	184	1	273	3
コンゴ民主共和国	11,007	3,200	450	28	929	24

図1　気候変動対策と生物多様性保全＝地球規模課題のホットスポットのコンゴ熱帯林

WWF ではこの広大なエリアに、ランドスケープと呼ばれる大規模な生態系のまとまりを、9ヶ所認めている。いずれもゴリラやチンパンジー、ボノボの重要な生息地で、またマルミミゾウにとっても大切なすみかである。50年とも80年ともいわれる寿命を生きるこれら大型野生動物にとって、十分な食べ物を手に入れコドモを育てていくには、森や湖、川といった生態系が連続して、大規模に存在していることが不可欠なのである（地図は WWF ベルギー作成のものを改変）。

約10年前、WWF（世界自然保護基金）は以上の観点から、中部アフリカを1つの優先保全地域とする『グリーン・ハート・オブ・アフリカ（Green Heart of Africa：略してGHoA［ゴア］）』構想を始動させた。点在する「エコリージョン」と呼ばれる大規模生態系をつなぎ、グローバリゼーションが引き起こす闇取引の連鎖を断ち切る目的もあった。「Think Globally, Act Locally」を地で行く実践をWWFネットワーク全体で目指した訳だが、これが一筋縄ではいかなかった。コンゴ熱帯林では約7500万人が自然資源に依存して生活しており、現場の事情が十分反映されなければAct Locallyの成功は覚束ない。自然保護科学の机上の正義を振りかざし、トップダウンで進めようとしても行き詰まるだけである。他方で自然保護業界には、グローバル資本が利潤追求に先鋭化して、時も場合も国境さえもわきまえず、奥地に入り込んで象牙や鉱物を根こそぎ買い漁るという現状に対する焦りがある。その対抗策も勢い過激になり、とばっちりを受ける現地政府や住民にそっぽを向かれるのだ。業界にとって、かつては保護区を設定し開発を制限すれば、自然は守られるものだった。その過程で住民との確執が発生した際には、入域制限を緩和しエコツアーなどの代替産業を育てることで、和解の道を模索した。そういったAct Locallyと相容れない、グローバルなご時世が事を複雑化している。

この典型の1つが、世界自然遺産ヴィルンガ国立公園である。世界有数の鉱物資源国コンゴは巨大資本の勢力争いの渦中にあり、ヴィルンガの反政府勢力が闇市場に流し込むコルタンなどは〝戦争鉱物〟と呼ばれ、地域住民に大きな犠牲を出すゲリラ活動の資金源となっている。コルタンから抽出されるタンタルは私たちの生活に欠かせない電子機器に使われているが、コルタンの違法採掘はさらに絶滅危惧種マウンテンゴリラの生息地破壊や密猟をも招き、彼らを死の淵に追いやっているのだ。

加えてグローバルな過当競争の影響か、露骨に自然保護を反故にする企業まで現れた。ヴィルンガの面積の実に85％に設定された石油採掘権をめぐり、ロンドンの石油会社がコンゴ政府に世界遺産登録抹消を要求し、コンゴ政府がUNESCOへのその申請を検討しはじめたため大問題となった。『ヴィルンガ』（2014）という映画にもなったこの事件に対しては、まさに「ゴア」構想の出番で、〝蛮行〟を未然に防ぐ水面下の交渉が、ヨーロッパとコンゴ双方で進められた。WWFではまず、コンゴ政府に国際社会に向けて「ヴィルンガを守っていく」と宣言してもらおうと、「ゴア」会議をヴィルンガで開催し関係大臣を招くべく、キンシャサ事務所を中心に根回しを始めた。しかし埒が明かない石油会社との交渉に、ヨーロッパのWWFが先走って「ゴア」会議の開催を待たずに「世界遺産ヴィルンガを守れ」とネガティブキャンペーンを開始し、コンゴ政府に率先して「利潤より自然保護を優先するヒーロー」としての立場に立ってもらおうとする現場の根回しが、すべて無に帰すというどんでん返しが起きる。

紛争地ヴィルンガ国立公園では、所長が長年、ゲリラやコミュニティの間に立って、とにかくゴリラにも人にも犠牲を出さないという一点で交渉を続け、各アクターの間の極限のバランスを保っていた。その彼との協議に基づいてコンゴ政府への働きかけを行っていたWWFコンゴの信頼がこれで失墜し、「ゴア」会議でのロビーの機会も台無し。顔を潰されたコンゴ政府は、石油会社の要求を飲みそうになる。キャンペーンの影響でヴィルンガの現場の緊張が一気に高まり、WWFネットワーク事務局は状況が悪いからと、ゴア会議の会場をキンシャサに変更した。メンバーが「安易な会場変更による交渉からの撤退はさらに信頼を失う」と抵抗したにもかかわらずである。キンシャサに集まった、『ゴア』会議の面々は、現場の反対を知りながら、ネガティブキャンペーンにゴーサインを出した、WWF事務局のスタンドプレーに憤懣やる方ない。その結果、ヴィルンガに関係するあらゆる国際交渉の仲介役だった国立公園所長は、コンゴ政府上司からの信頼を傷つけ、一連の交渉の失敗を見た反政府側からも信用を失った。そして、武装勢力の待ち伏せによって瀕死の重傷を負うのである。コンゴ政府の宣言を得られなかったことで、この石油開発案件は長い間、火種として残ってしまった。

ここから見えるのは現場とそれを支えるドナーの乖離である。グローバル企業の自然破壊にはグローバルなネットワークと機動力＝資金力で対抗するという「ゴア」構想が裏目に出たとも言える。札束で動く営利企業と違い、自然保護活動は追求する成果がレベルによって異なり、現場からグローバルまでシームレスな対応は難しくなる一方だ。

新型コロナ後に再びコンゴに通いはじめ、私自身はボトムアップの「Think Locally, Act Globally」の時代が来たと感じている。どこも旧宗主国のコロナ被害で経済が悪化し、現場では自然保護どころではないのではないかと勝手に想像していたが、第6章で紹介したバリ地区では、地元NPOのボノボ保護活動に参画するコミュニティが増加し、主要な村にはインターネットが通じて日常生活の利便性も向上。コロナ前より環境保全も生計向上も目に見えて前進していた。ボノボのためにコミュニティ・フォレストを保護林として、20年来自主的に守ってきた村人たち。この困難な3年間にも変わらぬ体制を保てたのは自給自足の強みだが、彼らの活動がグローバルなレベルで顕彰され認識されつつあり、今後ますます学ぶことが増えるだろうと嬉しい誤算に期待を膨らませて帰国の途についた。

（岡安直比）

12

コンゴ民主共和国におけるエボラ出血熱

★その現状と対策★

エボラ出血熱およびマールブルグ病は高熱と出血傾向を主症状とする致死率の高い感染症である。発熱、頭痛、筋肉痛のほか、下痢や嘔吐などを伴うことも多い。これらの感染症はエボラウイルスおよびマールブルグウイルスによって引き起こされる。最初に発見されたのはマールブルグウイルスであり、1967年にウガンダからヨーロッパ（ドイツと旧ユーゴスラビア）に実験用に輸入されたアフリカミドリザルの検体を扱った研究者や技術者が出血熱症状を呈し、感染者からウイルスが見つかった。一方、エボラウイルスは1976年に発見された。その年のほぼ同じ時期にコンゴ民主共和国（旧ザイール、以下「コンゴ」）およびスーダンで致死率の高い出血熱が流行し、当初マールブルグウイルスによる出血熱が疑われたが、後に異なるウイルスによるものであることが明らかとなり、エボラウイルスと命名された（発生地域の近くを流れるエボラ川に因んで）。コンゴとスーダンで流行したウイルスは別種であり、偶然にも2種のエボラウイルスによる独立した発生であった。

その後も、エボラ出血熱およびマールブルグ病は、新種のウイルスの発見を伴いながら、アフリカ諸国で散発的な発生が報告され続けている。特に、2013年に西アフリカで発生したエボラ出血熱は過去に例を見ない大きな流行となり（2万8645人が感染、1万1323人が死亡）、発生国ギニア以外の近隣アフリカ諸国にも感染が拡大し、2016年にようやく終息した。コンゴでは、過去に15回のエボラ出血熱と1回のマールブルグ病の発生を記録しており（2023年8月現在）、発生国の中で最も多い（図1）。首都キンシャサに比較的近い、クウィル州や赤道州でも発生している。2018年にコンゴの北キヴ州などで発生したエボラ出血熱は、感染拡大に伴って史上2番目に大きな流行となり、2020年の終息までに3470人が感染し2287人が犠牲となった。確定診断の遅れ、政情不安定などが感染拡大の主要な理由であった。エボラ出血熱診断治療センターが反政府組織に襲撃され医師が死亡するという事件も起き、流行が長期化した。一方で、近年発生したこれら2つのエボラ出血熱の大流行時に、予防・治療・診断法の研究開発が加速し、コンゴでもワクチンや治療薬の臨床試験が進められ、現在では承認されているものもある。

2021年にはギニアおよびコンゴで、それぞれ2013〜16年および2018〜20年のエボラ出血熱流行時に感染し回復した生存者体内に持続的に潜伏していたウイルスが、終息後約1〜5年経過した後に再活性化し疾病が再発したと考えられる症例が発生した。これらは稀な出来事だと考えられるが、エボラウイルスが体内で持続感染し、それが再活性化し再び発症する可能性があるとすると、今後は回復者の注意深いモニタリングがより一層必要となるかもしれない。持続感染のメカニズムは不明であるが、何らかの特殊な免疫状態（抗体医薬の投与など）が持続感染の成立に関連している可能性が示唆されている。

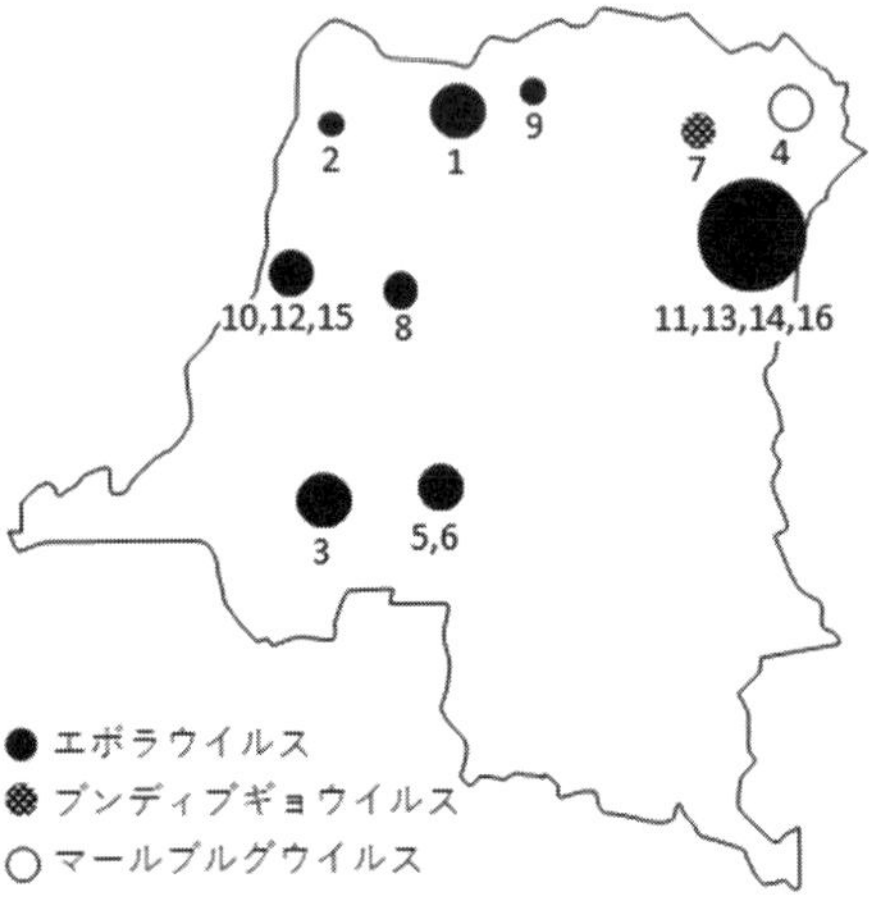

	年	発生地（都市、ヘルスゾーンまたは州）	患者数（死亡者数）
1	1976	ヤンブク	318（280）
2	1977	タンダラ	1（1）
3	1995	キクウィット	315（254）
4	1998-2000	ドゥルバ	154（128）
5	2007	ムウェカおよびルエボ	264（187）
6	2008-2009	ムウェカおよびルエボ	32（15）
7	2012	イスィロ	38（13）
8	2014	ボエンデ	69（49）
9	2017	リカティ	8（4）
10	2018	ビコロ	54（33）
11	2018-2020	北キヴ、イトゥリおよび北キヴ	3,470（2,287）
12	2020	ンバンダカ	130（55）
13	2021a	ビエナ（北キヴ）*	12（6）
14	2021b	ベニ（北キヴ）*	11（9）
15	2022	ンバンダカ	5（5）
16	2022	ベニ（北キヴ）*	1（1）

* 過去の流行時の感染回復者のウイルス再活性化が原因。

出典：https://www.cdc.gov/vhf/ebola/history/chronology.html 参照。

図１　コンゴにおけるエボラ出血熱およびマールブルグ病の発生

コンゴでは、感染症対策を担う唯一の中央機関として、国立生物医学研究所（以下「ＩＮＲＢ」）がフランスの支援により１９８４年に設立された。フランスやベルギーを主として国内外の大学や研究機関との共同研究や医学研究教育を実施しつつ、ウイルス学、細菌学、寄生虫学などを担当する6部門が国内の保健課題に沿った研究を行うとともに、多剤耐性結核やウイルス性出血熱の検査・診断や、研修実施、一般外来向け検査といった機能も有している。また、北海道大学、長崎大学およびガーナ野口記念医学研究所とも共同研究の実績があり、２０１５年5月にはエボラ出血熱の研究の功績からＩＮＲＢの所長が野口英世アフリカ賞を受賞するなど、国際的な研究機関として高く評価されている。エボラ出血熱が国内で発生した際には、診断材料はＩＮＲＢに送られ確定診断を行う体制が整えられているとともに、ＩＮＲＢ職員が発生地域に赴き現地での診断業務も担っている。

日本の独立行政法人国際協力機構（ＪＩＣＡ）も、ＩＮＲＢの能力強化に取り組んでおり、様々なプロジェクトで感染症対策に関する支援を行っている。２０２０年には Biosafety Level ２および３の実験室を備えた診断・研究棟を設置し、病原体の研究に必要な設備や基本的な研究用機器類を導入した。また、２０１８年および２０１９年にエボラ出血熱が発生した際には、ＪＩＣＡが編成した国際緊急援助隊・感染症対策チームを派遣するなど人的協力も行っている。筆者がＪＩＣＡ等の支援を受けてザンビアとコンゴで実施している地球規模課題対応国際科学技術協力プログラム（２０１８～24年）では、開発したエボラ出血熱迅速診断キットを流行の際に供給するなどの活動とともに、留学生の受け入れを通した人材育成やエボラウイルスやマールブルグウイルスなどに関する共同研究を行っている。

一般に、エボラウイルスやマールブルグウイルスのようにヒトに対して致死率の高い感染症を引きおこすウイルスはヒトの集団の中には定着せず、感染しても急性で致死的な感染に至らずに長期間ウイルスを保有できる野生動物によって維持されている。そのような動物をそのウイルスの「自然宿主」と呼ぶ。エボラウイルスとマールブルグウイルスの自然宿主として最も有力視されているのがコウモリである。しかし、コウモリがエボラウイルスの自然宿主としてウイルスを長期間維持し、ヒトへの感染源となっているという決定的な証拠はまだ示されていない。マールブルグウイルスに関しては、エジプトルーセットオオコウモリが長期間ウイルスを保有し、ヒトへの感染源となっていることを裏付ける証拠がいくつも存在する。コンゴにおけるマールブルグ病の発生も、この種のコウモリとの接触が原因であった可能性が高い。一方、エボラウイルスの自然宿主がどのような野生動物であったとしても、ヒトへの伝播は食用として捕獲されたサルやコウモリを含む野生動物（いわゆるブッシュミート）の血液や体液との接触によって起こっていると考えられる。

コンゴでは、エボラウイルスやマールブルグウイルスによる出血熱以外にも様々な感染症が問題となっており、今後も継続的な調査とそれを支える各国からの経済的・人的支援と人材育成が必要であろう。

（髙田礼人）

13

コンゴ民主共和国のエイズ

★HIV-1の起源に関する未解決の謎★

国連合同エイズ計画による最新統計（UN AIDS Fact Sheet）によれば、これまでにエイズで死亡した人々の総数は約４０００万人以上、世界のＨＩＶ感染者数は約３９００万人とされている。コンゴ民主共和国（以下「コンゴ」）の項目を参照すると、同国のＨＩＶ感染者数は約49万人。全人口の約０・６〜０・８％が陽性という計算になる。この数字は、アフリカ大陸南部の平均値約13％に比べ、かなり低いことに驚かれるかもしれない。実は、調査が始まった当初、陽性率は５〜８％であったのだが、長く続いた内戦や医療が隅々に行き届かない同国特有の事情により多くの患者が死亡し、現在の数字になっている。簡易検査すら行われていない地域が数多く残されており、約10万人の患者が本来無料で配布されるべきウイルス治療薬の恩恵を受けていない。本章の筆者は、20年以上にわたり同国および隣国コンゴ共和国内の地方中核病院や民間の小さな診療所を巡り、エイズ治療の実態を視察して来た。過度の栄養不良・合併症や薬剤の供給不足のため、連日のように死者が出るという悲惨な状況を何度か眼にし、言葉を失った。先進国ではもはや死語となっている「エイズが死に至る病」を実感するのが、この国のエイズの特徴と言えるかもしれない。

コンゴのエイズについて、特筆すべき事柄が2点ある。1つは最も古いＨＩＶの株が同国から見つかったという事実。2つ目はアフリカから世界への伝播経路の中で同国が出発点であったという説である。エイズという疾患は、いつ、どこで発生し、それがどのように世界に拡散したのか、いわばＨＩＶの起源という根源的な疑問に、この国は深く関わっている。

それらを述べる前に、病原体ＨＩＶについて手短に説明しておこう。ＨＩＶ自体は１９８３年に発見されている。程なく西アフリカから免疫不全を起こすもう1つの類似ウイルスが見つかった。両者の相同性は約50％で、今日、前者をＨＩＶ－1、後者をＨＩＶ－2と呼んでいる。並行して多数の類人猿やサル種について調査が行われ、アフリカに生息するほぼ全ての種類が何らかの関連ウイルスを保有していることがわかっている。これらは総称してＳＩＶ（サル免疫不全ウイルス）と呼ばれ、ＨＩＶを含めて1つの大きな霊長類レンチウイルスのグループを形成している。ウイルスの全遺伝子配列に基づいて作成された分子系統樹を図1に示す。

図から、ＨＩＶ－2は西アフリカに生息するサル種であるスーティマンガベイから分離されたＳＩＶsmmと近い関係にあることが読み取れる。これがＨＩＶ－2のスーティマンガベイ起源説の根拠であり、現在のギニアビサウ辺りにおいて１９４０年前後にヒトへの感染が始まり、徐々に西アフリカ全域へと拡がったというのが定説になっている。

ではＨＩＶ－1はどうかと言えば、遺伝子配列自体に大きな多様性が生じていて話はそう単純ではない。新型が見つかる度にサブタイプＡ、Ｂ、Ｃ、Ｄ……と順次Ｋまで名付けていたが際限がなく

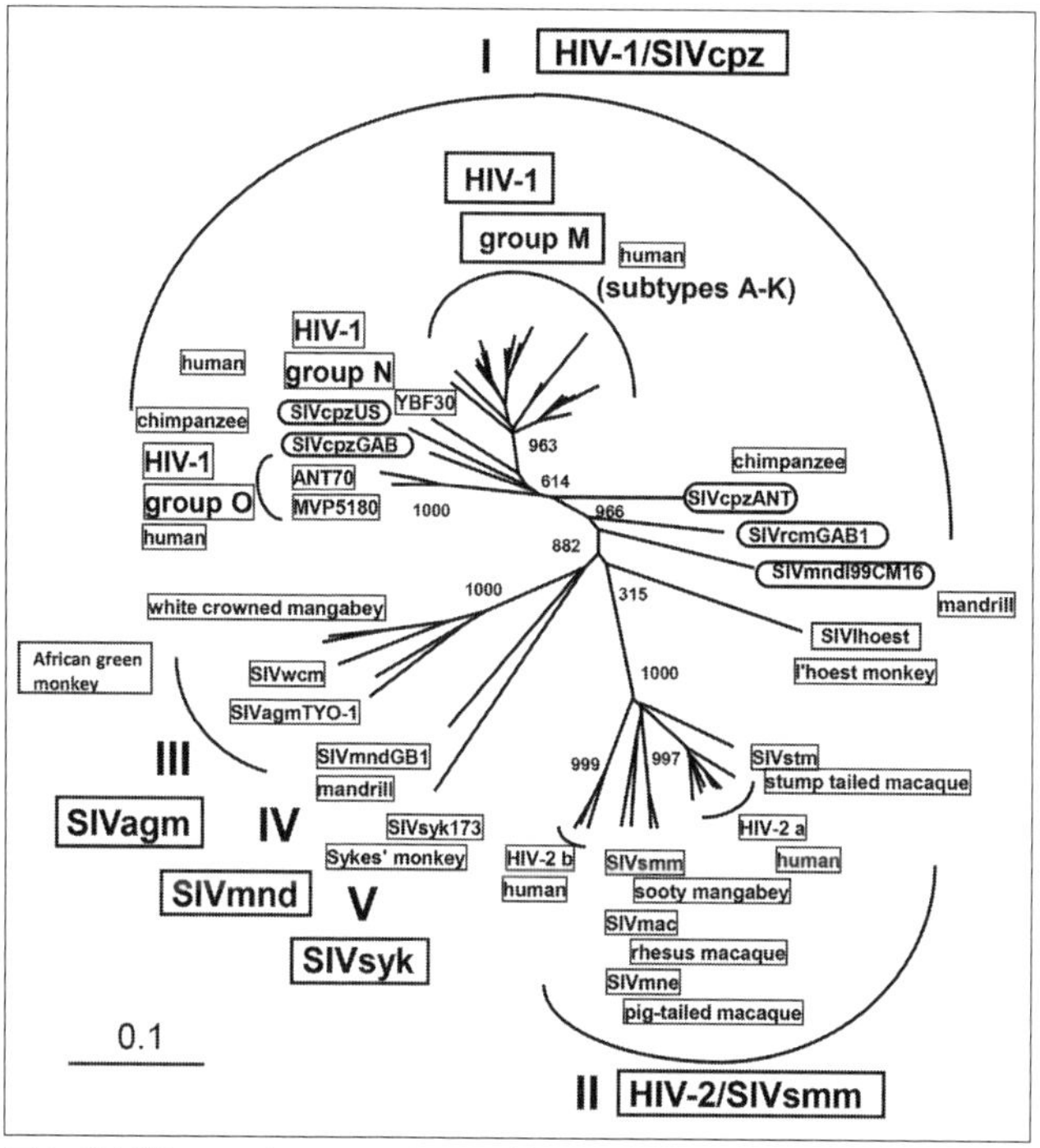

図１　霊長類レンチウイルスの分子系統樹

各ウイルスの全ゲノム配列に基づいた系統樹では、近縁の程度は分岐の枝の長さとして表現され、短ければ近い関係にあること、長ければ遠い関係にあることを意味している。スケールは１塩基サイト当たりの変異の割合１０％の長さを示している。
出典：この図は筆者井戸によって独自に作成されたオリジナルである。

（サブタイプ間は10～15％程度の違い）、しかも異なったサブタイプ間で遺伝子組換えを起こした株が次々と出現する事態に至っている。これらはＧｒｏｕｐ Ｍと呼ばれるＨＩＶ－１の主要群であるが、それとはやや系統を異にするＧｒｏｕｐ ＯやＧｒｏｕｐ Ｎと名付けられたＨＩＶ－１の報告がカメルーン南部から相次いだ。ＨＩＶが持つ逆転写酵素は宿主のＤＮＡポリメラーゼに比して複製精度が格段に劣っており、１万塩基に１回の頻度で誤って別の塩基を取り込んでしまう。この結果、時間が経てば経つほど遺伝子の多様性が増加する。サブタイプの種類の多さはその地にＨＩＶが長く存在したことを意味しており、そうした遺伝子の多様性が最も見られるのが中央部アフリカの国々である。この事実からウイルスの起源地がそうした国々のどこかであることは疑いようがない。チンパンジーからも幾つかの株が分離された。現時点では、ガボンの野生ツェゴチンパンジー（4つあるチンパンジー亜種の1つ）から分離されたSIVcpzGABが最もGroup Mに近い関係にあることから、これが起源ウイルスとなった可能性が高いのではと考えられている。この亜種はコンゴ共和国とガボンのほぼ全域、そしてカメルーン南部とコンゴの最西部のみに生息している。ただし、比較的近い関係にあるとは言えHIV－1の直接的祖先に位置するSIVcpzは、これまでのところ見つかっていない。

こうした中、1959年にレオポルドヴィル（現在のキンシャサ）で採血された男性患者の血清がHIV－1陽性であることが判明した。これが今日世界で最古のHIV－1株である。さらに、1960年のレオポルドヴィルで病理検査用に作成された女性患者のリンパ節パラフィン包埋ブロックから遺伝子が抽出され、それがHIV－1であることも明らかとなった。共通して得られた遺伝子断片の違い約12％とHIV遺伝子の年間平均変異速度を元に、両者の分岐は1880～1920年代の間であろうと推測された。奇しくもこの年代は、当時のベルギー国王レオポルド2世がコンゴ開発を推し進めた時代に重なっており、大西洋岸の港からコンゴ河の流れが比較的穏やかな終点マレボプール（これより下流は激流となって船の航行が不可能であり、プールの両岸にレオポルドヴィルとブラザヴィルの町が発展した）までの鉄道建設が計画実施され、労働力として都市への人口集中が始まった時期でもある。

森の中に留まっていたSIVがヒトに感染し都市の人々に定着したとして、それが世界へ飛び出すにはさらに特別な状況があったに違いない。何故なら上記の両都市を訪れた欧米の旅行者らが帰国後にウイルスを拡散したのであれば、世界に流行しているサブタイプはもっと多様になったはずだからである。ところが、パンデミックを起こしたHIV－1の大半はサブタイプBである。なお地理的に接している東アフリカへはA、南部アフリカへはC、西アフリカへはA／Gのリコンビナントと、それぞれ別個のサブタイプが主流となって感染拡大している。1960年に独立したコンゴでは、その直後から政治的・経済的混乱が連続した。旧宗主国は、現地人を対象にした教育や専門家育成に力を注がなかったため、いざ国を造り上げようとしても圧倒的に人材が不足していた。例えば1958年当時、ベルギー領コンゴには700人の医師がいたが、その中にコンゴ人医師は1人もいなかった。そこで取られた解決策が、ハイチ人の医師や教師らの雇用であった。ハイチではハイチ語と並んでフランス語が公用語となっている。1963年には約1000人のハイチ人がコンゴで働いていたと推定されている。また一方、1970年代のハイチは欧米の同性愛者らの楽園として知る人ぞ知る存在になっていた。コンゴで感染し、やがて帰国したハイチ人から米国の同性愛者グループへの感染ルートが成立した可能性が高いという説を、同じ頃ザイールの地方病院で4年間勤務した経験があるカナダ人医師ジャック・ペパン氏が膨大な資料に基づいた調査の結論として提唱している。今後の検証が待たれるところではあるが、ここに1つ疑問がある。仮に彼の主張が正しいとして、何故BのウイルスだけがハイチへＡの流出に成功したのかが不明である。レオポルドヴィルで見つかった最も古いHIV－1はDであった。首都キンシャサを含めて全国各地から多数の検体が解析されて来たが、不思議とサブタイプBだけは僅少なのである。HIV－1の起源については、未解決の謎が幾つも残されている。

（井戸栄治）

II

歴　史

14

コンゴ自由国から ベルギー領コンゴへ

★ヨーロッパ人中心の国づくり★

1885年、ベルリン会議を経てコンゴ自由国が成立した。「コンゴ自由国」（Congo Free State）は英語名称の訳で、原語であるフランス語では「コンゴ独立国」（Etat Indépendant du Congo）と称する。すなわちこの国は、植民地ではなく「独立」していた。これは、強国の証として植民地を欲したベルギー国王レオポルド2世が、植民地獲得に対する国内の消極姿勢に直面し、「コンゴ国際協会」（AIC）という非政府組織を利用して領土獲得を目指した結果であった（第1章参照）。当時、他に類を見ない統治形態であったが、実質的には国家元首レオポルド2世の私的財産と言うべきものであった。1890年に公開された遺言状において、国王はコンゴの「主権」をベルギーに遺贈すると記している。

AICはコンゴ盆地における通商の自由を掲げて列強の支持を得たが、成立したコンゴ自由国の通商政策は正反対で、主要輸出品の取引を政府の強い管理下に置いた。1890年代のこの国の主要輸出品は、天然ゴムと象牙であった。いずれも野生に存在するものを採集や狩猟で手に入れ、それを集めて輸出する産品である。

コンゴ自由国成立直後の1885年7月1日、住民が農業などで使用、占有していない土地（無主地）は、全て国家に帰属するとの政令が発布された。焼畑による移動耕作や森林での採集に生活を依存する住民の生活を無視した法であり、天然に存在する産品は全て国家のものだ、という暴力的な論理がアフリカ人に課された。

この時期、ヨーロッパで自動車産業が勃興するなどゴムの需要が高まり、コンゴ産の天然ゴムの輸出も急速に拡大した。天然ゴムは、政府から開発権（コンセッション）を与えられた企業が、その広大な領域の中で現地住民に命じて集めさせた。アビイル・コンゴ会社などがよく知られているが、住民には採集量のノルマが課され、不十分と見なされれば懲罰が科された。懲罰は苛烈を極め、鞭打ちや投獄、さらには腕を切り落とすなど、非道な刑罰が加えられた。

アフリカ人に対するこうした虐待は、20世紀に入るとヨーロッパ各国にも報告され、厳しい批判を浴びた。ジャーナリストのモレルは、世紀転換期頃からコンゴにおけるアフリカ人に対する非人道的な扱いについて報告していたが、イギリス領事館に勤務していたケイスメント（後にアイルランド独立の闘士として名を馳せる）が1904年に刊行した報告書でこれを裏付けたことで、一気に批判と関心が高まった。1905年には、文豪マーク・トゥエインが『レオポルド王の独白――彼のコンゴ統治についての自己弁護』を出版、翌年にはモレルの主著『赤いゴム』（血に染まったゴム、の意）が刊行されるなど、レオポルド2世によるコンゴ自由国の統治は、特に英米の世論を巻き込んで、激しく非難された。

この時批判の対象となったのは、「私有領」のコンゴ自由国でアフリカ人を搾取して私腹を肥やすレオポルド2世の態度であり、ベルギーが責任を持って植民地統治を行うべきだ、というのが批判者の主張であった。国際世論に押される形で、ベルギー議会はコンゴを植民地統治することを決め、1908年11月14日、コンゴ自由国はベルギー領コンゴとなった。

コンゴ自由国に対する人権上の厳しい批判を受けて、1908年に制定された植民地憲章では、住民への一定の権利保障が謳われた。とはいえ、住民の人権状況がこれによって急速に改善することはなかった。

ベルギー領コンゴ期に大きく変わったのは、経済構造である。南東部カタンガ州で1910年に銅生産が開始され、この国の経済の屋台骨を担う主要産業に成長した。生産の中心になったのは、ベルギー系の企業「ユニオン・ミニエール・デュ・オー・カタンガ」(上カタンガ鉱業連合)であった。コンゴは「地質学上のスキャンダル」と言われるほどに鉱物資源が豊富で、他にも東部州の金(キロ・モト社が採掘)など、全土で多くの鉱産物が生産された。日本に投下された原子爆弾のウラニウムが生産されたのも、カタンガ州であった。

鉱業とともに植民地経済を支えたのは、白人による農業であった。東部のカタンガ州、キヴ州、東部州には標高が高く冷涼な地域があり、1910年代以降ヨーロッパ人入植者が増加した。彼らはコーヒーなど輸出向け換金作物生産に従事し、その生産量は1930年代以降目に見えて拡大した。また、ヨーロッパ企業による農業プランテーションも拡大した。特に重要なのはオイルパームで、世界的多国籍企業ユニリーバ社の子会社「ベルギー領コンゴ搾油会社」が広大なプランテーションを所有し、石けんなどの原料となるパーム油の生産を行った。

第2次世界大戦後には、コンゴにヨーロッパから多くの移民が流入し、著しい経済成長を遂げた。1950年代末には、コンゴはアフリカにおいて南アフリカ共和国、南ローデシア（現ジンバブエ）に次いで工業生産が活発な国と言われた。経済成長は都市中産階級を生み出した。首都キンシャサでは独立前から音楽文化が花開くが、これは、戦後経済成長の副産物とも言えるものだった。

ただし、この経済成長は、あくまでヨーロッパ人の活動が中心となって創出された。コンゴ人は労働力として位置づけられ、高等教育もほとんど提供されなかった。スーダンやガーナが独立を手にした1950年代後半になっても、コンゴでは独立に向けた権限の移譲は全く行われなかった。

1958年は分水嶺となった年である。コンゴ中央部サンクル出身のルムンバが全国政党「コンゴ国民運動」（MNC）を結成し、西部バコンゴ出身のカサヴブが地域政党「バコンゴ協会」（ABAKO）を立ち上げるなど、多くの政党が誕生し、それぞれ即時独立を要求した。加えて、12月にガーナの首都で行われた全アフリカ人民会議にルムンバなどコンゴ人活動家が参加し、大きな刺激を受けて帰国した。

こうして独立を求める声が高まると、ベルギーは独立への動きは不可避と見て、大きな抵抗なく早期に独立を認めた。1960年5月には選挙が実施されて、最大議席を得たMNC党首のルムンバが首相に、カサヴブが大統領に就任することが決まった。独立前の交渉においては、カタンガ州の鉱産物収入の分配など、センシティブなテーマは全て先送りされた。それが、独立直後の混乱、そしてコンゴ動乱へとつながっていくことになる。

（武内進一）

15

『闇の奥』の現代性

★グローバル化された世界の光と闇★

「コンゴに行く前、わたしはただの獣だった」
（コンラッドが友人に語った言葉）

ロシア帝国によって支配されていたポーランド（現在はウクライナ領の地域）生まれのジョゼフ・コンラッド（Joseph Conrad：1857〜1924）は船乗りとして世界各地を旅しており、1890年にはベルギーの貿易会社に船長として雇用されコンゴに赴いている。西欧による植民地支配の実態を目にしたこの時の経験が、のちの小説『闇の奥』*Heart of Darkness*（雑誌連載1899年、単行本への収録は1902年）に結実したことは間違いない。19世紀が20世紀に移り変わろうとする時期に書かれたこの中編小説は植民地主義批判の先駆として評価される一方、人種差別的言説の典型としてきびしい批判にもさらされてきた。現在に至るまで議論の絶えないこの作品が、21世紀に生きる私たちにとってどのような意味を持ちうるのか、これから考えてみることにしよう。

「そして、この場所も（…）かつては地上の暗黒の土地の一つだったんだ」(『闇の奥』)

『闇の奥』の物語は、夕暮れのテムズ川に停泊する船の上で5人の男たちが潮の変わり目を待つ場面から始まる。無名の語り手がテムズ川から出航していった英雄的な冒険家たちの輝かしい歴史に思いをはせていると、物語の主要な語り手であるチャーリー・マーロウが突然、語り始める。大英帝国の首都である「この場所」(ロンドンという固有名は出てこない)も、かつてブリテン島を侵略し支配した古代ローマ帝国の人々にとっては野蛮な未開の地に過ぎなかったというのだ。この発言で明らかになるのは、西欧と非西欧の対比が文明と野蛮、光と闇という明快な図式で説明されてしまう近代的価値観が、時間をさかのぼることで相対化され、たやすく無効化されてしまうものに過ぎないということである。

しかしマーロウはつけ加えて、収奪するだけのローマ帝国と違い、自分たちには立派な理念があり、効率性という規律もあると主張する。この立場を体現する文学ジャンルが、19世紀後半に人気を博したイギリスの冒険小説であろう。そこでは西欧の冒険家が「未開の地」を探検して「野蛮人」を文明の力で圧倒し、行方不明の白人を救出、ついでに莫大な財宝を手にして帰国するという共通する筋書きを持っていた。病に倒れたクルツという名の貿易会社社員を救助するために若き日のマーロウがアフリカの奥地に向かうという『闇の奥』で語られる物語も、この図式に則っているように見える。しかしマーロウがアフリカで目にしたものは西欧による植民地支配の非効率性であり、それが野蛮の地に文明の光をもたらすという美名のもとに行われる収奪にほかならないという実態であった。さらに支配者である西欧の人間にアフリカでの「冒険」は道徳的退廃をもたらすことも明らかにされる。典型的な人物がクルツで、彼は「万能の天才」と評されるほどのきわめて有能な社員であり、実際、現地での象牙の取引で抜群の成績を上げていた。また野蛮な人々を教化するという高い理想を掲げてアフリカに乗り込んできた人物でもあった。こうしたクルツへのあこがれを胸にマーロウはアフリカの大河（コンゴ川と思われる）をさかのぼる旅をする。しかし苦労の末にようやく出会うことのできたクルツは、絶対的支配者として原住民に君臨し、周囲の村落を襲っては象牙を収奪するような、あらゆる自制心を欠いた存在になりはてていた。せっかく救出されたものの、クルツは四つん這いになって元の場所に戻ろうとする始末。ついにはマーロウが指揮する船の上で亡くなってしまう。マーロウ自身も重い病にかかった末にようやく帰国するという展開は、冒険小説のパロディといってもおかしくないだろう。

「おそろしい、おそろしい」（『闇の奥』）

こうしてマーロウはクルツの死をみとることになるのだが、その最期の言葉「おそろしい、おそろしい」は、クルツを圧倒した闇の力のことか、彼自身の内面の闇なのかはわからない。しかしマーロウは、クルツが現実の暗黒面を直視し、それを率直に表現したことを評価し、共感する。その点が、植民地支配の実態に目をつぶり、会社の利益と自分の出世しか考えない偽善的なほかの社員との決定的な違いだというのだ。

こうしてマーロウの語りは、光と闇、文明と野蛮という二項対立を突き崩し、光の中の闇、文明の中の野蛮の存在を暴き出す。しかし、その立場もまたくずされるのが、ヨーロッパの都市（ブリュッセルと思われる）に住むクルツの婚約者をマーロウが訪れる場面だ。クルツが亡くなった後も彼を愛し続けている女性に、マーロウはクルツのありのままの姿を伝えることができず、クルツが死ぬ間際に口にしたのはあなたの名前でしたと嘘をついてしまう。むき出しの暴力による搾取というアフリカの現実を知ることで文明化という理念に幻滅し、その偽善性を徹底的に嫌悪していたはずのマーロウが、ここではクルツを理想化する女性の幻想の維持に加担してしまっているのだ。こうして既成の価値観を相対化するマーロウ自身の語りもまた相対化されてしまうことになる。ここに西欧の優越性を賛美する冒険小説でも、反植民地主義のプロパガンダにもなりきれない『闇の奥』のとらえどころのなさ、やっかいさを見ることができるだろう（実際、作中にはコンゴという地名は言及されないし、みせしめのために現地の住民の手首を切断するという植民地支配者による蛮行も語られることはない）。

最後に、同時代の商業文化や女性キャラクターに注目するなど新たな展開を見せている近年の『闇の奥』研究の中から、細部に現れる「モノ」に注目しその意味を探る方法を紹介しよう。例えば、クルツの婚約者の部屋に置かれたグランド・ピアノである。この西欧文化の精華と言ってもよい楽器が、陰鬱な「石棺のよう」な光沢を放っていたと不吉な形容がなされているのはなぜだろうか。ここで注目したいのは、ピアノの白鍵に使われる象牙が「帝国の汚れた仕事」によって獲得されたものである可能性を指摘したJ・O・テイラー（Jesse Oak Taylor）の研究である。西欧の洗練された文化を象徴する美しい音楽を奏でる楽器が、実はクルツが行っていたような血塗られた過去を持っているのかもしれないのだ。たしかにピアノが置かれた婚約者の部屋と、象牙の収奪が行われているアフリカとはかけ離れているように見える。しかし象牙という商品を介して、両者が結びついている可能性を誰も否定することはできないだろう。

地の果てにまで通じる穏やかな水路が曇り空の下を暗鬱に流れ、――巨大な闇の奥に通じているように見えた。(『闇の奥』)

「日の沈むことのない」はずの大英帝国の首都に夕闇が迫るという逆説的な描写で始まる物語は、闇に包まれたテムズ川の描写で終わる。そしてテムズ川がアフリカの大河とつながっていることを示唆する作品の結末は、目には見えなくとも世界が緊密につながっている現在のグローバル経済の本格的な始まりを示唆する描写でもある。西欧とアフリカが光と闇として対比的に理解される図式の欺瞞性を暴き、洗練された文明の光の中におぞましい闇が潜在している可能性を『闇の奥』は明らかにする。さらに「この場所」の安楽な生活を支えるために別の場所で過酷な収奪が行われている事実から目を背ける私たちは、コンゴを知る前のコンラッド、つまり「ただの獣」ではないのかと問う作品でもある。このようにやっかいで、しかも切実な問題を読者につきつける『闇の奥』は、グローバル化が進む21世紀においてもますますリアルな現代小説でありつづけている。

(島高行)

16

コンゴ動乱の歴史過程

★独立、混乱から内戦へ★

コンゴ動乱は、1960年から65年にかけて発生した紛争である。危機は主に2つの時期に分けられる。1つは60年7月から63年1月までの第1次コンゴ動乱、もう1つは64年6月から65年4月までの第2次コンゴ動乱である。この2つの危機を通じて、軍人のジョセフ・モブツ（後のモブツ・セセ・セコ）が権力を掌握、後の独裁体制の礎を築いた。

危機の原因は、ベルギーの植民地時代に遡る。植民地時代、コンゴ人は政治から隔離されてきた。しかも交通、通信面の障害のため、ナショナリズムの発展も不十分であった。この結果、50年代後半には植民地支配の終結を求める運動が生じたものの、運動は部族主義の形態をとりがちであった。この事情が、後にエスニックグループの政治的地位や連邦制のあり方など、新国家に関する重要な問題を争点化した。

60年6月30日、コンゴが独立した。ベルギー憲法をモデルとした基本法による中央集権国家としての出発であった。しかし新国家は、政治的に不安定であった。民主的な手続きを経て、初代首相には、植民地時代の国境線の維持と、中央集権を志向するパトリス・ルムンバが就任したが、大統領には、地方分権派のジョセフ・カサヴブが就任し、新政府には対立の種が孕まれた。また地域主義を掲げるライバルには、中央政府との協力を拒否するものもいた。

このため新国家は危機に直面する。7月上旬、首都で起こった公安軍（後にコンゴ国軍と改称）の反乱を経て、地方で分離独立の動きが起こった。7月11日、銅やウラニウムなどの産出で知られたカタンガが、モイズ・チョンベのもとで分離独立を宣言した。また8月9日には、ダイヤモンドの産地である南カサイも分離独立を宣言した。

旧宗主国ベルギーは、新政府との事前協議なく、同胞の保護を口実として軍事的に介入し、カタンガにも軍を進駐させた。このためルムンバは、介入をベルギーによる侵略行為だとして反発、外交関係を断絶し、領土保全を訴えて国連に支援を要請した。最終的に国連安保理は、侵略性の認定を回避しながらも、ベルギー軍の撤退を求め、またコンゴ国連軍（「国連コンゴ活動」とも呼称）を派遣した。スウェーデン人の国連事務総長ダグ・ハマーショルドの指揮のもと、国連軍の現地代表にはノーベル賞受賞者の米国人ラルフ・バンチが就いた。また国連軍には、アジア・アフリカを含む計34ヶ国の部隊が参加した。

ルムンバは、国連軍が分離終結に動くことを期待した。しかしハマーショルドは、分離問題をコンゴの国内事項として、国連の管轄外との立場を採った。ルムンバはこれを不服として、国連軍の撤退要求をほのめかし、ソ連の軍事支援を求めた。他方、活動の失敗を受け容れがたいと考えるハマーショルドは、「ルムンバは『破壊』されねばならない」と発言するなど、露骨な嫌悪感を示した（バンチも同じ評価）。

8月下旬ルムンバは、分離終結のために国軍を動かした。しかしこの措置は、政府内で大きな議論を呼び、ルムンバとカサヴブの間に大きな不和をもたらした。9月には両者が、たがいに他の罷免を声明するなど、対立が激化した。この事態に軍の司令官であったモブツがクーデタで対応した。そして米国やベルギーと協力関係にあった彼は、議会を停止し、暫定政府を発足させた。また現地の国連職員もクーデタを支援した。

その後ルムンバは、国連軍ガーナ部隊の警備のもとで首相官邸にとどまったが、12月、本拠地スタンレーヴィルへ脱出を図った。しかしこの脱出は失敗。モブツの軍隊に捕らえられた彼は、翌1月、仲間とともにカタンガに移送され、ベルギー将校の面前で殺害された。遺体はバラバラにされた後、硫酸で溶かされ、数本の歯だけが残された（歯は2022年に遺族へ返還された）。

ルムンバと対面するハマーショルド（1960年7月24日）（出典：UN Photo）

ルムンバ政府のアントワーヌ・ギゼンガ副首相は、60年12月にスタンレーヴィルに政府の樹立を宣言した。またアフリカ諸国も急進派と穏健派に分裂し、なかにはスタンレーヴィル政府を承認する国もあった（後にカサブランカ・グループとモンロビア・グループの対立となり、アフリカ統一機構［OAU］の設立に影響を与えた）。また急進派には、国連軍から部隊を引き上げる国もあった。

事態を打開したのは、61年8月の挙国一致内閣の発足であった。この時、米国や国連の支援を受けたシリル・アドーラが首相に、ギゼンガが副首相に就任した。かくしてスタンレーヴィル政府は解消され、また9月には南カサイは分離を撤回した。他方カタンガはいかなる国からも国家承認を得られなかったが、友好勢力を得るべく様々な勢力に接近した。そして彼らは、潤沢な資金をもちいて、傭兵を軸としたカタンガ憲兵隊を強化し、また米英政界にも支持者を募った（この時作られたカタンガ・ロビーは国際反共運動の一部となる）。

国連はコンゴ統一へ動き出した。9月に国連軍は、傭兵の追放に乗り出した（ランパンチ、モルソー作戦）。しかし作戦の直後にハマーショルドは、搭乗機の「墜落」で謎の死を遂げ、国連の攻勢は一時停止した（2015年、国連はこれを謀殺と認定）。しかし12月の2度目の武力行使を経て、国連はカタンガにコンゴの不可分性の原則を受け入れさせた。そして62年末、国連の3度目の武力行使に屈したチョンベは、最終的に分離を撤回し、ここに第1次コンゴ動乱は終結した。

しかし紛争の火種はくすぶり続け、まもなく第2次コンゴ動乱が起こった。63年半ば以降、ルムンバ派は中央政府を離脱し、武力闘争継続の機会を探った。中西部では、ルムンバ派のピエール・ムレレが中国の支援を得て反乱を起こした。また東部でも、64年6月に国連軍が撤退するなかで、クリストフ・グベニエ、ローラン＝デジレ・カビラなどが、活動を積極化させた。カビラの部隊には、一時的にチェ・ゲバラ率いるキューバの支援もあった。彼らは東部地域を広範囲に制圧し、8月、スタンレーヴィルでコンゴ人民共和国の樹立を宣言した。

7月、亡命中のチョンベがスペインから呼び戻されて、首相に就任した。彼の強みは傭兵と元カタンガ憲兵との繋がりであった。傭兵が南アフリカ共和国や南ローデシアなどから集められた。そして傭兵と国軍は、スタンレーヴィルへの途中で人口密集地帯を襲撃し、強盗、強姦、殺戮などの行為に及んだ。追い詰められたルムンバ派は、ベルギーと米国の民間人を人質にとり交渉を望んだ。しかし反乱軍の軍事的弱さを知る米国とベルギーは、交渉を拒否し、武力介入を決めた。11月、両国の航空支援を受けた傭兵と国軍が、スタンレーヴィルの奪還に動いた（ドラゴン・ルージュ作戦）。介入と報復、その後の「浄化作戦」で、３９２人の白人捕虜と数万人とも言われるコンゴ人が虐殺された。

かくしてルムンバ派は壊滅させられた。しかしチョンベも「用済み」になりつつあった。65年３月の選挙後、彼とカサヴブが対立し、政府は麻痺状態に陥った。しかしモブツが、米国の働きかけもあり、11月に再びクーデタを起こした。２つの動乱を通じて、この国の民主体制は破壊された。そして彼の残忍な独裁体制は、カビラ率いる反乱軍が彼を打倒する97年まで続くことになった。

（三須拓也）

17

コンゴ動乱に対する国際的対応

★大国と国連の干渉★

コンゴ動乱は、ベルギーの策謀、米国の関与と冷戦対立、そして国連組織の危機が投影された複合危機であった。

ベルギーの策謀

危機の端緒は、ベルギーが植民地時代の経済構造を維持しようとしたことにある。ベルギーは、コンゴに独立を認めつつも、それを名ばかりにとどめようとした。また行政機構や国軍にもベルギー人を残すことで、影響力を維持しようとした。しかし新政府のアフリカ化を目指すルムンバ首相が、この試みに立ち塞がった。彼は、1960年7月上旬の黒人兵の暴動に際して、全てのベルギー人将校を解任した。

対してベルギー政府は、7月9日、コンゴへの軍事介入を決定し、11日に分離を宣言したカタンガを支援した。これらはルムンバ政権を不安定にする策謀であった。この後ベルギーは、財界の協力を得つつ、カタンガ技術顧問団を派遣し、憲法、中央銀行、独自通貨などの整備を支援した。また分離を通じて、コンゴ政府の歳入の半分以上と外貨収入を奪った。加えてベルギーは、ルムンバの殺害までも計画した（バラクーダ作戦。20

02年にベルギーは殺害の道義的責任を認めた)。

ただしカタンガの傀儡性については評価が分かれる。分離運動は「カタンガ・アイデンティティ」の発露でもあった。チョンベは鉱物の富を「真正カタンガ人」のために囲い込むべく、共通の言語、歴史からなる境界に基礎づけられた連邦制を支持した。そして彼は、ルムンバ政府からこの富を防衛する手段として、ベルギーに接近した。

ゆえに61年春に発足したベルギーの新政権が、コンゴ統一を目指す米国や国連に協力的姿勢を示すと、カタンガはベルギーへの不信感を強め、支援の多角化を図った。南アフリカ共和国、南ローデシア、フランスなどから集められた傭兵には、アルジェリア極右の秘密軍事組織(OAS)関係者もいた。このようにベルギーの策謀は、カタンガの共犯関係のもとで遂行されたが、カタンガにはベルギー以外の寄る辺があった。

米国の関与

米国もコンゴに干渉した。第1次コンゴ動乱時の政策経路は2つあった。1つは国連を介した間接的関与、もう1つは中央情報局(CIA)の秘密工作を介した直接的関与である。この事情から国連は、冷戦期最大規模の平和維持軍を組織することとなり、CIAは史上最大規模の秘密工作を展開する。2つの政策の利用が浮上したのは、米国が公的な外交ルートによるコンゴへの関与を制限しようとしたことが大きい。伝統的な外交戦略では、アフリカの問題は周辺的な位置づけだった。また秘密工作は、国連の活動を側面から支援した。

第1次コンゴ動乱にはアイゼンハワーおよびケネディ政権が関わったが、両政権とも親西側の政府樹立に動いた。この意味で国連軍の撤退をほのめかし、ソ連からの支援を受け容れたルムンバは、政策遂行の障害であった。ゆえにアイゼンハワー大統領は、ベルギーと足並みを揃え、彼の殺害を含む秘密工作を承認した（ウィザード計画）。

工作の手段は、政治家の買収、軍事技術の提供、暗殺者の手配、毒物の提供、デマの流布といったプロパガンダ活動など多岐にわたった。特に買収は常套手段で、モブツ、カサヴブ、アドーラなどの親米政治家に資金が渡った。またCIAは、61年のアドーラ政権の成立でも大規模な買収活動を行い、ギゼンガの首相就任を妨害した（この時敗北したギゼンガは、2006年に首相となる）。加えて第2次動乱でも国連軍の撤退期限が迫り、また同盟国の英仏が非協力的ななかで、米国は傭兵と国軍による反乱鎮圧作戦を策定した。そしてCIAは国軍の訓練や、反カストロの亡命キューバ人が操縦する航空機などを手配した。

国連事務局の干渉

第1次コンゴ動乱では、国連事務局も干渉者であった。ハマーショルドは「防止外交」を掲げ、アフリカへの冷戦の波及を回避しようとした。しかし介入資源に乏しい国連は、当時、ヒトとカネの面で米国の強い支配下にあった。米国人が国連の重要ポストに就き、米国が財政危機下の国連を支えた。また国連軍へのモノの面での貢献も大きく、米国は、90機の航空機と数機のヘリコプター、大量の車両を提供し、各部隊を輸送した。加えて米国は、文民活動や部隊間の通信手段を提供した。一方でアフリカ諸国の多くは、独立を果たす前か、独立を果たしたばかりで、影響力も限られた（60年7月時点で加盟国は9ヶ国、9月に16ヶ国が新規加盟）。しかも西欧と中南米諸国も、同盟国である米国の軍事、経済援助に依存していた。この事情から国連軍は、国際協力の名の下に米国の国益を追求する、米国の道具的性質を持った。

米英政府の史料などからは、国連事務局が、米国の秘密工作に協力したことがわかる。表向きは不偏不党性を語りながらも、60年9月のカサヴブによるルムンバ解任劇では、米国人で国連軍の現地代表アンドリュー・コーディアーが、空港やラジオ局の封鎖などの、ルムンバに不利な措置を執った。また国連軍モロッコ部隊は、米国由来の資金をモブツに提供し、彼の組織固めを手助けすることになった。さらに12月のルムンバ逮捕の際もハマーショルドは、逮捕の阻止に動かなかった。加えて61年のアドーラ政権成立の際、スウェーデン人の現地高官ステュレ・リネーは、反ギゼンガ派に資金を提供した。

ただし国連事務局が米国に常に従っていたわけではない。国連事務局はソ連や東側諸国からの「西側寄り」との批判を気にしていた。また国連事務局は、多数の部隊を派遣していたインドやガーナなどアジア・アフリカ諸国の意向も強く意識した。61年9月のハマーショルドの悲劇的な死の背景には、彼が、早急な傭兵掃討を求めるアジア・アフリカ諸国と、国連の武力行使に反対する米英の板挟みになったことがある。このような活動の正統性をめぐる国連組織の危機も、第1次動乱を複雑化した。

ソ連、東側陣営の関与

コンゴ動乱は冷戦の観点で語られがちだが、ソ連や東側陣営の関与は、西側の関与ほど大きくない。確かにソ連のフルシチョフは、50年代後半、アジア・アフリカの民族解放運動への支援を積極化した。またソ連が独立前からルムンバ派に接触し、独立後も彼らに物質的支援を与えたことも史料的に確認される。しかしこの点は過度に強調されるべきでない。ソ連の関与の多くは、外交辞令的なものと解しうる。

もとよりソ連の勢力圏とコンゴは地理的に離れており、当時、軍の遠方展開に限界があった。このためルムンバ殺害後のソ連の関与は、積極性を欠くものとなった。また第2次動乱の時も、東側陣営からルムンバ派へ支援が行われたが、これらはソ連主導ではなかった。中国の支援は中ソ対立を背景としており、キューバの支援も、62年のキューバ危機でのソ連からの「見捨てられ」に端を発した。また特筆すべきは、東側陣営のドナーが反乱軍に不満を抱き続けた点である。反乱軍は必ずしも解放者ではなかった。反乱軍には、無政府状態を利用して私欲を満たそうとする者もおり、その点で国軍や傭兵と同じであった。ゲバラはローラン＝デジレ・カビラたちへの悪印象を記した。この事情も東側の支援を躊躇させる要因であった。

（三須拓也）

コラム１

ルムンバ

武内進一

コンゴの初代首相ルムンバは、歴史上最も有名なコンゴの政治家と言ってよいだろう。その名前は、独立式典でベルギーの植民地支配を痛烈に批判し、コンゴ動乱の中で謀殺された悲劇の英雄として、コンゴ人のみならず世界中で記憶されている。

パトリス・ルムンバは、１９２５年コンゴ中央部のサンクル州農村のオナルアで生まれた。エスニック・グループはテテラ人で、教会が提供する教育を受けた後、郵便局職員研修学校に通い、スタンレーヴィル（現キサンガニ）の郵便局で職を得た。その街では、ヨーロッパ的な教養を持つ「開化民」（エヴォリュエ）のリーダーを務めた。１９５６年に郵便局の資金横領の罪で逮捕され（不当逮捕との評価も多い）、出所すると政党「コンゴ国民運動」（ＭＮＣ）を結成した。エスニシティをベースにした政党が多いなか、ＭＮＣは当初からコンゴ全国を視野に入れて解放闘争を主導し、支持を広げた。

１９５８年12月、ルムンバはアクラで開催された第１回全アフリカ人民会議に出席し、すでに独立を達成していたガーナのエンクルマ大統領と親交を深めた。帰国後はコンゴにおける反植民地運動の中心的存在となり、１９６０年１月にブリュッセルで開催された円卓会議にもコンゴ側代表の１人として出席した。同年５月の選挙でＭＮＣが最大議席を獲得したため、ルムンバは首相に任命された。6月30日の独立式典で、彼はベルギー国王を前にスピーチを行い、植民地統治の不平等と圧政を批判した。

独立直後、カタンガ州が分離独立を宣言すると、ルムンバは国連部隊の派遣を要請し、これを受けて「国連コンゴ活動」（ONUC）が展開された。ルムンバはカタンガの分離独立阻止のために国連部隊の派遣を要請したのだが、国連平和維持活動の枠組みで組織されたONUCに強力な介入は困難だった。これを不満とするルムンバはONUCへの失望を露わにし、東側諸国に接近した（第16章参照）。

独立式典の一件もあり、ルムンバに不信感を抱いていたベルギーやアメリカは、ここに至って彼を共産主義者と見なし、追い落としに動き出した。1960年9月のモブツによるクーデタをアメリカが支援するのは、こうした文脈においてである。クーデタ後、ルムンバは首都で軟禁状態にあったが、腹心のギゼンガがスタンレーヴィルで分離政権樹立に動くと、それに合流するためにキンシャサ脱出を図った。しかし、途中でモブツが派遣した追っ手に捕まり、軍キャンプに収監されてしまう。そして1961年1月に、反ルムンバ派の拠点であるカタンガ州へと送致され、そこで暗殺された。

ルムンバは共産主義イデオロギーに傾倒していたわけではなく、「コンゴの分裂を避けようとしたナショナリストであった。東西冷戦に巻き込まれて失脚、暗殺されたわけであり、彼の死が明らかになると、世界各地に抗議行動が広がった。

暗殺当時からベルギーやアメリカの関与を指摘する声はあったが、ベルギーの研究者デ・ヴィッテが2000年に出版された研究書（De Witte 2000）で外交資料などを用いてその点を裏付けた。これを受けてベルギー議会は調査委員会を設置し、その責任を認めた。

2020年には、ブラック・ライヴズ・マター運動の高まりの中で、ベルギー国王がコンゴに謝罪し、ルムンバの遺物を返還することを約束した。ルムンバの遺体は暗殺直後に硫酸で溶解されたが、そこに立ち会ったベルギー人の警官が彼の歯を遺品として持ち帰っていた。この返還が約束されたのである。

2022年6月20日にブリュッセルでその返還式典が行われ、ルムンバの歯が入った小箱が遺族に手渡され、ベルギー首相が改めて過去を謝罪した。その後、小箱は棺に収められ、コンゴ大使館経由で本国に戻った。棺はコンゴで首都キンシャサ、生まれ故郷のオナルア、そしてかつてルムンバ派の分離政府が樹立されたキサンガニなど主要都市をめぐり、27日に首都に戻って正式に埋葬された。

18

モブツ政権期（1965～1997年）

★国家統一から内戦へ★

1965年から1997年まで、30年以上にわたって中部アフリカの大国コンゴ（ザイール）に君臨したモブツは、この国の歴史に大きな影響を与えた。彼の統治期は、今日失われた国家統一と安定の時代として賞賛されることもあれば、政治的抑圧と汚職の蔓延によって現在の紛争を準備した時代だと批判されることもある。いずれの評価も間違ってはいない。モブツに対する毀誉褒貶は、そのままこの国の歴史における彼の巨大さを示している。

1930年に北部リサラで生まれた彼は、植民地公安軍に入隊し、コンゴ人として最高位の特務軍曹で1956年に除隊した後、ジャーナリストとして生計を立てた。ベルギー人ジャーナリストに目をかけられてブリュッセルに滞在し、ルムンバが主導する「コンゴ国民運動」（MNC）に入党して独立交渉（円卓会議）にも参加した。

独立直後に勃発したコンゴ動乱は、モブツを政治の表舞台へと引き出した。1960年7月初めにコンゴ人兵士の反乱が起こると、ルムンバはベルギー人将校を解任し、自分の秘書を務めていたモブツに大佐の称号を与えて、新生コンゴ国民軍の参謀総長に任命した。その後、ルムンバ首相とカサヴブ大統領の対立が深まり、相互に解任を宣言する状況の中で、9月14日、モブツを指導者とする軍が決起し、権力を握った。このクーデタに際しては、米国大使館から多額の現金がモブツに流れたという。

この時、モブツと軍は内閣と議会を無効化したものの、自らは政権を担わず、兵舎に戻った。しかし、1965年11月、またも大統領と首相の対立が深まると、モブツは軍を率いて再びクーデタを起こし、今度は兵舎に戻らなかった。

政権を握ると、モブツはまず国内の反乱勢力の掃討に取り組んだ。この時期、コンゴ東部では独立直後から続く反乱勢力が残存していたが、米軍の支援や傭兵の利用によって、1960年代末までにそれらをほぼ駆逐した。

独立直後からコンゴ動乱を経験したモブツにとって、国家の統一は重要な政治課題であった。彼は「真正主義」（authenticité）という概念を国家イデオロギーに据えて、政治経済、文化面でナショナリズムを鼓舞する政策を次々に打ち出した。経済を支えてきたカタンガ州の産銅企業「ユニオン・ミニエール・デュ・オー・カタンガ」（上カタンガ鉱業連合――UMHK）の国有化（1967年）を皮切りに、国家、通貨、そして大河の名称をコンゴからザイールに変え、背広を廃止し人民服ふうの装い（「アバコス」――「ア・バ・コスチューム」正装くたばれの意――の略称）に変え、クリスチャンネームを廃止してアフリカふうの名前に変えた。これに伴い、彼自身もジョゼフ＝デジレというクリスチャンネームを捨てて、モブツ・セセ・セコと名乗るようになった（なお、モブツの正式名は、Mobutu Sese Seko Kuku Ngbendu wa za Banga である）。

国連総会で演説するモブツ（UN Photo）

国内の治安確保にめどがつくと、モブツは統治の制度化に着手した。それは彼自身が1967年に設立した政党「革命人民運動」（MPR）を中心としたものだった。1974年憲法において、MPRだけが政党として認められ、国民全員がMPRの党員となり、政府の省庁はMPRの部会、大臣は党の担当部長と位置づけられた。モブツはMPR総裁であり、MPR総裁は自動的に共和国大統領となる。MPRは国家と市民社会を包摂する組織であり、その頂点に党の創始者であり総裁であるモブツが君臨するという仕組みであった。

モブツが政権を握ってからしばらくは、政治的安定と資源価格の上昇傾向に支えられ、経済も好調だった。これが反転するのは、1974年のことである。この年、前年に急騰した主要輸出品の銅価格が急落し、輸出収入が大幅に落ち込んだ。加えて、彼が打ち出した「ザイール化政策」が経済に甚大なダメージを与えた。これは、外国人が所有する中小の企業やプランテーションを接収し、自国民に分配するという政策であった。「民族資本家の育成」を目標に掲げていたものの、実際に分配を受けたのは国会議員など政治エリートがほとんどで、パトロネージの拡張政策に他ならなかった。信用を失ったザイールから国際資本は手を引き、景気は急速に悪化した。

経済状況の悪化とともにドナーから噴出したのは、途方もない規模で経済を蝕む汚職への批判であった。とりわけ、1982年に機密扱いで刊行された元ザイール中央銀行総裁ブリュメンタルの報告書は、モブツ政権の汚職の実態を世界に知らしめた。中銀総裁の自分が政治家や軍人から頻繁にカネの工面を頼まれ、時には銃で脅された、モブツもしばしば中銀総裁を呼びつけて数万ドル単位のカネを用意させた、といった衝撃的な内容は、この国の信用をさらに失墜させるに十分であった。1980年代には民間資本が次々に引き揚げ、経済危機は深刻化した。

冷戦の終結は、この国をめぐる国際関係を大きく変えた。冷戦期、アメリカはモブツ政権をアフリカにおける「共産主義への砦」として重視したが、東側陣営の崩壊によって関心を失った。冷戦終結後、西側諸国は援助政策を転換し、民主化しない国には援助しない、という方針を打ち出した。これによって、多くのアフリカ諸国が一党制を廃止して複数政党制に移行したが、ザイールも例外ではなかった。1990年4月、モブツはMPR以外にも政党を認めると発表、民主化を約束した。しかしながら、約束通りに民主化は進まず、景気の悪化が止まらない中で、1991年には主要都市で大規模な暴動が発生。経済に壊滅的な打撃を与えることになった。

経済の悪化や国際的な孤立とも相まって、モブツは次第に公務から遠ざかり、生まれ故郷に近いバドリテに建設した壮麗な宮殿に籠もるようになった。中央アフリカ共和国に近い熱帯雨林のただ中に建てられた滑走路付きの宮殿には、連日賓客が招かれ、ヨーロッパからとり寄せた食材で壮大なパーティが開かれた。

結局、モブツの命脈を止めたのは、隣国ルワンダで起こった内戦であった。1994年、ルワンダでは大統領搭乗機の撃墜事件をきっかけとしてトゥチ人に対するジェノサイドが勃発した。ルワンダでは1990年にトゥチ人主体のゲリラ組織「ルワンダ愛国戦線」（RPF）が北隣のウガンダから侵攻し、内戦状態となっていたが、国際社会の働きかけで1993年に和平協定が結ばれていた。しかし、大統領暗殺とジェノサイドによって内戦が再燃すると、RPFがルワンダ国軍勢力を駆逐し、国軍は多数の民間人とともに国境を越えてザイール東部へと逃亡した。

こうして1994年以来、ルワンダ国軍と一般人とが混在する100万人以上が国境付近の難民キャンプに収容されていた。彼らは武装解除もされず、難民キャンプを拠点としてルワンダへの越境攻撃も繰り返していたため、ルワンダに誕生した新生RPF政権にとって著しい脅威だった。1996年9月、ルワンダは、ウガンダ、そしてザイール東部に居住するルワンダ系住民とともに、難民キャンプの掃討作戦を実行した。そして、ザイール国内の反モブツ勢力と合流することで、強力な武装組織が東部に成立したのである。この武装勢力「コンゴ・ザイール解放民主勢力連合」（AFDL）は破竹の進軍を続け、翌年5月には首都キンシャサに入城してモブツを放逐した。ここに、31年あまりにわたるモブツ政権は幕を閉じた。前立腺ガンを病んでいたモブツは、同年9月にモロッコで客死した。

（武内進一）

19

カビラ父子政権期（1997～2018年）

★紛争終結と東部での継続★

1997年にモブツ政権打倒の立役者となり、翌1998年には第2次紛争勃発に直面し、2001年に暗殺されるまで、ローラン＝デジレ・カビラは、3年あまりの短い期間コンゴの国家元首を務めた。彼はもともとルムンバ率いる「コンゴ国民運動」（MNC）のメンバーで、コンゴ動乱期にはスタンレーヴィル（現キサンガニ）のギゼンガ政権にも参加した。その後、東部で反モブツ武装闘争を率い、1965年にはコンゴにやってきたチェ・ゲバラと共闘もしている。ただし、ゲバラは戦場でのカビラを酷評していた。

ローラン＝デジレ・カビラの反モブツ武装闘争は、1980年代には名ばかりのものとなった。彼が歴史の表舞台に現れるのは、ルワンダ内戦が飛び火する形で1996年にコンゴ東部で勃発した武力紛争の時である。モブツ打倒を掲げて立ち上がった「コンゴ・ザイール解放民主勢力連合」（AFDL）は、ルワンダとウガンダが軍事的に支えていたが、そのトップとしてローラン＝デジレが担がれたのである。ザイール国軍から目立った抵抗もないままAFDLは進軍を続け、開戦から半年あまり経った1997年5月には首都キンシャサに入城して政権

ローラン＝デジレ・カビラ
(Etienne Scholasse, European Communities)

を握った。こうして、ローラン＝デジレは新政権の大統領となった。

解放戦線期の組織構造を引き継いで、新政権ではルワンダ、ウガンダの影響力が非常に強く、ルワンダ国軍参謀長ジェームズ・カバレベがコンゴ国軍参謀長を兼任するほどだった。ローラン＝デジレはこれを改めてコンゴ人主体の国づくりを進めるべく、ルワンダ人将校を遠ざけた。これにルワンダなどが危機感を深め、2度目の紛争が勃発する。

1998年8月、東部でルワンダ、ウガンダが支援する武装勢力が蜂起し、同時に反乱軍がキンシャサと大西洋の間に位置するキトナ空軍基地を占拠して、そこからキンシャサに攻め上り始めた。首都が陥落すれば政権が崩壊するという緊迫した状況の中で、ローラン＝デジレは周辺国に支援を求め、これに応えてアンゴラ、ジンバブエ、ナミビアが派兵した。こうして、第2次コンゴ紛争は、多くの周辺国が介入する「アフリカ大戦」と化した。

国際社会の調停の結果、1999年7月に停戦協定が結ばれ、国連が平和維持部隊「コンゴ民主共和国国連ミッション」（MONUC）を派遣した。この協定で外国勢力の撤退やコンゴ人勢力間での新政権に向けた交渉などが定められたのだが、事態は膠着した。外国軍の撤退は進まなかったし、コンゴ新政権も国連に非協力的だった。この理由の1つは、第1次紛争の際にAFDLが敗走する多数のフトゥ人を虐殺した疑惑が浮上し、国連がこれを問題視したからである。

結局、事態を動かしたのは、ローラン＝デジレ・カビラの暗殺であった。彼は２００１年１月16日にボディガードに射殺されたが、事件の真相は現在もなお不明な点が多い。この暗殺により息子のジョゼフ・カビラが30歳の若さで政権に就くと、政情は大きく動き始めた。

ジョゼフは紛争の終結に向けて意欲的に取り組み、権力分有についての話し合いを進めた。その結果、２００２年12月に南アフリカ共和国で権力移行に向けた包括的合意協定が結ばれ、翌年６月には移行政権が発足した。この移行政権は厳格な権力分有制度に則って樹立され、ジョゼフを大統領とするものの、有力な反政府武装勢力の「民主コンゴ連合－ゴマ派」（RCD-Goma）と「コンゴ解放運動」（ＭＬＣ）、そして市民社会と大統領派から４人の副大統領が任命された。内閣、議会、地方政府、治安機関、国営企業など、重要な国家機関は全て、主要な武装勢力（上記の２つに加えてマイマイや他のＲＣＤ分派など）が分け合った。

移行期間中の２００５年に新憲法が採択され、２００６年には総選挙が実施された。大統領選挙は、ジョゼフとＭＬＣの指導者ジャン＝ピエール・ベンバの一騎打ちとなったが、ジョゼフが勝利し、議会でも彼の「再建・民主主義人民党」（ＰＰＲＤ）を中心とする与党連合が過半数を確保した。

憲法制定と選挙実施は、公的にはコンゴが紛争を終結させて平時に戻ったことを示す。しかし現実には、紛争は終結しなかった。むしろ時間とともに東部の紛争は複雑化し、今日まで住民に甚大な被害を与え続けている。東部紛争の永続化のうえで決定的に重要だったのは、「人民防衛国民会議」（ＣＮＤＰ）の蜂起である。この武装勢力は、２００６年の選挙で「民主コンゴ連合」（ＲＣＤ）の惨敗が自明となる状況下で結成された。紛争時から移行政権期にかけて、コンゴ東部のルワンダ系住民（特

2018年大統領選挙で投票するジョゼフ・カビラ（John Bopengo, CC BY-SA 2.0）

に、トゥチ人）たちは軍事力を背景に大きな政治力を持ってきたが、選挙で敗れればその根拠を失う。そうした彼らが、ルワンダ本国の「ルワンダ愛国戦線」（ＲＰＦ）政権の支援を得てＣＮＤＰを結成し、反政府武装活動を再活性化させたのである。ＣＮＤＰが分裂により力を失った後には、同じ支持基盤から「3月23日運動」（Ｍ23）が現れ、紛争が再び激化した。東部では、今日に至るまで、ルワンダ系、非ルワンダ系ともに武装集団が分裂を重ね、２０２３年現在で１００を超える勢力が群雄割拠する状況になっている（第40章参照）。

２０００年代の経済面での特筆すべき状況として、中国との関係の深まりが挙げられる。中国はこの時期アフリカ全域で貿易投資を拡大させたが、コンゴとの関係強化は特に顕著だった。２００８年には、コンゴの鉱物資源を中国向けに輸出し、その代わりに中国がインフラを整備する巨額の経済協定が結ばれた。また、かつてコンゴの銅輸出を支えたカタンガ州の国営企業ジェカミンは、２０１０年代になると経営不振のために民営化されたが、その相当部分が中国企業の手に渡った。

政治面の動きに戻ろう。ジョゼフ・カビラは２０１１年にも大統領選挙で再選を果たしたが、この選挙では２００６年以上に汚職や不正が指摘され、コンゴの政治経済を立て直した若き指導者というジョゼフに対する評価は失墜していった。国内でも、東部紛争が一向に収束しない状況を受けて、「ジョゼフは実はルワンダ人だ」といった噂が広まるようになった。ジョゼフの内外での評価を決定的に悪化させたのは、２０１６年の大統領選挙をめぐる動きだった。三選禁止規定のため、ジョゼフはこの選挙に立候補できない。政権持続を模索するジョゼフは当初、法改正などの措置を講じようとしたが、国内で反対論が強く断念した。その後、戦術を切り替え、東部の政治情勢が不安定であることなどを理由に、選挙の引き延ばし策に出たのである。

選挙は2年延期され、内外の圧力の結果、２０１８年末にようやく実施された。ジョゼフはＰＰＲＤのラマザニ・シャダリを後継に指名し、影響力の確保を図ったが、得票に結びつかず、結局フェリックス・チセケディと密約を結んで「当選」させるという挙に出た。中央・地方の議会や知事をカビラ派が握る中での政権交代となったが、それから1年あまりで、チセケディはジョゼフの影響力排除に成功（第20章参照）。これによって、父子2代のカビラ政権は名実ともに終わりを告げた。

（武内進一）

20

ジョゼフ・カビラ政権末期以降の混迷する政治動向

★チセケディとカビラの「結婚」と「離婚」劇★

ジョゼフ・カビラ前大統領の憲法上の2期目の任期が終わる2016年12月から、フェリックス・チセケディ大統領の当選が発表された2019年1月までのコンゴは、政治的にも治安的にも激動期であった。まさにその時期を私は、在コンゴ民主共和国日本大使館の政務班長（2016年1月〜19年12月）として、激動の詳細を追い続けた。

2016年に入るとコンゴの政治状況は緊張が高まり、果してカビラが三選出馬を強行するのかという疑念が膨らむ一方、政権側による選挙延期工作も目立つようになった。そうした状況下でも選挙実施に向けた欧米諸国からの圧力は強く、政権側としても表面上は選挙の準備を進めないわけにはいかないという事情があった。

4月には、アフリカ連合（AU）による政治対話の調停者としてエデム・コジョ元トーゴ首相が任命された。9月1日から開始されたこの政治対話は10月17日に合意が採択されたものの、野党プラットフォームの「ラッサンブルマン」(Rassemblement) や有力野党の「コンゴ解放運動」（MLC）が当初から不参加、コンゴ・カトリック司教会議（CENCO）や一部市民社会も途中から参加を見合わせるなど包括的とは言えなかった。ＥＵが新たな政治対話を呼びかけたこともあり、ＣＥＮＣＯは12月８日から別枠組みでの政治対話に着手した。その一方で、ＡＵの調停による10月の政治対話合意（首相は野党側から選出する等）に則って、11月17日には名目的な野党グループ「ＵＤＰＳと同盟者」（UDPS et Alliés）の党首サミィ・バディバンガが首相に指名され、カビラの憲法上の任期が切れる数時間前の12月26日に新内閣が発表された。

他方、ＣＥＮＣＯ調停の政治協議による合意形成が進み、大晦日の22時過ぎには代表者32人中22人による署名を取り付けた。その後も野党側はバディバンガ首相体制への反発を続けたため、状況打開策として２０１７年４月にはバディバンガに代えてブルノ・チバラ元「民主主義・社会進歩同盟」（ＵＤＰＳ）副幹事長が新首相に任命された。しかし、こちらも政権側に寝返った偽りの野党からの選出である。

2016年９月に開始されたアフリカ連合（ＡＵ）による政治対話の開会式。マイクに向かって話すのがＡＵが任命した調停者のコジョ元トーゴ首相

２０１６年には国内状況にも動きが目立ち始めていた。５月末には、大統領選挙の有力候補と目されていたモイズ・カトゥンビ元カタンガ州知事が、身の危険を感じたとして、治療の名目で海外へ逃れ、政権移行後の２０１９年までコンゴに戻ることはなかった。またキンシャサ市では、９月19～20日に「ラッサンブルマン」などが呼び掛けた抗議行動が暴動に発展し、治安部隊との衝突により約50名の市民が命を失うなど、カビラ政権と野党の対立は激しさを増した。そんな中、２０１７年２月には、「ラッサン

ブルマン」の賢人委員会の委員長でカリスマ野党闘士のエチエンヌ・チセケディUDPS党首がベルギーで死去。その後、息子のフェリックスが新党首に就任した。

2017年以降は、カビラ政権と欧米諸国との対立が顕著になった。コンゴ政府はベルギーとの軍事協力を中断し、EUへの査証発給機関メゾン・シェンゲンを一方的に閉鎖した。これに対して、ベルギー側も二国間協力を中断。両国が互いに領事館を閉鎖するなど、緊張は外交関係にも及んだ。また、この時期、米国とEUはコンゴの治安関係者等十数名に対して経済制裁を発動し、その多くは現在も継続したままである。

2018年になると12月の大統領選挙の実施が現実味を持ち始め、カビラ大統領はついに8月、自身の後継者として、与党「再建・民主主義人民党」（PPRD）のラマザニ・シャダリ常任事務局長を与党の選挙プラットフォームである「コンゴ共同戦線」（FCC）の大統領候補に指名した。野党側は、11月11日に元「コンゴ民主共和国国連ミッション」（MONUC）代表のアラン・ドス（コフィ・アナン財団理事長）の調停のもと、ジュネーブに集結した主要野党7党首の中から「市民権と開発への誓い」（ECiDe）党首のマルタン・ファユルを統一候補に選出し、選挙のための野党プラットフォームLAMUKA（リンガラ語で「目覚めよ」の意）の結成を含むジュネーブ合意が署名された。

しかし、長年の民主化闘争を自負するUDPS党員にとってこの決定は受け入れ難く、なんと翌12日、フェリックス・チセケディUDPS党首及び彼との共闘に賭けたヴィタル・カメレ「コンゴ国民同盟」（UNC）党首はこの署名を撤回。23日にはナイロビで、チセケディ党首を大統領候補とし、新たなプラットフォーム「変革への針路」（CACH）を設立することを発表した。

このような紆余曲折を経て12月30日、ついに大統領選挙および国民議会と州議会選挙の投票が行われた。年をまたいだ２０１９年1月10日、国民の緊張を笑うかのように、大方の予想に反し、独立国家選挙委員会（ＣＥＮＩ）はチセケディの当選（得票率38・57％）を発表した。ファユル候補はこの結果に異議を申し立てたものの、20日、憲法裁判所はチセケディを第5代大統領と宣言し、24日には新大統領就任式が行われた。

後に、当時の選挙運営責任者であったコルネイユ・ナンガー前ＣＥＮＩ委員長は、この選挙結果について、チセケディとカビラが政治的合意で署名した「アフリカの妥協」だったと明言し、真の当選者はチセケディではなかったことを暗示した。これは、選挙結果発表直後にルドリアン仏外相が発し、コンゴ側の激しい反発を買った「アフリカの妥協」発言を裏付けるものであった。

2011年の国民議会選挙の投票用紙。ちょっとした雑誌ほどの厚さがある

2016年末に予定され、実際には2018年末に実施された大統領選挙のためにカビラ政権が作成した冊子

チセケディは、表面上はコンゴ史上初めて民主的選挙で大統領に選ばれたことになる。就任直後から彼は欧米諸国との関係改善に着手し、3月には治安、政治、社会問題等に対処する「１００日間の緊急プログラム」を発表した。5月にはほぼ無名だったシルヴェストル・イルンガ新首相を任命して

FCCとCACHの「結婚」準備を開始した。大統領就任から7ヶ月を経た8月26日早朝、チセケディはようやく65名の閣僚からなる新内閣を発表し、FCCに42ポスト、CACHに23ポストが割り当てられた。

しかし、内閣の出だしは順調とは言い難かった。チセケディは、自身のヨーロッパ滞在時代に支援してくれた在外コンゴ人（ディアスポラ）の友人の多くを政府の要職に配置し、古くからのUDPS党員の不興を買ったのみならず、それらディアスポラの多くが、就任直後から自身の蓄財に精を出し、自身の得にならない投資家は門前払いするなど、2023年に大統領がようやく彼らを要職から外すまで、コンゴへの海外投資呼び込みはほぼ進展しなかったと言っても過言ではない。また、「100日間の緊急プログラム」でも汚職が横行、2020年4月にはカメレ大統領府官房長が逮捕され、13年の懲役判決を受けた（その後、無罪宣告を受け、2023年3月末の組閣で副首相兼国家経済大臣に返り咲くという、実にコンゴ的な政治決定も展開された）。

イルンガを首相とする連立内閣では、たとえばFCC選出の財務相がCACH側の支払いをストップするなど、両陣営の権力争いが政権運営を妨げた。加えて、カビラ政権色を一掃したい米国の意向が強く影響したため、2020年12月、チセケディ大統領はFCCとの連立に終止符を打ち「離婚」が成立した。この離婚劇を機に、元カビラ大統領の側近だったFCCの大物政治家の多くが、権力と金の喪失感に抗いきれずCACHに鞍替えした。裏切りの連鎖は止まず、しかしながら、18年近くもすべての権力を握っていたカビラ前大統領は沈黙したままである。

（朝倉恵里子）

コラム2

チセケディ父子とUDPS

朝倉恵里子

このコラムは筆が滑らないように注意を払いつつ書いている。というのも、本書が刊行予定の2024年にはチセケディ大統領が続投し、私も引き続きキンシャサで暮らしている可能性が高く、本書が政権中枢の誰かに読まれないとも限らないからである。

私は、在コンゴ民主共和国日本大使館の政務班長（2016年1月〜19年12月）を務めたことから、カリスマ的な野党闘士であったエチエンヌ・チセケディ前「民主主義・社会進歩同盟」（UDPS）党首とも会う機会があったし、父親の跡を継いだフェリックス・チセケディ大統領とは野党時代に2度、また大統領当選直後にも面談した。これに加え同党最高幹部の1人とは大変に親しい関係にあることから、現在の政権運営の状況もよく知っており、UDPSについては思い入れがあると言っても良い。

UDPSは40年近くもの間民主社会主義を掲げ、モブツ独裁政権、そしてその後のカビラ父子政権に対抗してきた政党であり、現在最高幹部を務めるメンバーも30年以上もの間、エチエンヌ・チセケディ前党首を崇拝し、ともに闘ってきた。与党になってもその闘争的性格は変わらず、また万年野党だった党員の一部には権力の甘い蜜を吸いたい欲求も渦巻いている。

このように攻撃的とも言える性格を持つUDPS党員にとり、2018年11月11日、ファユル「市民権と開発への誓い」（ECiDe）党首を主要7野党の統一候補に選出する

フェリックス・チセケディＵＤＰＳ党首（当時）と日本大使との会談。左は筆者（2017年7月）

としたジュネーブ合意は受け入れ難く、ＵＤＰＳ幹部は即刻フェリックス・チセケディ党首に合意破棄を求めて詰め寄った。これについて、前述のＵＤＰＳ最高幹部は私に、「自分たちはこんなこと（他の野党党首を大統領に当選させる）のために、党員の命までも犠牲にしながら長年闘ってきたのではない」と吐き捨てるように言った。そしてこれら幹部の強い意向に押され、チセケディはカメレ「コンゴ国民同盟」（ＵＮＣ）党首とともに翌12日にはこの署名を撤回、同月23日にはナイロビで、チセケディを大統領候補とし、彼を指導者とする新たなプラットフォーム「変革への針路」（ＣＡＣＨ）を設立するとの決定を発表した。

　このような経緯を経て、翌２０１９年１月10日、ルドリアン仏外相から「アフリカの妥協」と呼ばれた、チセケディを勝者とする歴史的な大統領選挙結果が発表された。チセケディとその側近はこの直後から政権運営の準備を市内ベアトリスホテルの仮事務所で開始したのだが、UDPSは長年野党という性格から政権運営経験者や高学歴人材が少なく、チセケディの当選を機にコンゴに戻ってきたディアスポラ（海外在住コンゴ人）や、ベルギーやフランスでの遊び友達など、これまでのUDPSにはいなかった人材も加わって、閣僚や大統領府、公営企業幹部等の「おいしい」ポストの争奪戦が繰り広げられた。

UDPS党内では、チセケディ党首の大統領就任にともないカブンド幹事長が党首代行となったが、間もなく大統領側近や党幹部に強権を振るい始め、チセケディ大統領にさえも「大統領になれたのは自分（カブンド）の忠告のお陰だろう」と放言するまでになった。このようなカブンド党首代行とカブヤ幹事長のツートップを嫌い、党の実力者が数多く離党する事態となった。これを危惧したもう1人の最高幹部である私の友人は、チセケディ大統領の同意を得て、2022年1月にカブンド追い出し作戦を決行した。与党党首代行になった途端に建築したキンシャサ市内の豪邸を大統領警護隊に襲撃されるなど、手痛い仕打ちを受けたカブンドは数日後に党首代行を辞任した。同年6月には自身の政党を立ち上げてチセケディ政権への闘いを挑んだが、その後すぐに逮捕された。

この逮捕劇1つをとっても、UDPS幹部が最も嫌い、そして実際に被害を受けたジョゼフ・カビラ政権による野党への弾圧工作を、UDPS政権がそのまま踏襲している。国際社会が今後どのようにこうした人権侵害などの措置に対処するか、果たしてチセケディ政権に経済制裁が科されることがあるのかが注目される。

III

文化・社会

21

コンゴ民主共和国の言語

★多様な民族語と地域共通語、フランス語の多言語使用★

何が1つの言語であるかを決めるのは難しく、世界に、そしてコンゴ民主共和国（以下「コンゴ」）に幾つの言語があるかは誰も正確にはわからない。アメリカに本拠をおく非営利のキリスト教団体SIL（聖書を現地語に翻訳することを目標に活動）は世界に7099言語、コンゴに210の言語があるとしている。

文化人類学では民族を決める際の基準に言語を挙げることが多いが、アフリカでは逆に言語を決める基準に民族を当てた方が実状に合っている。つまり言語は似ていても民族が違うから別の言語であるというのが現地の人々の意識である。

一例として、私が調査した南キヴ州のテンボ語とその南のシ語を比べると、「男」はテンボ語ではmúlumé、そしてシ語ではmúlúméである。同様に「プランテン・バナナ」はテンボ語でmúhábá、シ語でmúshábáである。これらから判断すると純粋に言語学的観点からはテンボ語とシ語は同じ言語と見て差し支えないが、テンボとシは別の首長制を形成しており、同じ民族だと思っていない。そして民族が違うから言語も違うという考えである。

この背景にはバントゥー系の言語に特有な名詞のクラスの存

在がある。名詞が幾つかのクラスに分かれ、接頭辞を変えることによって民族を表したり言語を表したりする。例えば、テンボ語では「テンボ人（複数）」は Bátembo であり、「テンボ語」は Chítembo である。この2つの単語は派生関係にあり、どちらがより基本かと言えば、人を表す Bátembo である。そしてこの Bátembo の接頭辞 ba- を chi- に変えることによって Chítembo「テンボ語」という単語ができる。このことをしっかりと頭に入れておかないと自分が何語を扱っているのかわからなくなってしまうことがある。

これも私の経験であるが、タンガニーカ湖北西部でヴィラ語の調査をしていた時である。ヴィラ人を探しヴィラ語の調査を開始したが、数日たって何かおかしいと感じた。ヴィラ語とは言ってもヴィラ語らしくないのである。調べてみると、その人はヴィラ人ではあったが、話していたのはフレロ語であった。この地域はその北に話されるフレロ語が優勢になってきており、ヴィラ人の中に言語をフレロ語に切り替える人が増えてきている。しかし、そういう人も自分はヴィラ人なので、ヴィラ人である自分が話す言語はヴィラ語というわけであった。実際はフレロ語なのだが。

このことはピグミーの言語の問題にも関係する。ピグミーは身長が低く狩猟採集を行うなど幾つかの際立った特徴を有した人々であり、コンゴ盆地に広く分布する。彼らはおしなべて共生関係にある近隣の農耕民の言語を話しており、固有の言語は失われたのかということがアフリカ研究者の間で大きな謎となっている。「ピグミー人（複数）」はテンボ語では Bátwá であり、「ピグミー語」は Chítwá である。これはテンボ語の Bátembo「テンボ人（複数）」と Chítembo「テンボ語」の関係と同じである。あるいはヴィラ語とフレロ語の関係を思い出してもいい。つまり何の実体がなくても

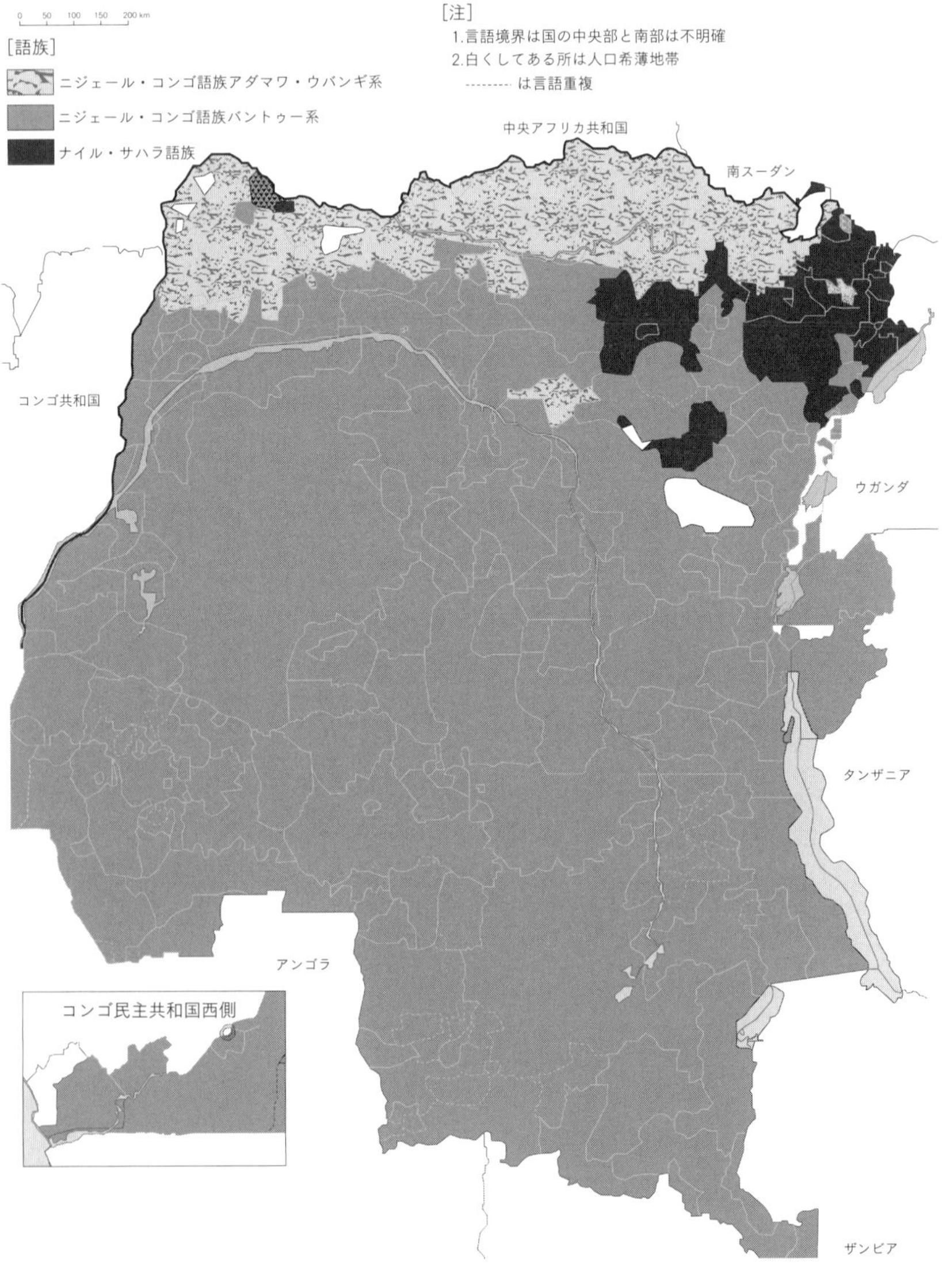

図１　コンゴの言語分布図（Eberhard, David M., Gary F. Simons, and Charles D. Fennig (eds.) 2020 *Ethnologue: Languages of the World.* Twenty-third edition. Dallas, Texas: SIL International. Online version: http://www.ethnologue.com をもとに作成）

Chítwá「ピグミー語」という表現は可能なのだ。要するにBátwá「ピグミー人（複数）」が話す言語は、それが何であれChítwá「ピグミー語」（ピグミー的話し方と言った方が適切か）ということになるわけだ。ChítwáやKimbuti（スワヒリ語での「ピグミー語」の意味）などの表現に騙されてはいけない。私が調べたChítwá「ピグミー語」の実体は、シ語に強く影響されたテンボ語であった。

日本で生活していると方言の違いは感じても日本人間の言語の違いを感じることはまずない。みんな日本語を話しているからだ。しかしコンゴではそうはいかない。国内に２１０もの言語があれば、車で1時間か2時間走れば、あるいは徒歩でも数日歩けば別の言語に出くわす。言語が似ている場合もあるが、まったく異なる場合もある。

ここで言語と言っているのは、いわゆる民族語のことである。コンゴの民族語は系統的に大きく2つに分かれる。ニジェール・コンゴ語族とナイル・サハラ語族である（図1参照）。コンゴのニジェール・コンゴ語族はさらにアダマワ・ウバンギ系とバントゥー系に分かれる。ナイル・サハラ語族は中央スーダン系と東スーダン系である。アダマワ・ウバンギ系は国の北部で話され、中央アフリカ共和国やカメルーンに同系統の言語が多い。スーダン系は国の北東部で話され、南スーダンやウガンダにも同系統の言語が多く話されている。国の中部から南部にかけてはバントゥー系の言語である。数としてはこちらが多い。

言語が違うと多くの場合、お互いのコミュニケーションに困る。例えば市場である。昔は店はなく、物の売り買いは定期市（稀に常設市）で行われてきた。そこには言語の違う様々な民族の人が集う。アフリカ人はこのコミュニケーションの問題に対し長い時間をかけて地域共通語を発達させることで対

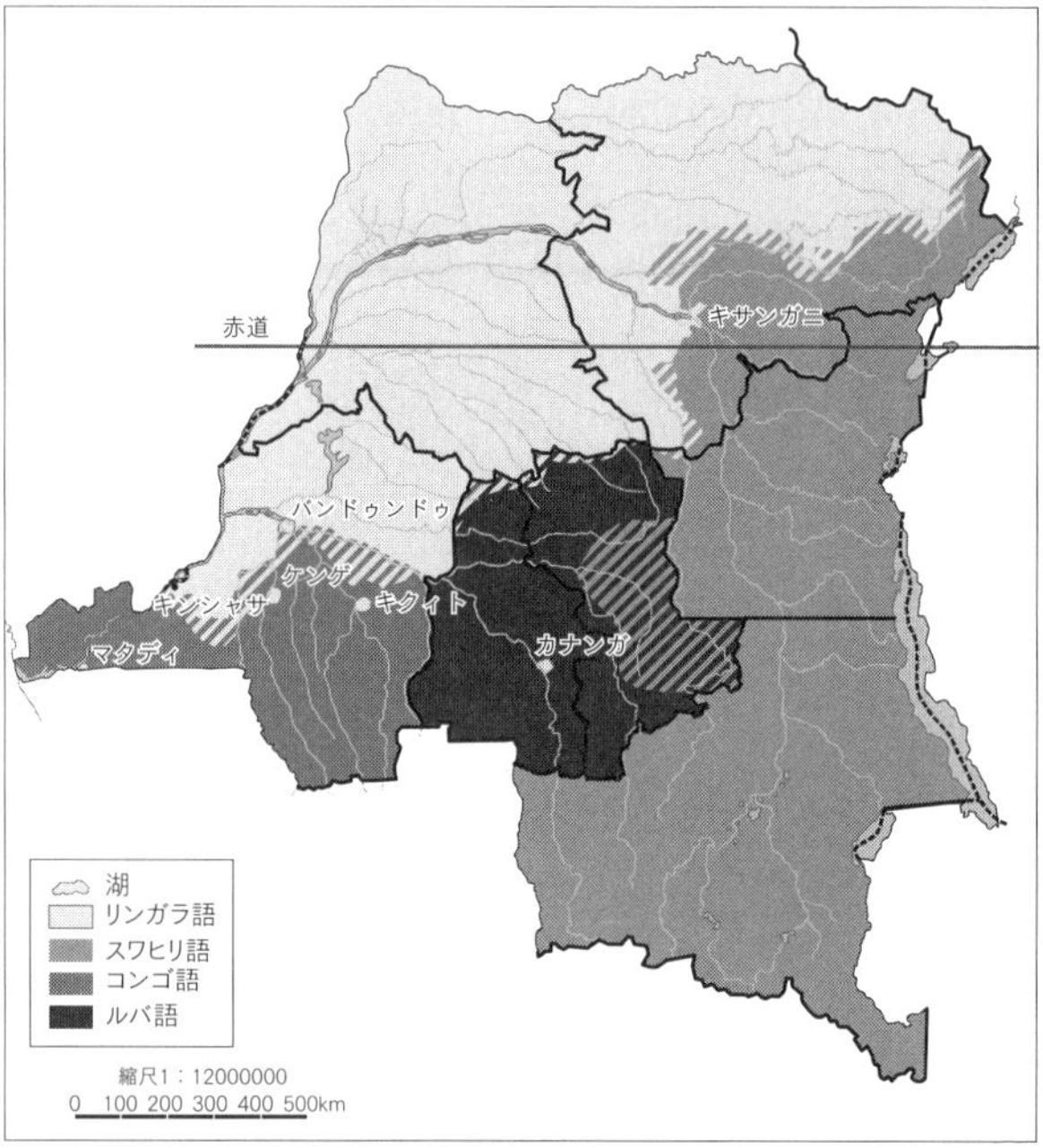

図2　コンゴの４大地域共通語
出典：Lacalvère, Georges 1978 *Atlas de la République du Zaïre*. Paris: Editions Jeune Afrique.

処してきた。

図2で見るように、コンゴでは4つの大きな地域共通語が国を4分する格好で用いられている。そして憲法によってこの4言語が国語と呼ばれている。例えば首都のキンシャサには様々な民族が住んでおり様々な言語が家庭内で話されている。しかし人々は表に一歩出るとリンガラ語になる。リンガラ語は本来、コンゴ川中流域に発達した共通語であるが、川の流れに沿って下ってくる人が多く、キンシャサは本来コンゴ系民族の居住地域でありながらリンガラ語が早くから地域共通語として定着した。

リンガラ語はコンゴ川の中流域のリサラからマカンザにかけての地域のものが最も純粋だと言われ

る。この地域は7母音体系のモンゴ系言語やンゴンベ語の話される地域でリンガラ語も7母音である。しかしキンシャサは5母音体系のコンゴ系言語を話す人が多く住み、5母音でリンガラ語を話す人も多い。「行く」は本来 kokɛndɛ であるがキンシャサでは多くは kokenda と言う。また「頭」は本来 motó であるが、motú と言う人が多くいる。

国語が4つあるのは不便なので、唯一の国語ということが政治的話題となることもある。しかし、それぞれの地域の人がそれぞれの地域共通語を推すため国語を1つに決めることができない。

コンゴはかつてベルギーの支配を受け、現在もフランス語が国内で広く用いられている。ベルギーは国内にフラマン語（＝オランダ語）、フランス語、ドイツ語の3言語が話されているが、コンゴではフランス語話者やドイツ語話者のみならず、フラマン人もフランス語を用いることが多かった。現在フランス語はコンゴの公用語として学校教育、行政、裁判、メディアなどで広く用いられ、コンゴ人全体をつなぐ唯一の共通語となっている。

総括すると、コンゴ人は通常3種類の言語を用いて日々生活をしている。村落、あるいは家庭内では自分たちの民族語、そして町や市場ではその地域の共通語、そして学校や役場などではフランス語である。

（梶茂樹）

22

言葉の森

★現地語語彙集を編む★

私は1986年から、コンゴ熱帯林に住む焼畑農耕民ボンガンドの人類学的調査を続けてきた。もとより言語学者ではないのだが、訳あってボンガンド語（「ロンガンド」と呼ばれる）の語彙集を編纂することになった。本章ではその経験を通じて、現地の言語について語ってみたい。

コンゴの言語状況についての詳細は梶氏による前章を参照していただきたいが、ボンガンドの人びとの日常の言葉は、まず日常使われる言葉ロンガンドがある。人びとの日常の会話はこれでおこなわれる。そして、地域共通語のリンガラ語がある。子供は小学生ぐらいになるとリンガラ語も使えるようになる。ロンガンドとリンガラ語は同じバントゥー系の言語であり、文法も語彙もよく似ているのである。さらに、教育を受けた人びとはフランス語の読み書きもできる。このように、ボンガンドの使う言葉は3重構造になっているのである。

私たち日本人の調査者は、おもにリンガラ語を使って現地の人びととコミュニケートする。リンガラ語は共通語として発達したので、文法も語彙もたいへん簡略化されていて覚えやすい。しかし逆に、単純化されることによって文化を担う豊かなニュアンスが失われているのも確かである。そのようなわけで、人類学徒の私は、ボノボを調査している先輩たちから「木村はロンガンドをやらんといかんなあ」と言い含められていたのである。

しかし、リンガラ語にはちゃんとした教科書があるが、ロンガンドの文献はまったく手に入れていなかった。調査基地ワンバの近くのカトリックミッションにいるピエール神父（ベルギー人）が文法書を持っているという話を聞き、調査地に着いてすぐ、それを借りに行った。神父はロンガンドがペラペラである。こういった宣教師たちは、一生をかけて現地語を習得し、そして聖書を現地語に翻訳するのだという話を聞いたことがある。私は1週間かけて、持参したラップトップ・パソコンに文法書の内容を打ちこんだ。しかし、文法書があるからと言ってすぐに喋れるようになるわけでもない。調査がある程度軌道に乗った頃、私は仕事を手伝ってくれていた現地の青年リンゴモ・ボンゴリ（私と同い年だった）に、ロンガンドの語彙をパソコンに打ちこむことを依頼した。リンゴモはキサンガニ大学まで進んだ、ワンバ近辺では随一の秀才である。まず、東京外大アジア・アフリカ言語文化研究所（AA研）の「アジア・アフリカ言語調査票」に載っている500の基礎語彙を入力してもらい、その後は「知っている単語を片っ端から入力してくれ」と頼んだ。よく、単語の意味の確定には使われるコンテクストを知らなければならないと言われる。私はリンゴモに、単語とともにその用例も打ちこんでもらった。このようにして、ロンガン

リンゴモ（手前）が調査基地でデータを打ちこむ様子

ドの語彙を集めていったのである。打ちこまれた語彙はパソコンで整理して印刷し、ただ1冊の粗末な語彙集ができ上がった。

その語彙集は、2012年に大学から資金の援助をもらえたので、まとめなおして『ロンガンド語彙集』の名前で出版した。それはロンガンドと日本語のみによる記載であり、質的にも量的にも不十分なものだった。ところが2018年に、ドイツのマックス・プランク人類史科学研究所の研究者が、その語彙集の噂を聞いて、ぜひ入手したいと連絡してきたのである。2012年版を翻訳して手渡すという選択肢もあったが、それも恥ずかしい。この際、言語学者や現地の人にも役立つように、フランス語訳と文法の記載も追加し、全面的に改訂して出版しようと決意するに至ったのである。幸いAA研が出版してくれることになったので、私はリンゴモに、語彙集の内容の補完、ロンガンドの用例の追加、さらにそれらをフランス語訳する作業を依頼した。そしてリンゴモの記載の結果を私が日本語に翻訳する作業をおこなっていった。私もリンゴモも言語学者ではないので、バントゥー系言語の正確な記載は難しく、何度もAA研の言語学者の方たちからアドバイスをいただいた。そして4年以上にわたる作業の末、2023年の春、やっと新しい語彙集が完成した。541ページ、収録語彙数約5500語と、なかなかのボリュームである（ネットからPDFで入手できるので、興味のある方は見ていただきたい）。

完成した新しいロンガンド語彙集

この語彙集の特徴は、ロンガンド母語話者であるリンゴモが自由に用例を記載したという点である。

言語学者による語彙集の編纂は通常、基礎語彙のリストをもとに、該当する現地語の単語を聞いていくというプロセスをたどるだろう。一方この語彙集は、リンゴモの自由記述で作ったため、非現地語話者が思いつかないような面白い例が豊富に収録されている。この意味で本語彙集は、一種の民族誌としての価値を持つと言えるだろう。いくつかの用例を挙げてみよう（フランス語の記載は省略した）。

・Tookaka'alungola me'ekondo. Lakanis'onyi ahe aki nko nsombo. / 二次林で大きな音が聞こえた。そのときのあれはソンボ（アカカワイノシシ）だったと思う。
・Man'eki towaka'a lɔtsi'anɛ ende kongo atiikiak'iso'a mmata. / 私たちがしばらくの間飢饉に苦しんだ時、彼こそが私たちをキャッサバで助けてくれた。
・Baise'o'ola'aokanyaki'ita nde'a nguwa la'akɔnga. / 祖先たちは盾と槍で戦争をした。

このように、ボンガンドの人びとの生活世界や歴史がさまざまな形で描写されている。また、人びとの社会関係や宗教についての用例も多い。

・Bakongo'ana'nde'ako'aosombeli'isenda biike. / 彼女の愛人は（彼女に）たくさん服を買ってやる。
・Imbelaka mbalanya, ɔnɛ aha lokula lok'ɛɛ. / 早く話すことで（煙に巻いて）手に入れようとするのは止めろ。これはあなたのナイフではない。

・Nk'oo okisaasa l'ende asiki olanga'asai. / あなたが彼と一緒にいたら、彼はいつも他人を喜ばせない悪い言葉を言うことを好む。
・Mbɔ amaanda lilɔka meka nyango. / 彼（彼女）は母親から邪術を伝授されたと言われている。

現地とのメールのやり取りの中で、リンゴモは次のように書いてきている（原文は英語）。「木村さん。この、まだ誰も十分になしえていないロンガンド語彙集の仕事はとても素晴らしいと思います。あなたは20年前（木村注：木村の博士論文の中で）、6歳以下の子供はリンガラ語を話せないと書いていています。しかし今日、多くの家庭が子供たちにリンガラ語を教えているし、一部の家庭ではフランス語も教えています。彼らはロンガンドを話しません。ロンガンドは将来消滅するのでしょうか？　私たちの語彙集はロンガンドの存続に貢献するでしょう」。このような形で、この語彙集がボンガンドの人びとの役に立てばうれしい。

三浦しをんの『舟を編む』という作品がある。『大渡海』という国語辞書を10年以上かけて編纂する人びとの物語だ。私とリンゴモの場合、それほどのものを作ったわけではないが、しかし辞書を編む作業の困難さは共感できる。この作品の中に、「辞書は、言葉の海を渡る舟だ」という言葉が出てくるが、ロンガンドの膨大な語彙の間をさまよっているとき、私はしばしば、海ではなくコンゴの森林を思い起こしていた。そしてその森こそが、人類学者が記載すべき深くて広い「文化」なのだと感じていた。

（木村大治）

ボンガンドの景観語彙

安本暁

コンゴ中部に住む民族ボンガンドは、コンゴ盆地一帯に広がる熱帯林環境について驚くほど豊かな知識を持っている。彼／彼女ら（以下「彼ら」）が住む地域の1つであるワンバ周辺地域で類人猿ボノボの調査を続けてきた研究者たちは、彼らの森林探索能力・動物の追跡能力について口々に感嘆の言葉を漏らし、「森の水先案内人」として親密な関係を築いてきた。これらの能力は村に定住しながら焼畑農耕を営むと同時に、狩猟・漁撈・採集のために日々熱帯林へと足を踏み入れるというボンガンドの人々の自然に強く依存した生活の中で培われたものであろう。このような人々と自然の関係は、彼らの用いる言語ロンガンドの語彙、とりわけ水環境・森林環境・道や痕跡を表現する景観語彙に見出すことができる。順に見ていこう。

水環境に関する語彙で最も一般的なものはloseである。この一語で川、池、湖、海といった水環境全般を指すこともできるが、loseにはその環境の形態や状態の差、利用価値などによる下位分類が存在し、それぞれに異なる語彙が当てられる。

まずは、人々が日常的に使用する川辺に関する語彙である。elendeは川にほど近い森林内に位置する水場を指し、主にキャッサバを浸けたり、飲料水を汲んだりするのに利用される。一方eliyaは川のごく近くに隣接する池であるが、特に「掻い出し漁の場である」と強調して説明され、漁の際に堤防を用いて作る人工的な池のことも指す。さらにeliyaで水が掻き出された後に残った水場はlotenaと呼ばれ、女性たちは勇んで泥水の中に入り小魚を獲得する。続いて、川から少し離れて森に分け入るとyemboと呼ばれる谷地に雨水が溜まることで形成される池がところどころに見つかる。主に動物が水を飲む場であるため人は日常的には利用しないが、酒造りのための水や壁材となる泥が必要な際に女性は立ち入ることがある。ɔkɔはyembo同様、川から離れた森の中にある池であるがより規模の小さいものである。ゾウ、シタツンガ、鳥類などが寝転んで体を洗う場所で、その繰り返しによるくぼ地に雨水が溜まることで形成されるという。

ワンバ周辺地域の森林はおおまかに、一次林ngonda、二次林bekondo、一次林のうち川のほとりに発達する湿性一次林lɔtɔhaに分類され、森林一般は広くbokondaと呼ばれる。そしてこれらは、水環境と同様にさらに詳細に分類が可能である。

毒を抜くためにキャッサバを水に浸す女性。親族集団ごとに使用する水場は決まっている

losanaは一次林のうち低木が少なく視界の開けた森のことを指し、その状態がより顕著な場合losanapolingoと呼ばれる。bɔkwaは倒木とそれに巻き込まれて倒れる周囲の樹木の全体を指す。さらにbɔkwaの影響で形成されるギャップ地帯をlilongoと呼び、少し経過して若い木々が生えてくるとbolongolongoになる。liususaは草木や蔓類に覆われた中の見通せない円形の空間を指す。ここにはヘビやカメが棲みついており、ヘビは腐った動物をこの中へと引き込むのだという。bolikoは地上から木の幹に伸びた蔓や蔦が樹上につくる絡まりを指す。ここにはサルやヘビや小動物が棲むことが可能である。limbimbiは木と木の間で絡まる蔦を指す。集団網猟の際には、木に登った子供がこのlimbimbi

にサルを追い込み、大人が下から蔦を揺らすことでサルを落下させ捕獲するのだという。

最後に、道や痕跡を表す景観語彙である。中でもここでは動物などの痕跡を表す語彙に注目したい。ボンガンドの人々は、道沿いや森の中に見られるさまざまな痕跡の1つ1つから、何がどんなふうに通ったのか、いつ通ってどの方向に向かったのかといった豊かな情報を読み取る。例えば、多くの人や動物が通ることによりできた攪乱されたような痕跡をbohulutsutsu、飛び飛びであったり曖昧で見づらい痕跡をbohotsahotsaと区別する。後者については、動物が跳ねながらあるいは蛇行しながら移動しているために足跡を辿るのが困難であったり、動物の移動した痕跡と見間違えるような雨水の流れであったり、狩猟をする者を惑わせるという点が強調される。こうしていくつかの景観語彙を見ていくだけでも、人とそれ以外の動物の交差する場としての熱帯林環境の豊かさとこれらを鋭敏に捉えて区別するボンガンドの人々の環境認識能力の一端をうかがうことができるだろう。これほどに詳細な分類体系を生み出し維持する原動力には、狩猟・漁撈・採集活動に関わる利用価値や危険な動物の回避といった有用性が大きく関わっているのだろうが、森での出来事、動物との遭遇についてジェスチャー豊かに話し合うボンガンドの人々の姿を目の前で見ていると、有用性のみには回収されない自然を描写すること自体の楽しさ、純粋に自然を享受する気持ちもそこには含まれているように思われてくる。

道に残す痕跡は森の中で自分たちの居所を伝えるための有効な手段となる

23

コンゴ河の旅

★カオスの船に揺られ、苦行のさなかにゆるしを学ぶ★

アフリカの旅の中でも、コンゴ河の旅はとりわけハードルが高い。熱帯雨林におおわれた過酷な自然環境にくわえて、政治状況は不安定。宿泊や公的な交通手段もととのっているというにはほど遠い。

それでもアフリカ中央部の熱帯雨林を流れる大河は、多くの旅行者を魅了してきた。とくに1970年代から90年代にかけて、アフリカを旅するバックパッカーたちにとって、この河（当時はザイール河）の旅は憧れだった。

理由は、ザイールを通ってきた旅行者の話にかならず出てくる「船」だ。首都キンシャサと1700キロ上流の町キサンガニを結んでいるその「船」は、ただの船ではないという。人だけでなく、いろんな動物が乗っていて、船自体が村になっているというのだ。

まるでノアの箱舟だ、と思った。ネットもなかった当時、この船の噂にひかれてザイールを目指す旅行者は少なからずいた。ぼくもそうだった。

「オナトラ」（Office national des transports; ONATRA）と呼ばれるその船が入港したのは、妻とぼくがキサンガニに着いてから

第23章
コンゴ河の旅

赤道直下ンバンダカの町に入港したオナトラ船

10日目だった。なるほど、たしかに、ただの船ではなかった。それは1隻の動力船に、5隻のはしけをワイヤーでつないだ全長200メートルほどの巨大な船の複合体だった。見ると、甲板や通路や屋上におびただしい人間がひしめいている。煮炊きしたり、洗濯したり、行水したり、むきだしの生活がくりひろげられている。手すりにはヤギやサルなどが生きたままヒモでつながれている。

なんだこれは？　しだいにわかってきたのは、陸上輸送にたよれないこの土地で、オナトラ船は村や町との交易をつかさどる移動市場のような役目を果たしているということだった。船には上流で仕入れた品を売りさばくために多くの商人が住み込んでいた。手すりにつながれた動物は、みな商品なのだ。

オナトラ船が流域の村のそばを通過すると、何十艘という丸木舟が岸辺からいっせいに漕ぎ寄せてくる。舟にはジャングルで獲れた動物、魚、キャッサバなどがのせられている。接舷した丸木舟からサル、ノブタ、ワニ、アンテロープ、オオナマズ、ヘビ、イモムシ、それにキャッサバやバナナなどが次々と甲板に

ろうと思った。

オナトラ船が通過すると、村からたくさんの丸木舟が漕ぎ寄せてくる

運び込まれる。村人はこれらの品を売って得た現金で船内で売っている衣類や薬、砂糖や塩などを買い、ふたたび丸木舟を漕いで村に帰るのだ。

興味深い光景だったが、一方でオナトラ船の中には気の休まる場所がなかった。予約したキャビンにはすでに商人の一家が住み込んでいた。食事は争奪戦であっというまになくなる。トイレの把手にはワニがつながれている。なにより人が多すぎて、寝ても覚めても周囲の好奇の目にさらされることに疲れはてた。大河を眺めながら、のんびりしたいなどと考えていたのだが、それどころではない。キンシャサまでの2、3週間、これがつづくのは耐えがたかった。

そこでブンバという町でオナトラ船を降りた。丸木舟を買って、自分たちで河を漕ぎ下ることにした。流れはゆるやかだし、キサンガニからキンシャサまでは急流もないというので、まあ、なんとかなるだ

第23章
コンゴ河の旅

市場で仕入れた米や缶詰などを丸木舟に積んでザイール河へと漕ぎ出した。初日は河沿いの空き地でテントを張り、火をおこして米を炊いた。ここなら星でも眺めながら、のんびり食事もできそうだ。ところが、日没と入れ替わりに、雲のような蚊の大群が現れた。食事の皿も放り出してテントに避難した。でも、トイレのために外に出ると、煙のような蚊の大群が大挙して襲いかかってくる。

猛烈に後悔した。だが、引き返したくても自分たちの腕では河を遡れない。このまま丸木舟を漕ぎ続けるしかない。出発初日にして暗澹たる気分になった。

それでも流域の村の人びとは親切だった。得体の知れない異邦人がいきなりやってきて、今晩泊めてくださいと頼んでも、断られたり、いやな顔をされたりしなかった。活気のある豊かな村もあれば、さびれた陰気な村もあった。食べ物をくれといわれることもあれば、ナマズをもらうこともあった。どこでも、たいてい病人に引き合わされた。外国人なら薬を持っているだろうと思われていた。もっとも、できることは消毒を施し、ささやかな常備薬を分けることくらいだった。

途中で自分たちもマラリアにかかったり腹を下したりしながら、苦行のように舟を漕ぎ続けた。夕方、村に上陸したあとに赤く暮色に染まった河を、村人の漕ぐ丸木舟がすべるように過ぎていく風景は、このうえなく美しかった。その光景を目にすると、すべてがゆるせる気がした。

目的地だった赤道の町ンバンダカに着いたのは、ブンバを出発して26日目だった。村人たちが河岸に集まり、ぼろぼろのかっこうをしたぼくたちを興味深げに見つめていた。

荷物を下ろし、26日間乗り続けた丸木舟を見た。なんともいえない気持ちだった。満足感ではなく、むしろ、なんという愚かな旅だったのか。こんな旅は二度とするものか、いや、したくたって、もうけっしてできないだろう。それを思うと悔しいような口惜しいような複雑な思いだった。

それから21年後の2012年、縁あって、ふたたびキサンガニの町にやってきた。その間にモブツ政権は崩壊し、国名はコンゴ民主共和国へと変わり、世界最悪ともいわれる長きにわたる紛争があった。東部では地下資源をめぐって軍や武装勢力の衝突が続いていた。そんな中での再訪だった。

20年前、バックパッカーでにぎわっていたキサンガニに、旅行者の姿はなかったけれど、当時、旅行のアレンジなどをしていたコンゴ人に出会った。暗黒の時代を生き延びた彼は、旅行者の多かったころを懐かしがった。いま、かつてのような丸木舟の旅が可能かと彼に聞くと、軍が警備をしている200キロ下流までなら大丈夫とのこと。こうして二度とするものかと思っていた丸木舟の旅にふたたび出かけることになった。

河沿いの風景に変わりはなかったが、軍や警察によるチェックポイントが河沿いに何ヶ所も設けられ、通るたびに心付けを要求された。オナトラ船はもう運航していなかった。代わりに民間の輸送船が交易と乗客の運搬を担って河を行き来していた。船が通りかかると村からいっせいに丸木舟が漕ぎ寄せてくる風景も、そして夕暮れの河をすべるように過ぎていく丸木舟を漕ぐ人のシルエットも以前と変わらなかった。

キサンガニからキンシャサまで、丸木舟や輸送船を乗り継いで約3週間、21年前と同じくぼろぼろになってキンシャサにたどりついた。その旅については拙著『たまたまザイール、またコンゴ』にまとめた。

（田中真知）

コラム4

喧騒と人混みの街、キンシャサ

坂巻哲也

熱帯林の上空を飛び、キンシャサへ向かう。一面の樹海がつづいたのちに草原が現われ、やがて霞んだ高層ビルがコンゴ河の縁に見えてくる。政府機関が集まるゴンベ地区だ。乗員が20人に満たない小型飛行機は、郊外のンジリ空港でなく、市街地にあるンドロ空港に着陸する。滑走路に灯火はなく、夜間の発着はできない。飛行機が高度を下げると、眼下には丸木舟が湿地との境に無数に並ぶ。渋滞するポワ・ルー通りの数十メートル上を過ぎると滑走路だ。日本の支援で整備されたこの通りは、キンシャサの人に評判が良い。さてと、この癖ある街に踏み入ることにしてみよう。

コンゴの首都、キンシャサは、コンゴ河の川幅が広がったプールの下流左岸に位置する。対岸にはコンゴ共和国の首都、ブラザビルのビル群が霞む。ゴンベ地区のマンションの7階で、対岸のつり橋のライトアップを眺めながらビールを飲んでいたら、花火が上がったことがあった。これより下流は急流がつづくため、大型船は航行できない。この街は、広大なコンゴ河流域の内陸水運の基点として発展したのだろう。

私はコンゴの固有種である類人猿ボノボの調査と保全活動に従事し、年のうち数ヶ月をキンシャサで過ごす。街の中心から東へ向かう通りに接するンジリ地区に住むが、もっとも人口が密集する地区の1つだろう。何しろどこも人があふれ騒がしい。そこら中にある教会は、たいてい大きなスピーカーとドラムセットを備え、さしずめ防音壁のないライブハウスだ。ある知り合いは、娯楽に乏しいから教会に人が集まるのだと言っていた。巷にあふれる多様な教会は、都市に住む人々の結びつきに重要な役割を果たしているだろう。通りに並ぶバーは、表のテーブルに人々が座り、スピーカーから大音量の音楽が放たれる。通りはどこも簡易な机か茣蓙の露店が並び、住宅街の細い路地でさえ机の上で物が売られる。食料から雑貨、軽食、野菜や果実、生きた魚に獣肉、乾電池に石鹸、靴や衣類、子供のおもちゃ、手作りのアンテナなどなど、何しろ多彩なものが売られる。どこで仕入れ、どれくらい売り上げ、いかに生計に寄与するのか、興味をそそる。

喧騒と人混みの街、キンシャサでは、朝、表の大通りがラッシュとなる。私は毎日6時ごろ家を出て黄色いバスに乗り込む。そうすれば街中まで30分だ。時間が遅れると、同じルートに1時間、日によっては2時間もかかってしまう。キンシャサの渋滞は深刻だ。大通りの歩道は都心へ向かう人の波、3車線は優にある大通りは車でどん詰まりになり、その半分以上は黄色い車体の個人バスと個人タクシーだが、近ごろ増加をつづけるバイク・タクシーは、車道が通れないとみれば歩道に乗り上げてくる。3人乗り、4人乗りのバイクが人混みの隙間をぬうわけだから、危険極まりない。ひどい人混みは夕方にぶり返す。席の奪い合いになるバスに乗り込むのは一苦労だし、夜も7時、8時になると、ぎゅうぎゅうの車中で数時間を耐えることになる。

キンシャサに住むと、都市の機能について考えさせられる。停電と断水は日常茶飯事で、計画停電を含め電気が数日来ないこともある。もちろん電圧は安定しない。私はいつも

ンジリ地区からマティティ地区の方を臨む。渋滞が緩和した時間帯の大通りの様子

枕元にトーチを備える。調理は炭火で、手洗いする洗濯の汚水は家の前の通りに流す。その通りは雨が降ると、いたるところ水浸しで歩けなくなる。外に出れば「中国人！」と呼ばれ、「国に帰れ」とつづくこともある。さらには、タチの悪い警官がそこら中で小銭をせびる。下手に対応すると多額の「罰金」に発展しかねない。この混沌とした秩序が人々のふるまいによって保たれる場に身をおいていると、これが世の常、世界のすべてに見えてくるから不思議なものである。

24

キンシャサ・ロック

★苦しければ、踊れ!!★

かつてキンシャサにGo Congoというツアー・オペレーターがあった。今はアグリ・ビジネスに鞍替えしたようだが、以前のホームページは次のような文言で始まっていた。「コンゴ民主共和国は普通の旅行者の目的地ではない。自然や地方の文化を活動的に体験し、躊躇なく泥沼に足を踏み入れ、地元の食べ物を食べる人たちのための場である。ロッジで冷たいビールを飲みながら20チャンネルのテレビジョンを見たいのであれば余所の国へ行ってくれ」。

言い得て妙とは、まさにこのことである。この国の表玄関はキンシャサのンジリ国際空港だが、ここからして普通の旅行者にはおすすめできない。予めお出迎えを手配していない場合、外国人はまとめて別室ご案内となり、入国審査から目的地行きのタクシーまで、恙なく用意されたセット・プランの高額な対価を支払わされることになる。これを掻い潜って空港を脱出するのは至難の業だ。しかし、相互扶助の精神というこの国の美しい文化がイビツに拡大解釈された姿を、活動的に体験したいというのであれば単独突破も悪くない。

首都キンシャサはアフリカ第3の都市だが、公共交通がほとんど機能していない。自前の移動手段を持たない者は、ワンボックスに30人は詰め込まれて移動する。そして道々、移動すらできない人たちが、川岸や橋の下に密集する情景を見るだろう。車を降りれば砂埃、腐敗物の悪臭、肉を焼く炭火の煙、不完全燃焼のガソリン臭、けたたましいクラクションと人々の叫び声、見えないロープを手繰り寄せるようにしないと歩けないほどの圧迫感、割れたスピーカーから放出される轟音の中で踊り狂う人々……これがキンシャサの現実だ。

しかし、その混沌の中から颯爽と現れる洒落者を頻繁に見かける。サプールと呼ばれる人々である。一定の作法と美学に基づいて突っぱり通すその姿は、違和感を突き抜けて天晴れというべきだ。宵の口になると彼らは集まって迎えの高級車に乗り込み、コンサート会場のバーに向かう。当然、その周囲の道も砂まみれ泥まみれだ。そこへ続々と高級車が乗り付けられ、高級ブランドで身を固めた男女が降りてくる。夜半には会場はそんな男女でごった返す。中はものすごい威圧感だ。どう考えても彼らにそのような生活ができるとは思えない。しかしこれもキンシャサの現実だ。

ミュージシャンも然り。つきあってみればわかるが、彼らとて楽器はおろか、その日暮らしもままならない。それでも本番には、どこからか衣装を調達して来る。こんなゴロツキが、こんなに良い曲を作るのか……コール・アンド・レスポンスと、独立したメロディが絡み合いながら時間をかけて盛り上がる。やがて弾けて後半のダンス・パートに滑り出していく瞬間のスピード感が堪らない。鳴り響くギターは、常軌を逸した、速弾きの技を極めたフレーズで、どんどん音程を上げて行って爆発する。ボウルで卵をかき回すほどのテンポに慣れてしまうと、他の音楽が全てダルく感じられるほどだ。明日のことなんて考えてない。起承転結なんてどうでもいい。音楽は時を忘れ、突っ走るためにある。

人々は苦しんでいる。苦しみが深ければ深いほど音楽は光り輝く。完結したお座なりの曲ではない。普通の音楽愛好家の興味の対象ではない。音楽の在り方が、他とは全く違うのだ。

この国のモダン・ポップスは、日本では「リンガラ・ポップス」と呼ばれている。その録音は1940年代に遡る。当時世界に伝播して各国で受容されたキューバ音楽を、そのままスペイン語で歌ったものがほとんどで、これはルンバという名で紹介されたが、その後の変容の過程でクラーベ(Clave) というリズムが残った。クラーベは、もともとアフリカの3拍子系のリズムに起源を持つが、3拍子の感覚を内包したまま4拍子化し、一定のパターンを繰り返しながら循環する性質を持つ。これを基調として、やがて歌詞がリンガラ語になり、ダンスをより長く楽しむために間奏が延びて、1960年代にはアフリカン・ジャズと呼ばれるようになった。

しかしダンスが高じるにつれて、クラーベの形式が足手まといになる。1973年、当時の若きZaïko Langa Langaのドラマーが、それまで左右の腕に別々の役割を分担させていたジャズ式の奏法を破って、両手でリズムを叩き出した。これによって刻みが倍になり、クラーベの基本となる3拍子系のリズムとロックの4拍子のスピード感が融合し、螺旋状に回転しながら突き進む独特のグルーヴが生み出された。これをカヴァシャ (Cavacha) という。これほどロックを有機的に吸収したアフリカ音楽は、他では見られない。

その後、ロックは本格的に展開しはじめ、Stukas・ISIFI・Viva la Musicaなど数多のバンドを産んだ。シーンはアフリカ最大の規模に拡大し、他国で排斥運動が起こるほどアフリカ中に広まった。最も活力があったのは1982年頃のキンシャサである。やがて成功した者はヨーロッパへ移り、1

990年代にはマルティニークの音楽ズーク（Zouk）と融合して、スークース（Soukous）と呼ばれる軽快で洗練されたスタイルを築いた。独特のユーロ・アフリカンな美学を実現したアーティストとしてKoffi Olomideが挙げられる。一方、キンシャサではWenge Musicaが出て、ダンス・スペクタクルの中に世相や政治批判などを盛り込むスタイルで一世を風靡した。2000年頃、その新しいスタイルに北部の3拍子系の伝統音楽スウェデ・スウェデ（Swede Swede）が融合し、4拍子と3拍子の間を彷徨うような独特のグルーヴを持つダンスが生まれた。これをンドンボロ（Ndombolo）という。これは明らかにヒップホップ由来のドランクビートの影響を受けていて、独特のヨレ感が醍醐味だが、その腰捌きがあまりにも卑猥すぎるとして、アフリカの諸国で拡散が禁止された。しかし今ではほぼ全ての演奏がンドンボロ化しており、これはこの国のモダン・ポップスの代名詞になっている。

2021年にコンゴのルンバ（La Rumba Congolaise）がユネスコの世界遺産に登録された。古き良きルンバからアフリカン・ジャズ、その精神を継承する流れを主に想定したもので、これについてはいくつか映画も作られ、世界的に認知もされている。しかしロックを継承した流れについては統一された呼称すら存在しない。この事実こそ、冒頭の忠告通り、この音楽が鑑賞されるものではなく体験されるものだということを如実に示している。

（伊丹正典）

リンガラ・ミュージックで何が歌われているか

コラム5

梶茂樹

コンゴの首都キンシャサの下町にバーやクラブの立ち並ぶ一角がある。塀で囲まれたクラブに入場料を払って入ると奥にステージがあり、真ん中がダンスフロアーになっている。そしてダンスフロアーを囲むように椅子とテーブルが配置され、その一角にはビールやコーラを売るカウンターがある。コンゴの現代音楽、いわゆるリンガラ・ミュージックは基本的にダンス音楽なのだ。一度始まったら30分は続く。歌詞はあるが、途中からインストルメンタルのみとなる。

一体何を歌っているのか。恐らく80％は恋愛ものである。歌で見る限りアフリカの男性は極めて女好きだ。しかも1人では満足しない。蝶が花から花に舞うように女から女へ渡り歩く。80年代に人気のあった女性歌手ンビリア・ベル（Mbilia Bel）はBeyánga「ベヤンガ」の中で、愛した男性について次のように歌う。

ああ、ベラ、あなたはいけない人
キンシャサではウキウキムードは消えることはないわ
あなたは体を痛めるわ
家から家へ飛び歩いても
私のことを考えて
私はあなたの最後の妻
私はまだこんなに若い
そして、あなたの子供を抱いている
私たちには、あなたが必要なの

どんな魔法の言葉をかけたら
わかってもらえるの

しかし、そういう彼女も単なる花の1つになるのは自分でもわかっている。今まで付き合ってきた女もすべてそうやって愛想をつかして出て行ってしまったのだ。それは、この男の性分なのだ。

たとえ怒ったとしても、どうなるというの
カッとなってみても、どんな返事が返ってくるというの
もし人が、小さいときから
そんなふうに成長してきたら
1日で止めることはできないわ
やるようにやらせましょう
言い争っても、無駄なこと
それは、あの人の性格だもの

いけないこととはわかっていたけど、あの人を愛したの
耐えて行くしかないわ

恋愛もの以外には、お金や生活苦について、また自分の半生を回想したり、死について考えるものなど、人生の様々なテーマが歌われる。これも70年代、80年代に一世を風靡したバンド、ザイコ・ランガ・ランガ（Zaïko Langa Langa）の歌にLiwá, yɔ́ moyíbi「死、お前は泥棒だ」というのがある。インストルメンタル部の軽快なギターのリズムとは裏腹に、歌われる内容は深刻である。愛する妻が急死してしまったのだ。子供を抱えてこのオレはどうすればいいのだ、という内容である。急死を、「まるで鷲が庭のひよこをさらって行くように」と表現する。

アフリカにいわゆる芸術はないと言われる。

我々は芸術というと美術でも音楽でも社会から切り離された先の部分だけを見ようとする。しかしアフリカでは芸術は社会に根を下ろしている。社会的役割を果たしているのだ。人はどう生きるべきか。どこから来てどこへ行くのか。この哲学的問題に答えようとする。

現代のダンス音楽にも諺《ことわざ》や格言が頻繁に用いられるのもそのためである。

なお、歌詞に用いられる言語は圧倒的にリンガラ語が多いが、歌手の出身民族の言語やコンゴ語、スワヒリ語などの歌もある。

コラム6

コンゴと音楽

藤井香織

コンゴには音楽教育というものが存在しない。小学校教師のための指導手引きにも、音楽の授業項目には「いくつか歌を教えるように」くらいにしか書かれていない。にもかかわらず、コンゴはアフリカを代表する音楽の聖地の1つである。

私はMusic Beyond, Inc. という米国非営利団体を2014年に立ち上げ、以来音楽のちからを使ってコミュニティ発展と平和構築を図る活動の一環として度々コンゴを訪れているが、彼らの音楽的才能には全く目を見張るばかりである。首都キンシャサに存在する、独学の音楽家で構成されたキンバンギスト交響楽団は、アフリカのど真ん中でベートーヴェンやモーツァルトの交響曲を堂々と演奏しているし、はたまた戦争・紛争がここ30年近くも絶えていない、ゴマを中心とするコンゴ東部の街では、私が住むニューヨークのライブハウスに明日連れて行ったらすぐに大盛況であろう、と思えるような才能の歌手や、ジャズミュージシャン、ラッパーなどがうじゃうじゃと存在している。これは一体どうしてなのだろうか。

まずここには教会の根強い力がある。コンゴにはカトリックをはじめ、多くの宗教が存在し、教会ごとに合唱団はもちろんのこと、ブラスバンドなどのバンドが必ず付随している。冒頭に音楽教育が存在しないと書いたが、学校での成績が悪いと、「お前は頭があまり良くないから、教会に行って音楽でもやって来い」と勧められるらしい。

そして多くのミュージシャンたちに共通するもう１つの特徴、それは音楽という媒体を通して、みずからの社会的定義をし、不屈の意志と希望を示し、同時に愛や平和について深く語りかけている、ということ。学校での成績がどうだったのかは知らないが、エモーショナルインテリジェンスという面では、歳を超越する円熟味を持ち合わせている。

Music Beyondがコンゴで音楽家支援をしている、という話をすると、「コンゴのような環境で音楽支援っていうのはちょっと贅沢なんじゃない?」と聞かれることがある。確かに水や電気もままならず、戦争のために女性や子供が多くレイプされ、何万人という人が殺され、その何十倍もの人々が難民としての生活を余儀なくされる国、それがコンゴ。そんな国の支援をするならば音楽や芸術なんかよりもっと先にすべきことがあるのでは、という意見、理解はできる。

ゴマのアーティストたちと私

でも考えてみてほしい。歴史的に見て、深い芸術作品というのは往々にして個人的、社会的、政治的困難から生まれたものが多い。人生ある程度穏やかに上手くいっている時にはなかなか出てこないギリギリの挑戦。必死なまでの表現。そして痛みからの逃避……。そんな人間の最も深い感情が芸術作品を生み出し、その中からいわゆる最高傑作が出来上がっていくように思う。

だからこそ、コンゴにはとてつもない才能がたくさん存在しているのだと私は確信している。

ブルンジでのデビューを果たすユスブ

そしてそんな彼らを支援できるのであれば、一生かけて精一杯やっていこうと、１人の音楽家として私は心から思えるのである。

最後に、才能とカリスマ性に溢れるシンガー・ビートボクサーのユスブ・カセレカの言葉でこのコラムを締めくくりたい。

「ある日武装勢力が僕の村を襲撃し、僕たちは隣国ウガンダまで歩いて避難しなければならなかった。難民生活は辛かった。でも、この経験が僕を強くしてくれた。そして僕に生きる目的をくれた。僕の音楽は自分の経験に基づいているから、たくさんの感情を込めることができるし、平和や愛することの大切さのメッセージを、心の底から発信することができるんだ」。

25

ボノボに対する摂食タブーの変遷

★保護区内外での住民の“ボノボ観”に着目して★

コンゴはアフリカ第2位の広大な面積を有し、そのうちの約150万平方キロが森林に覆われている。生物多様性において非常に重要な地域となるが、近年は希少鉱物の採掘や、違法伐採など、急速な森林減少への対策が国際的な課題の1つとなっている。森林の減少は野生動物にも大きな影響を及ぼす。コンゴには、ヒガシローランドゴリラ、ボノボ、コンゴクジャク、オカピなどの固有種が生息し、生息域の一部が保護区や国立公園とされている。しかし個体数減少が著しい野生動物の多くが、保護区外および国立公園外にも広く分布しているのが現状である。

野生動物の保全については個体数増減の把握のみならず、そこに住む住民の生活実態や文化背景を深く理解する必要がある。本章ではコンゴの固有種で、絶滅危惧種に指定されている大型類人猿ボノボ（*Pan paniscus*）と、その分布域でボノボと古くから共生してきた民族集団ボンガンドのボノボに対する文化的姿勢に着目し、近年見られるボンガンドのボノボをとりまく文化変容について述べる。

法律で禁止されているにもかかわらず、ボノボは広い地域で他の野生動物と同様に狩猟、消費されている。しかし、チュアパ州およびその近隣州に居住するボンガンドは、ボノボの摂食を避けてきた。ボンガンドも他の民族同様に霊長類を狩猟する。同じ霊長類でありながら、なぜボノボだけは摂食忌避されるのか。その理由を問うと、人々からは「サルにはしっぽがあるので動物だが、ボノボはしっぽがないので、動物ではない」「ボノボは二足歩行する」「ボノボは赤ん坊をおんぶしたり抱っこしたりする」ので「人間に似ていて怖い」といった答えが返ってくる。すなわち、人間とボノボの身体的特徴や行動の類似性が理由として答えられるのである。

ボノボの調査および研究が50年以上行われている保護区内のW村では、話を聞いた住人のほとんどがボノボの摂食について嫌悪感を抱いていた。しかしながら、近年ボンガンドでもボノボの摂食事例が複数報告されている。考えてみると、ボンガンドとボノボが森を共有する地域のほとんどは保護区や調査地となっておらず、人々は未だに自然資源に強く依存している。保護区内と保護区外ではボノボに対する禁忌が異なる可能性がある。そこで筆者は、保護区内および保護区の設置がない地域を訪ね歩き、ボンガンドのボノボに対する禁忌について話を聞いた。

保護区内外の男女855人（大多数はボンガンド）にボノボの肉を摂食したことがあるか聞いてみたが、676人（79％）が摂食経験はないと回答した。この結果をみると、確かにボンガンドがボノボを特別な動物として摂食忌避しているようにみえる。しかし、各地域を詳しくみてみるとボノボの禁忌は地域によって様々であることがわかった。本章では、文字数の都合上すべての調査地域について記載ができないため、保護区のW村と保護区外のY村の事例について説明する。

Y村は保護区の設置がない村の1つである。第1次および第2次コンゴ戦争（1996〜97年、1

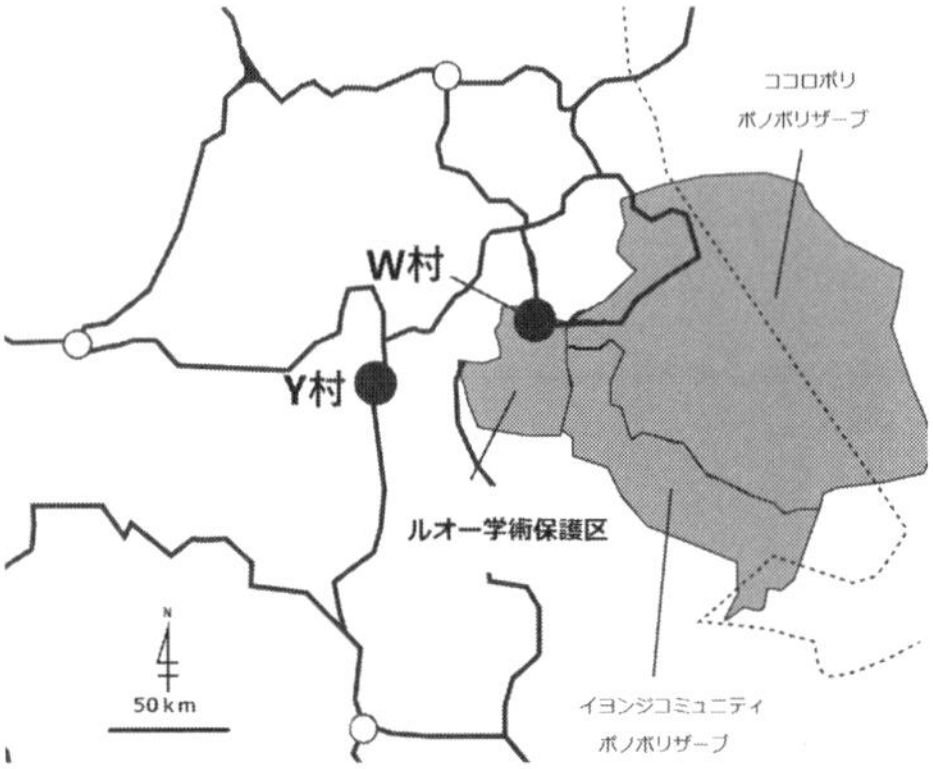

図1　聞き取り調査村の位置

998〜2003年）の前まで、外国企業によるゴムやコーヒーなどの大規模プランテーションがあり、ボンガンド以外の多くの民族が現金収入を求めてY村に流入した。2度の戦争によるプランテーション事業の撤退により出自の村に戻った者も多くいたが、さまざまな事情で定住した者もおり、多民族が混じりあう中でボンガンドの人々の文化変容が起こった可能性がある。

Y村では特に20〜40代の若者世代でボノボの肉の摂食経験者が他地域よりも多く、話を聞いた53人中31人がボノボの摂食経験があり、食べることに抵抗感はないと答えた。しかし、その父親世代（50〜60代）では、回答者全員（N＝5）が摂食経験はなく、ボノボの肉を口にすることには嫌悪感を示した。このように、若者世代とその父親世代でボノボの禁忌への姿勢に極端な二極化がみられた。現在禁忌を持たない若者から詳しく話を聞くと、子供のころ父親や祖父からボノボを食べてはいけないと厳しく言われてきたという。彼らの話では「学校の友達宅で食べた」「旅行先で食べた」など、父親の影響を受けない機会に摂食している傾向が見えた。

保護区外のボンガンド地域では〝ローカルルール〟のようなものが存在し、ボノボを狩猟した場合、肉の一部を村長など村の有力者に献上することで、逮捕や摘発を逃れることができるという。また住民の話では、ボノボの肉は警察を恐れて公に売られることはなく、猟師の家などで内密に販売されるという。前述のとおり、ボンガンドの多くがボノボの肉の摂食を忌避する背景は未だにあるため、その肉は他のサルなど比較的狩猟頻度が高く禁忌のない動物よりも価格を下げて販売される。ボノボはボンガンドが一般的に好んで消費する肉とは言えないが、それでも生肉がだめになる前にすべて売り切れる。

保護区内のW村では、狩猟の規制や50年にわたる研究活動からボノボの生息数が保たれ、同時にボンガンドが本来継承してきたボノボへの禁忌が保全されてきた。そして、研究地として継続的な支援が行われ、村内で新しい雇用が創出されてきた。

一方、保護区外のボンガンド地域では、プランテーションの設置によって他民族が定住したことや、狩猟圧の高まりのために、保護区内に比べボノボの個体数が著しく減少している可能性が高い。それらの地域では、人々の生活圏でボノボとの遭遇経験が少なく、そもそも姿を見たことがないので、形態も想像がつかないという声が、特に若者世代で多く聞かれた。ボノボが身近な動物ではないために、摂食に対する禁忌が若年層ではさらに薄れつつあるのかもしれない。

筆者が聞き取り調査を行う中で、住民にとってはボノボは〝ただの動物〟であり、筆者を含む研究者や保全活動家などの〝絶滅しそうなボノボ〟という認識とは大きな差があると感じた。ボノボを森の動物として狩猟している現状がある今、住民とボノボとの共生はどのように見出せるだろうか。筆者はボンガンドがもともと持ち合わせていた伝統的なボノボへのタブーを〝文化資源〟として再構築

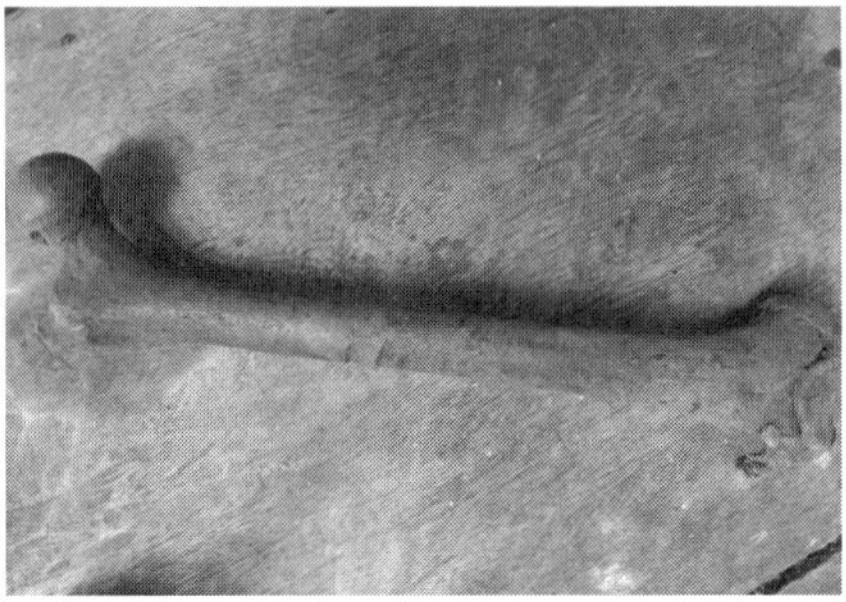

ボノボの狩猟経験者の中にはボノボの骨を大切に保管している者もいた。筋肉の痛みなどに骨を削って煎じたり、骨でさすることで痛みが緩和すると信じられている

することの可能性を最後に述べたい。

ボノボへの伝統的タブーを再構築させる効果的な方法の1つとして、映像資料の利用は有効といえる。研究者が環境教育の一環として、アメリカの研究施設で飼育されているボノボの映画を上映したことがある。該当のボノボは、英語を理解し、音声キーボードを利用して人間とコミュニケーションをとる。火を利用したり、Tシャツを着用していたりと、そのさまは〝人間〟のようである。上映会を通してこの映像をみた村人たちからは「ボノボが車を運転していて怖くなった」「ボノボが火を使う場面を見て、動物じゃないと思った」という声が相次いだ。キーボードで〝話す〟姿に、目を丸くし、信じられないという表情を浮かべる人も多かった。ボノボと人々との伝統的な関係は大きく変わってしまったが、このようなメディアを用いることで、ボンガンドがもともとボノボに対して抱いていた「人間と似ている」という感覚を呼び覚ますことができる。ボンガンド独自のボノボへの伝統的禁忌を、彼らの文化的アイデンティティの〝資源〟とすることは、いずれボノボのエコツーリズムにもつながり、伝統とボノボの保全両方に有効となりえるかもしれない。世間やボノボを取り巻く環境は日々大きく変化しているが、ボンガンドのボノボに対する伝統的な禁忌をボンガンド自らが再評価することで、ボノボの保全への貢献は可能であると考えられる。

（横塚彩）

26

森の英雄神話

★ソンゴーラ人の口頭伝承★

コンゴ川を河口から2700キロさかのぼったルアラバ川沿いの森の中の村に暮らしていたころ、夜になると動物の活躍する昔話やなぞなぞなど、さまざまな口頭伝承を聞くのが楽しみだった。3度目の滞在となる1983年、川沿いの村で聞いた話は、1話45分という長いものだった。マニエマ州キンドゥ県で生まれ育った当時30代のビトンデ・カオンビ氏が、彼の母語であるソンゴーラ語のビンジャ方言で語った物語は、実に生き生きとした劇場的表現と、聞き手を巻き込んだ数々の歌をともなった、高度の口承芸術だった。

共通語のスワヒリ語での説明を手がかりに、私は少しずつ録音テープを書き起こしていった。知られざる英雄神話のあらすじはこんな具合だ。

昔々、ひとりの村長が10人の妻をめとりました。彼は、女の子しかいらないと宣言して、ただひとり男の子を産んだ最愛の妻を見捨て、引っ越してしまいます。生まれたばかりの赤子は、母のためにアブラヤシの木に登って実を落とします。この子こそ、生まれながらに魔法の小かごを肩にかけた英雄神カマングその人だったのです。

母の願いで赤子に戻るのをやめた彼は、森に狩りに行きます。アフリカオニネズミの巣穴にかけた罠には、鉄の刃物一式がかかりました。翌日、人の手がかかっていたのでたじろぐと、穴の中から「やーい、意気地なし！」の声。手を引くと娘が2人出てきて妻になります。次々にたくさんの人たちが引き出されて、彼はたちまち村長に。妻たちの制止を聞かず、最後に出してしまったのが、嘘の種子がぎっしり入った大かごを担いだ老人でした。そして、村長のカマングは、妻たちの助言に反してヤシ酒に酔い、老人の策略にはまって、タブーを破ります。「ネズミの穴から出てきたくせに！」と村人たちをののしったのです。

翌朝目覚めると、一面の浅茅《あさじ》が原。昨日までの村も家もなく、人っ子ひとりいません。諦めるという小かごの助言を振り切り、妻たちを追って地底に飛び込んだ若者は、地底の大河を渡り、大木をよじ登ります。天上世界に到達し、セキレイを友とします。妻たちのもどったのは雷の国でした。親族の挨拶（落雷）を受けて黒焦げになるところを、カマングはセキレイの助けで難を逃れ、客として迎えられます。次々に持ち込まれる試練は、柄のない斧で大木を倒すことや怪物退治の数々。サファリアリやアフリカオオゾウムシ、カメレオンといった生き物は、もとはみんな恐ろしい怪物だったのです。それらを魔法の歌で、今のように小さくしたのはカマングの奇跡の力です。その武勲《いさおし》は、森に住むあらゆる生き物にきざみこまれているのですから、カマングのお話には終わりがないのです。

私は、このカマングの神話に出会って、それまでに聞いた昔話の多くが、このような神話的伝承の断片だったことに気づいた。がぜん興味をかきたてられて、私を養子にしてくれた森の村の村長に、「父さん、こんな長い話はないですか?」と尋ねた。以下は、それに応えて養父であるゴリ・ムサフィリ・ルアパンニャ氏が、ビンジャの南で話されているクコ方言で語ってくれた英雄神話のあらすじである。

昔々、人間の王様が娘を12の扉のある宮殿に隠して「この扉を全部開けた勇者に娘を嫁がせよう」とお触れを出しました。森の獣たちは、次々に挑戦しますが誰も成功しません。最後に、森で一番小さなリスが、扉を開けることに成功します。新妻をつれて村にもどる途中、森の獣たちが、次々にリスに戦いをいどみます。ところが、アンテロープも、ヒョウも、バッファローも、ゾウでさえも、このリスには投げ飛ばされてしまうのでした。

妊娠した妻が欲しがるものは、森のサク(カンラン科のアフリカンプラム)の木の実でした。それを採りに行ったリスは、何度目かに、木の持ち主のオオトカゲのかけた罠であえなく死んでしまいます。お腹のなかの子どもは、月満ちて生まれる前に「自分は膝から生まれよう」と話して、双子の妹とともに出てきます。3番目に当たり前のところから生まれたのがチンパンジーでした。

生まれ落ちてすぐに、父の仇討ちを果たした赤子は、たちまち青年になって、妹パティラが嫁に行った下流の村を目指します。そこで妹の夫の親族たちから様々な挑戦を受けますが、最終的に大岩のボールを蹴りあうフットボール試合で、相手方をすべて打ち殺してしまいます。魔法の力で死者を蘇らせたあと、彼の力と知恵に歯向かうものは誰もいなくなったのでした。

「われらソンゴーラ人」というアイデンティティを共有してはいても、ビンジャ・グループとクコ・グループでは語られる英雄神話の内容にかなりの違いがあることがわかった。ソンゴーラ人の東の森に住む、レガ人やニャンガ人の社会と口頭伝承を研究したビーブィックは、コンゴ全体の英雄神話についても報告している。それとひき比べると、首長と英雄の対立から始まるビンジャ・グループの神話は、東のレガ人やニャンガ人のものと共通するモチーフが多い。一方、妻のつわりのために殺された父の仇討ちを果たす奇跡の子から始まるクコの物語は、各民族ごとに独自の言語で伝承されてはいるが、広い目で見れば、ルアラバ川の西側のモンゴ系の諸民族の間で伝承されるリアンジャやボイタードンゴ等の英雄神話とほとんど共通なのである。

このように、ソンゴーラ人のビンジャ・グループとクコ・グループの伝承する2系統の神話は、ルアラバ川を挟んだ森の民の民族移動の歴史を解明する手がかりになりうるものだ。

「英雄神話に耳を傾けるとき、ニャンガ人は自分たちの文化の宝に驚嘆し、そこから誇りと自信を得るのだ」とビーブィックは書いた。

私の養父ルアパンニャ氏は、神話の主人公の英雄の名前を語らず、「彼が」と3人称で語った。しかし、他の伝承者がノートに書いてくれた同じ神話は「ルアパンニャの物語」と題されていた。それを見た私は、以前に録音した、同じ神話の断片と思われるイノシシの国への冒険の旅の物語を、養父ルアパンニャ氏だけが1人称で語ったわけが初めて理解できた。同じ名前をもつ者は、時空を越えてひとつの人格なので、英雄神話を「俺が」と1人称で語ることも許されるのだ。日本では、自分の祖先の神話をもつことは、限られた豪族の子孫の特権となっているが、コンゴでは、庶民にも英雄神話という「文化の宝」をわがものとして生きる道が開かれているのだ。

（安渓遊地）

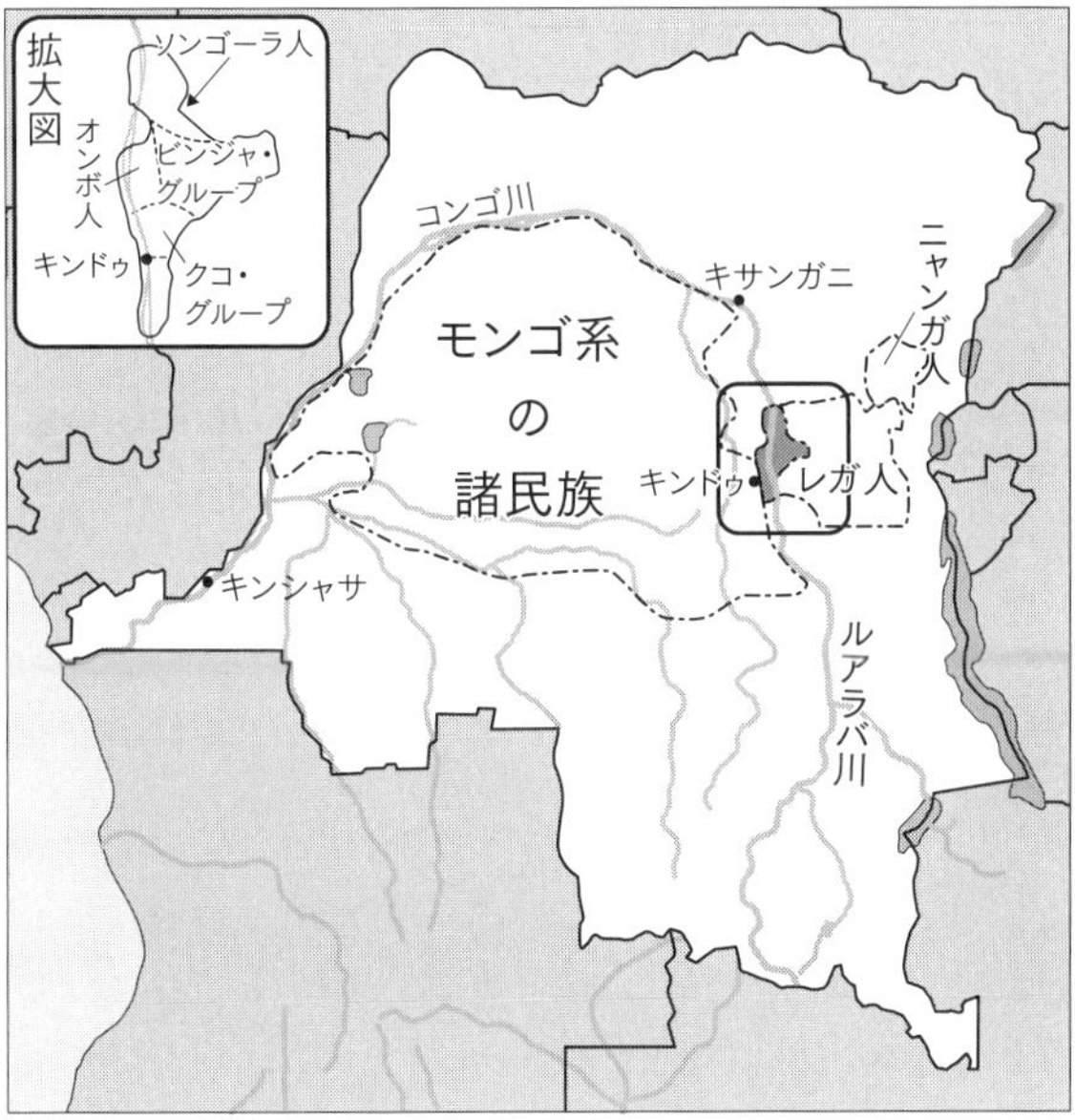

図1　コンゴでの英雄神話をもつ人々の分布とソンゴーラ人のサブグループ（安渓遊地、原図）

27

ピグミーと農耕民

★しなやかな共生★

宇宙から眺めるとアフリカ大陸の中央部がひときわ濃い緑色に染まっている。コンゴ川によって潤された広大な熱帯雨林だ。この大森林にピグミーと呼ばれる人が住み着いたのは数万年前までさかのぼる。そして数千年前あたりから、畑を作って暮らす農耕民も入ってきた。現在ではピグミー以外の住民が圧倒的に多い。

「ピグミー」とはこぶしから肘までの長さを表すギリシャ語に由来するが、もちろんおとぎ話のような小人ではない。たとえば江戸時代の日本人と比べるとおよそ10センチ小さいだけだ。とはいえ大柄な欧米人と並ぶとまるで大人と子どものようだ。彼らの体のサイズは森林環境への適応と考えられている。ゾウやバッファローも森林内の種は平原に生息する種よりも一回り小さい。熱帯の森には行く手を阻むものがあふれている。油断すると垂れ下がる大きな枝や蔓が頭に引っかかり、地表をはいまわる木の根や倒木に足元をすくわれたりする。ピグミーはそのようなところでもひょいひょいと自在に動き回るが、大柄で不慣れな人間が森に入ると、たちまちそれらの猛攻撃にあい自らのサイズを恨むことになる。

第27章
ピグミーと農耕民

ピグミーは20世紀なかばでも狩猟採集をメインとした暮らしだった。男は弓矢、槍、網、罠などを用いて樹上のサル、小型のレイヨウ類（カモシカに近い動物）、バッファローやゾウなどを仕留める。そしてどんな高木でも巧みによじ登り、目も眩むような高所で斧をふるってミツバチの巣をこじ開け、甘さたっぷりの蜂蜜を手にいれる。女は背負い籠と大ぶりの鉈《なた》1本を持って森に入り、ヤムイモ、ナッツ、フルーツ、キノコなどの採集に精を出す。ときには小川を堰き止めて魚やサワガニとりに興じたり、勢子として男の狩猟を手伝う。

１９７０年代の終わりには行政の指導などもあってピグミーもすこし畑を作るようになった。しかし彼らは土地に縛られて暮すことは得意ではない。畑の世話はそっちのけで狩猟や採集のために何週間も森の中に入ってしまうので、期待されるような収穫は望めない。したがって彼らが食べる農作物の多くは懇意にしている農耕民からもらうか、または森の産物と交換で入手することになる。

ピグミーは長いことおとぎ話のキャラクター的存在であったが、20世紀に入ってようやく本格的な調査がおこなわれた。そこで判明したことのひとつは、コンゴをはじめアフリカのほとんどのピグミーが近隣の農耕民と密接に交流しながら暮らしていることだった。親密さの度合いは、ピグミーが現在使っている言葉のほとんどが日常的に接してきた農耕民の言葉だったという点からもわかる。

ただし両者の関係の実態については、研究者による見解のちがいも大きい。人類学者のコリン・ターンブルが１９６１年に出版した『森の民』は日本語にも翻訳されて評判となった。彼はピグミーと農耕民は相互に強い不信や軽蔑感を抱きながらつきあっていると考えた。そしてピグミーは森と村とでは大きく行動を変えると主張する。ここで論評するスペースはないが、私の調べたピグミーと農耕民の関係はそれとは大いに異なるものだった。

　コンゴの北東部にはピグミーの居住地として有名なイトゥリの森が広がっている。その行政中心のマンバサから北に約60キロ離れた森の中に、人口約200人のアンディーリという「レッセ」の村がある。彼らは数百年前に北方のサバンナから南下してきたとされる焼畑農耕民である。そのレッセと深く関わりながらこれまで暮してきたのが「エフェ」と呼ばれるピグミーだ。現在エフェが話しているのはレッセ語である。

　レッセは森を切り開いて焼畑を作り、プランテンという大ぶりなバナナや、キャッサバ、トウモロコシなどを栽培する。一方、アンディーリの村から1～2キロほど離れたレッセの畑のはずれあたりにはお椀型の草葺の小屋がならんだピグミーの居住地（キャンプ）がある。1970年代末にはキャンプが5つ、合計で約120人のエフェがアンディーリ周辺に住み着いていた。

　アンディーリのレッセとエフェのあいだには昔からつづいてきた家族同士の交流がある。彼らは互いをエフェ・マイア（私のエフェ）、ムト・マイア（私の村人）と呼びあって、実の家族、身内のように振る舞うのである。エフェは獣肉や蜂蜜などを手に入れると村に持って来てムトに無償で渡す。エフェの女性は頻繁にムトの家を訪れ、彼らといっしょに畑に出かけたり、薪集め、家事の手伝いなどをする。エフェとムトの子どもはいっしょに遊ぶ。エフェがキャンプに帰るときには、畑からプランテン・バナナやキャッサバなどの農作物をたっぷりもらってゆく。

　エフェとムトとの交流は物質的な相互扶助にとどまらない。両者は文化的にもほとんど一体化しているところもある。子どもの成長に伴って執行される男子の割礼儀礼や、女子のイーマと呼ばれる成女儀礼には両者が一緒に参加し、大人への一歩を踏み出す。イーマの儀礼は終了までほぼ1年近くも続くが、その間、レッセの村では頻繁にダンスが催される。レッセやエフェの老若男女もみな踊るが、とりわけ妖精のように舞うエフェの娘たちはイーマの花だ。

もっともエフェとムトの家族的交流は一方が病気になったり高齢化したりといったやむを得ない事情によってうまく機能しないこともある。そのようなときにエフェは本来のムト以外の者と交渉して必要を満たすことも許される。互いの気が合わず、付き合いが少々面倒になったら、すこし距離をお

村で遊ぶレッセとエフェの子どもたち

イーマ（成女儀礼）の踊り

エフェの髪を結うレッセの娘（森のキャンプ）

けばよい。家族的交流といっても必ずしも拘束的ではなく、状況に応じて柔軟に運用される。

地域の歴史として注目すべきは、上記のような関係が外部社会の暴力的な脅威から互いの身を守る働きをしてきたことだ。コンゴでは1960年ベルギーからの独立直後にコンゴ動乱と呼ばれる大騒動が勃発し、モブツ・セセ・セコが政権を掌握して収まるまで5年間も続いた。それ以来モブツは三十余年の独裁を続けたが、1997年、ローラン＝デジレ・カビラが率いる反乱軍の進撃によって命運を絶たれた。いずれの場合も兵士の一部がイトゥリ地域に流れ込み、村々で略奪を働いた。身の危険が迫ったレッセたちは家族ごとに森の奥に避難し、懇意にしているエフェのサポートを受けながら、嵐が収まるまでじっと耐えたという。

レッセとエフェの生き方には「しなやかな共生」という表現がピッタリすると思う。かたや農耕民かたや狩猟採集民としての生活を前提としながら、「一緒に育った」という認識のもとに兄弟姉妹のように振る舞い、互いの生活を物心ともに豊かにする。どちらも相手を腕ずくでコントロールすることはできない。合意あるいは黙認のもとに他の相手とつきあうこともある。そのときどきの状況に応じて、つかず離れず、ゆるく、しなやかに寄り添う。そのような生き方が森の包容力と相まって、外部世界の脅威から互いの身を守ってきたのである。

（寺嶋秀明）

28

ペサ・ンガイ

★コンゴ社会における要求と対等性★

本書では、地理、歴史、政治、経済等、さまざまな角度からコンゴのことが述べられている。しかし、私たちがコンゴで人々とつきあったときに受ける「あの感じ」——コンゴに行ったことのある人なら「そうそう」と同意できるだろう——それを記すのはなかなか難しいことである。本章では、そういった「感じ」の一部を、私の経験をもとに分析してみたい。ここに書くのはコンゴの片隅での話だが、おそらくはコンゴを含むアフリカの多くの地域で言えることだと思う。

夕暮れの広場でランドクルーザーを降りると、村の人々が続々と集まってきた。「ンボテ（こんにちは）」、まだ片言のリンガラ語で挨拶を返す。1986年10月13日、私は琉球大学の安里龍さんと2人で、ザイール（現・コンゴ）のワンバ村に到着した。これから約2ヶ月間、ボノボ調査の基地があるこの地で、私にとってのはじめての人類学的調査をおこなうのだ。村人たちが去って行き、泊まる小屋にスーツケースを運び込む。家具と言えば、土の床にラフィアヤシで作られたベッドが1つ置いてあるだけだ。ランプを灯して荷物を整理していると、ドアにノックの音がした。戸口に10歳ぐらいの女の子が2人立っていた。「キムラ」。1人の子が、知ったばかりだろう私の名を呼んだ。「ペサ・ンガイ・カイエ」。彼女は恥ずかしそうに、しかしどこか堂々と言った。「ペサ」はリンガラ語で「くれ」、「ンガイ」は「私」、そして「カイエ」はフランス語の“cahier”、つまり「ノート」である。彼女は「私にノートをちょうだい」と言っているのだ。私がワンバの地で初めて、個人的にかけられた言葉だった。学用品は慢性的に不足していて、彼女たちも日本人が来たというので、勇気を出してドアを叩いたのだろう。ノートはなかったし、突然の要求に驚きもしたので、「ノートはいま持っていない」とたどたどしいリンガラ語で言って帰らせたのだが、「ペサ・ンガイ」、この言葉は私の記憶にくっきりと残っている。

その後、1人で下宿して生活するうちに、だんだんとリンガラ語に習熟していった。違和感を覚えたのは、「ありがとう」と「ごめんなさい」に対応するリンガラ語がないことだ。それらを言うときは、フランス語の“merci”と“pardon”を使うしかないのである。もちろん、村の人々の生活で、感謝したり謝ったりすることがないわけではない。しかし、それをあえて言い表わす必要がないせいか、その表現はリンガラ語には存在しないのである。あるとき、ボノボ調査の助手をしている男が、壊れたラジオを直してくれと持ってきたことがある。私はスイス・アーミーナイフのドライバーを使って修理を試みた。かなり時間がかかったがやっと音が出たので、持ち主を呼んで渡した。すると彼はひとこと「リカンボ・エシリ（問題は終わった）」と言って、ラジオを持ってすたすたと去って行ったのである。何だ、ひとことぐらい感謝してくれてもいいじゃないか。私は憮然として立ち尽くした。

はじめて会った人に堂々とものを要求する。何かしてもらってもありがとうと言わない。日本人なら普通しないだろう、こういったコンゴの人々のやり方に出会うとき、私たちは驚き、また憤慨するかもしれない。しかしコンゴの社会についての理解が深まると、そこにはある種の「やり方」が存在することが見えてくるのである。そのことを説明するために、ワンバの人たちが属する民族集団ボンガンドの婚姻システムについて少し書いてみよう。ボンガンドの社会では、妻たちは結婚後も、自分の生まれた親族集団（平たく言えば「実家」）と強いつながりを保ち続ける。そのつながりは、夫方から妻方へ渡される婚資（伝統的には槍や足輪、最近は現金のことが多い）によって保たれる。婚資の支払いに満足しない場合、妻の親族は妻をさっさと実家に連れ戻してしまうのである。婚資は他の社会でよく見られるように「これだけ払えば終わり」ということはない。その要求は夫婦が離婚するか、どちらかが死ぬまで延々と繰り返される。夫方親族にとっては大変なシステムである。しかし考えてみると、ある親族集団は、そこに女性が婚入してきたときは夫方だが、そこで生まれた女性が婚出すれば妻方なのである。その意味で、出る婚資もあれば入る婚資もあるわけだ。ボンガンド社会では、このような婚資のネットワークが張り巡らされており、ある親族集団に富がもたらされると、それは婚資の要求によってその姻族に渡り、そしてさらにその姻族へ……という具合に、すみやかに周囲に拡散していく。乾いた床にバケツの水を空けたようなものである。人類学ではこういったシステムを「平準化機構」と呼ぶ。

このような話を書いたのは、人々の日常のつきあいにも似たような原理が見られるだろうからである。「持つ者から持たざる者へ物が流れるのは当然である」という考え方が、全員に共有されているとしよう。ある1時点に限ってみれば、そのとき持つ者と持たざる者は不平等である。持つ者は持たざる者に与えないといけないのだから。しかし、持つ持たないはいつか逆転するかもしれないし、

ワンバに到着し、子供たちの歓迎を受ける

「みんながそういう条件を課されている」という意味では、みんな対等な立場なのである。ものを引っ張り合うことによって均衡がとれている社会。そんなことを考えていて、「ペサ・ンガイ みんなでやれば みな同じ」というフレーズを思いついた。

日本人の調査者は、そういった社会の中に、土地の人々からすると考えられないような大量の物と金を持って入る。そのとき、床に水を空けたような状況が起こるのは当然だと言える。しかし稀にではあるが、日本人の方が「持たざる」状況に陥ることもある。ボノボ調査の初期にワンバに入った黒田末寿さんは、次のようなエピソードを書いている。

加納隆至先生にワンバに連れていってもらった最初の旅が、物乞いの旅であったことは本文にも書いたが、その後の調査の最後の時期の2ヵ月半の間、まったくの一文無しになり、「乞食の白人」と呼ばれていたことがあった。私はつぎはぎで何かわからないものになったズック靴をはき、キャッサバ団子を居候先のおかみさんにもらう他は、野生植物や食用昆虫を自分で採集して食べていた。そこへ給料も払っていないトラッカーのコイ・バトルンボさんが、たまにだが肉を持ってきてくれたのである。食物を分かち合ってくれることのありがたさが、つくづく身にしみたのだった。

やはり持たざる状況に陥ったときには、日本人にも物が流入してくるのである。われわれはコンゴで、もっと遠慮せずに「ペサ・ンガイ」と言ってみた方がいいのかもしれない。それこそがコンゴの人々と対等につきあっていくやり方なのだから。

（木村大治）

Ⅳ

生業・経済

29

ムブティ・ピグミー

★森の民の狩猟と採集★

「ピグミー」とは、形質人類学的には成人男性の平均身長が150センチ未満の集団をさす。「ピグミー」の語源は肘から手までの長さを表すギリシャ語だが、その低身長を誇張した表現が差別的だという理由でこの名称を避ける動きもある。しかし、最近になって、中部アフリカ各地の森林に住み、ムブティ、トゥワ、アカ、バカなどの名称で呼ばれていた人びとが共通のアイデンティティと森林に対する権利を主張するなかで、「ピグミー」を自称として使うようになった。人口は全部で数十万から百万人程度で、これは中部アフリカ森林地帯の人口の1%にも満たない。ここでは主としてコンゴ北東部イトゥリの森に住むムブティの狩猟と採集について紹介する。正式な統計はないが、ムブティの人口は3万から4万人と推定される。

ムブティの生業は、隣接する農耕民との間で森林物産や労働・儀礼サービス等の交換を通して「狩猟採集」に特化してきた。最近では、自給用のキャッサバやプランテン・バナナなどを栽培する人もいるが、森の中での狩猟や採集は依然として彼らの重要な生業となっている。

ムブティがおこなう主な狩猟法は、集団的な網猟、弓矢猟、槍猟、それに撥ね罠猟である。網猟に使う網は、高さ1メートル、長さ数十メートルほどで、蔓植物の内皮で編んで作る。各家族が網を保有しており、狩猟の際にはこの網を10枚ほど半円形に張り巡らせ、そこに獲物を追い込んで捕らえる。男性が網を張って、かかった獲物の処理をする。女性は勢子の役割を果たし、また捕らえた獲物の運搬役を担う。主な獲物は、体重5～25キロほどの森林性のダイカー類（羚羊類の仲間）で、これより大きな動物は網を破って逃げてしまう。イトゥリの森の中・南部では、高度な技術が不要で安定した捕獲が期待できる網猟がとくに盛んである。

ムブティの弓矢猟には2つのタイプがある。まず毒矢を用いてサルなどの樹上性の動物を狙う単独猟である。矢毒は10種くらいの植物の根や樹皮、実などから抽出した液を煮詰めて、ラフィアヤシ

森の中のキャンプ。現在でもかなりの時間を森の中で狩猟採集をしながら生活する

ネットにかかったブルーダイカー

の葉軸で作った矢の先に塗る。イトゥリの北東部に住むエフェの間では、モタと称する集団的な弓矢猟が盛んである。モタに用いる矢には金属製の矢じりがついており、毒は塗らない。モタでは、10人内外の射手がゆるやかな弧を形成しながら森の中を進み、勢子の声に驚いて茂みから飛び出した獲物を射る。このほか、最近では鋼鉄のワイヤーを使った撥ね罠猟もおこなわれるようになった。集団的な網猟と弓矢猟、罠猟の主要な対象はいずれも森林性のダイカー類であり、この地域の狩猟民はダイカー・ハンターだといってよい。

これらと対照的な狩猟法が中・大型獣を狙う槍猟である。とくにゾウを対象とした猟では、特別な技量と大胆さが必要である。ムブティは採食中のゾウに風下から近づき、至近距離から剃刀のように鋭く研いだ槍をゾウの腹または後肢に打ち込む。イトゥリの「ピグミー」といえば、エレファント・ハンターとして有名であるが、この地域でゾウ狩りが盛んになったのは西欧との象牙の交易が始まって以降のことである。早くから海外との交易が発達したギニア湾沿岸部などでは、17世紀の記録に「ピグミー」系の狩猟民が象牙の供給者として登場するが、そのような交易網から離れていたイトゥリの森などでは、槍猟の対象はもっぱらブッシュピッグなどの中型哺乳類であった。しかし、19世紀後半にアラブの商人が到来し、19世紀末にコンゴがベルギー国王の私的領土になると、象牙などの森林物産が大量に求められるようになり、ムブティは「パトロン」である農耕民の求めに応じてゾウ狩りに従事するようになった。ゾウ狩りが盛んになるにつれて、ゾウを倒すために大きくて鋭い槍が作られ、ゾウ狩りを成功に導くため儀礼（歌と踊りのパフォーマンス）がおこなわれるようになった。そして首尾よくゾウを倒した後には何日も饗宴が続くなど、ゾウ狩りは深い文化的意味を担うようになった。

第2次世界大戦後にはイトゥリの森でも農園や鉱山が建設され、近隣に都市が形成された。これらの労働者や住民が必要とするタンパク源としてムブティが狩るダイカー類の獣肉が交易の対象になった。ムブティは農作物や衣類などと獣肉を一定のレートで交換するようになった。また、農耕民の手伝いも現金または現物による一定の対価を得ておこなうようになった。こうした獣肉交易や賃金労働を通してムブティは現代の経済に取り込まれていった。

現在のムブティの主要なエネルギー源となっているのは農耕民から得たキャッサバやバナナなどの作物であるが、野生植物の採集も盛んにおこなわれている。これまでの調査で100種ほどの野生食用植物の利用が把握されているが、そのなかでも油脂分に富んだナッツをつけるイルビンギアやリシノデンドロン、オリーブのような美味な実をつけるカナリウム、甘酸っぱい果実をもつランドルフィアやアフリカショウガ、巨大な果実をつけるアノニディウム、それに野生のヤムイモなど、10種類ほどの植物が量的には大半を占めている。また6月から7月の雨季（開花期）になると蜂蜜がとれるようになり、豊作時には摂取カロリーの大半が蜂蜜から得られている。

ムブティが利用する野生食用植物の中には、日光がよく当たる二次林でないと発芽・成長しない、いわゆる陽樹が多い。とくに重要な一年生のヤムイモも明るい二次林で育つ。これらの二次林はかつての集落やキャンプ地、農耕や蜂蜜採集などによる伐採の跡地であることが多い。さらにそれらの場所では、人間が広い範囲から集めた食物や薪などの残滓が土壌栄養分となって蓄積している。つまり、イトゥリの森では、これまでの人間の居住や生業活動によって森のあちこちに食用植物の生育に適した環境が整えられてきたともいえる。
しかし、現在ではこのような森と人との共存関係が危機にさらされている。大規模な伐採や耕地化によって大量の物資が森から搬出され、植被が失われた土地からは大量の土壌が流出している。さらに、この地域でとれる砂金やレア・メタルの採取を目的としたり、長引く内戦を逃れての人口流入が相次ぎ、過剰な狩猟圧や採集圧、森林の耕地化に拍車がかけられている。低人口密度のもとで維持されてきた人間と森林生態系のバランスのとれた共存関係をいかに回復し、維持していくかが喫緊の課題となっている。

（市川光雄）

30

コンゴ中部熱帯林の生業複合

★幅広く、何でもやる★

広大なコンゴ盆地の熱帯林に住む人びとは、焼畑農耕を生活の基盤としつつ、狩猟、採集、漁撈、換金作物栽培など、多様な生業を組み合わせて生活している。本章では、そのような「複合的な生業」を営む人びとの一例としてコンゴ中北部に暮らす農耕民ボンガンドの事例を紹介する。

ボンガンドの男性たちは、例年12月から3月の乾季になると、主に二次林の一角に畑を作る。小さな刃先の斧1本で20メートル近い樹高の木々を切り倒していき、1ヘクタールほどの畑を開くのだから、重労働である。切り倒した木々を2週間から1ヶ月間天日で乾燥させた後、火を入れるところまでが男性の仕事であり、鎮火後、作物を植えるのは女性の仕事である。ボンガンドが主食とするのは、キャッサバである。キャッサバのイモは有毒であるため、収穫後に小川で水につけて毒抜きする必要がある。毒抜き後のキャッサバをほぐして蒸し、ついてモチ状にしたものをバナナの葉でくるんで再度蒸すと、主食であるボミタの完成である。ボンガンドの人びとは、自分たちの作るボミタは酸味や匂いがない点、色が真っ白である点で他の民族の作る類似のものとは異なる点を強調する。食べてみると、

焼畑の様子

甘みのない外郎《ういろう》のような食感で、確かに美味である。また、キャッサバの葉もついて炒めたり煮込みにしたりしてほぼ毎日食される。日本人が白米に味噌汁をつけるような感覚である。ボミタとキャッサバの葉のセットに、副食としてトマトやヤシ油などをベースにした魚や肉の煮込み料理が供されるのがボンガンドの日常的な食事である。
副食となる肉や魚は、集落を取り囲む森で行う狩猟や漁撈から得られる。家畜・家禽の飼育は一般的であるが、都市部で販売するか、贈答、もしくは罰金の支払いなどにあてられ、日常的に食されることはない。
現在のボンガンドが行う狩猟は、金属製のワイヤーやナイロン糸を用いた撥ね罠猟が主流である。地面にループを設置するものと、バリケードを作って動物の通り道を限定し、そこに垂直になるようにループを設置するものの2種類が盛んである。前者は、通りかかった動物の脚部を、後者は罠の設置してあるスペースを通過する際に頸部または腹部を吊り上げることを狙ったものである。これらの罠は、屋敷の裏から畑まで続く道や、畑の裏から二次林そして一次林に縦横に伸びる森の道沿いなどに仕掛けられており、それらを見回るのが男性たちの日課である。撥ね罠猟以外の狩猟活動については、かつては長大な植物性の狩猟網を用いた追い込み猟や、身の丈近くもある剛弓による弓猟も行われていたが、獲物となる大型哺乳類の減少により実践されなくなった。現在では、狩猟網は婚姻の際に夫方から妻方に送られる婚資としての役割を果たすのみである。

漁撈活動の中心は、漁網を用いた刺し網漁と釣り針を用いた延縄漁、そして小河川を堰き止めて行う掻い出し漁である。掻い出し漁は、女性や子どもたちによって行われるもので、小型の魚類からテナガエビやカニ、カエルやオタマジャクシ、さらにはトンボの幼虫であるヤゴなども捕らえる。かつては、主要な動物性タンパク源は野生獣肉であったが、現在では魚が占める割合の方が多くなっている。

キャッサバの餅ボミタを作る女性

集落や畑の周囲に広がる森では、調味料として用いられる木々の新芽や、煮込み料理に彩りを添えるキノコ類や食用植物（林菜とでも言おうか）を採集できる。また、各種の昆虫も食料として重要である。武田淳によると、ボンガンドは50種を超える食用昆虫のレパートリーを持ち、毎月何らかの昆虫を食している。中でも、鱗翅目の幼虫には季節が来ると大量発生する種があり、その時期には毎食食されるほどである。

ボンガンドの人びとは、これらの生業活動を幹線道路沿いの集落周辺だけでなく、そこからさらに数キロ、時には10キロ以上離れた森の中に位置する一時滞在キャンプでも行う。それらの森のキャンプは、彼らの祖先が1930年代に幹線道路沿いに定住する以前の旧居住地跡を起源としている。人里離れた森のキャンプ周辺は野生動物や魚も多く獲れるため、2、3ヶ月滞在して集中的に狩猟と漁撈を行い、村の家族に獣肉や魚を送り届けるのである。

ボンガンドは、以上のように多様な生業とそこから得られる食料を組み合わせながら生活している。彼らが主食とするキャッサバは、炭水化物以外の栄養素に乏しいため、副食で不足する必須アミノ酸などを補う必要がある。幅広く何でも利用するというのは、そうした状況に対応するための食料の多様化戦略であると考えられる。

最後に、現金収入源についても述べる。かつては、換金作物としてコーヒーを栽培するのが普通であったが、1980年代後半の国際価格の下落とその後のコンゴ国内の政治・経済的混乱、そして2003年まで続いたコンゴ戦争により、ほとんどの人びとはコーヒー畑を放棄することとなった。戦後、陸上交通網の復興は遅々として進まず、物流が途絶えたことを受けて、人びとは品物を背負って都市部との間を往復するようになった。都市部で販売する商品として注目されたのが、森林産物である。特に魚類は燻製にすることで軽量となるため、背負って運ぶ商品として好まれた。大人のみならず、学生たちもまた、学費を稼ぐために上述の森のキャンプで集中的に魚を獲り、大量の燻製を作って自ら都市部まで売りに行くようになった。その後、2015年頃になると、川を遡って下流の大都市ンバンダカから商人がやってくるようになった。彼らが買い付けるのは、キャッサバとトウモロコシを原材料とする蒸留酒や干した鱗翅目の幼虫である。それらは都市部での需要が特に高く、商品化が急速に進んでいる。

魚や鱗翅目の幼虫といった森林産物や、農作物の加工品である蒸留酒の商品化は、乏しい現金獲得の機会を考慮すれば避けがたいことだといえる。しかし、それらの森林産物の過剰利用による生態環境への影響や、畑に転化される森林面積を抑えつつ蒸留酒を増産することが可能か否かなど、持続可能性については不明瞭な点が多い。都市部での需要動向を含めて、さらなる調査が待たれている。

（山口亮太）

31

熱帯林の食文化

★緑のサハラからの1万年史★

アマゾン川に次ぐ世界第2の流域面積を持つコンゴ川。1970年代の終わりに私はその上流部ルアラバ川沿いの熱帯雨林に住むバントゥー系ソンゴーラ人の村で過ごし、豊かな食文化と出会った。彼らは森の中での焼畑と、大河沿いの専業的漁撈の他に、森の野生動植物の狩猟や採集を盛んにおこない、家畜・家禽としてはヤギとわずかのヒツジ、ニワトリ、アヒルを飼う。1990年までのソンゴーラ人は岩塩を購入するほかは、食べ物を集落からほぼ20キロ圏内で域内自給し、女性たちは361種の食材から多数の異なる料理を作ることができた。電気やガスを使わず薪が支える森の暮らしである。

焼畑はプランテン・バナナ、アジアイネ、キャッサバが主要作物であった。この3つの作物への好みを男たちに尋ねたところ、高齢者はプランテン・バナナのゆでたものを好み、中年は米飯が美味しいといい、そして若者はキャッサバの粉を熱湯で練ったウガリでなければ腹が膨れない、という返事だった。戦後の給食によってパン食が急速に普及した日本にも匹敵するような変化がコンゴ盆地でも起きていたらしい。また、1990年に、ルアラバ川沿いの漁撈集落で、10代から20代の男性に対して、ソンゴーラ人のデンプン質食品12種類を書いたカードを渡して、好みの順番に並べてもらったところ、1960年の独立後に生まれた人々の間でも、ソンゴーラ人とそれに隣り合うンゲンゲレ人、ミトゥク人といった、異なる民族集団に応じて、好む食べ物に大きな違いがあるという傾向がなお根強くあることもわかった。

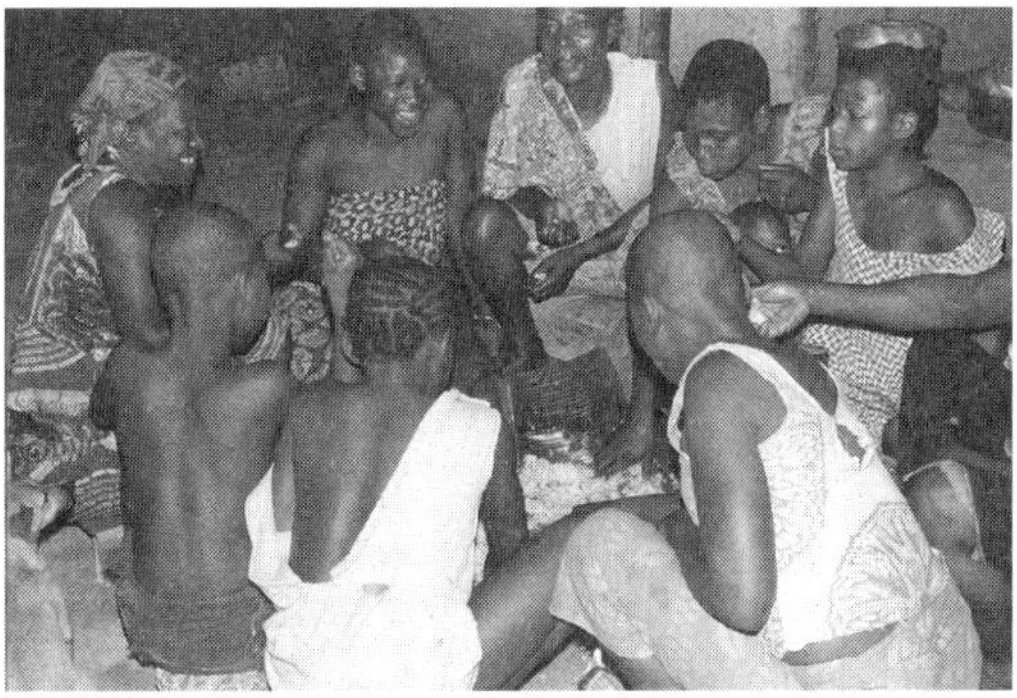
焼畑で穫れた新米のご飯を楽しむソンゴーラ人の女性たち
© 安渓貴子

ソンゴーラ人の農業は焼畑が中心だ。熱帯雨林にも乾季と雨季があり、乾季に森を切り開いて焼く「焼畑」では、全部で40種類を超える作物が混作されていた。主要作物であるプランテン・バナナ、アジアイネ、キャッサバが、それぞれ20から30もの異なる品種として認識されていた。プランテン・バナナやキャッサバ、ヤムイモやアブラヤシのような1年中穫れるものと、イネやトウモロコシ、トウガラシ、トマト、サツマイモやカボチャなど収穫期に季節があるものがある。これらを組み合わせて、年間飢えることのない作付けが工夫されていた。種子・種苗は全て自給である。栽培するものだけでなく、焼畑の枯れ木からは多種類のキノコが季節を追って採れてくるし、焼け残った木は薪として採取するのである。

焼畑は持続性のある農法で、2年も使えば森に返すのが基本だ。焼畑と放棄直前の畑を区別し、森に還っていく二次林を放棄後の年代で3つに分けていた。また原生林を4種類に分けていた。生活環境の森や畑を細かく分けているのは、そこで採取する食材や動物たち、生活道具などの求める場所がそれぞれ異なるからである。例えば二次林に生えるショウガ科やクズウコン科の植物は食素材としても、料理道具としても重要である。森は多種類の食用幼虫たちの採集場所でもある。原生林にはニンニクのような強い香りを持つ木が2種ある。

川は大河と小川がある。大河で専業漁撈民が捕ったコイ科やナマズ科の大魚を物々交換市でプランテン・バナナやキャッサバと交換して入手する。森の中の川では多種の魚やエビ、カニ、貝などを捕る。乾季には森の中にキャンプして小川を堰き止めて掻い出し漁をして楽しむ。

私たちが「調味料」と呼ぶものを、ソンゴーラ人はアブラヤシの果実、ゴマ、ナッツ類などの油に、ニンニクの香りがある植物などを加えて「味をよくするもの」と呼び、それらは29種類あった。岩塩を買う以外は、どれも畑や森からの素材である。アブラヤシの油をうまく使って香りや味を出し、肉や魚、野菜の味を引き出している。

ハリネズミやダイカー（ウシ科）、カメや鳥などの肉、魚やエビ・カニ、野菜や山菜といった多彩な食材を、5つの基本の料理法で料理していた。それらは、水で煮る、ヤシの果汁で煮る、ヤシ油で炒め煮する、葉に包んで煮る、熾の火で焼くことだった。

普通1日3食だが、ソンゴーラ人は食材が豊富な時は5回でも食べる。男たちが漁に出かけるため生活が不規則な川沿いの村では、男性の食事は共同の食事小屋で1日9回でも供される。料理をするのは女性。畑仕事などで忙しい日常なので、朝は前日の残り物を温めるなど簡単なものが多い。畑から帰ると芋やプランテン・バナナを茹で、同じ鍋で葉に包んで茹でたトウガラシやナスを潰してスープを作り昼は手早く済ませる。手間をかけた本格的な食事づくりはこの後取りかかる。日本で言えば主食と副食からなる2皿の食事で、大きな容器に盛り付け皆で囲んで右手で食べる。大家族が一緒に食べる共食であり、男女は別々に食べる。主婦への最高の褒め言葉は「料理上手」である。

料理の多様性を生み出したのは、3次にわたる「根栽農耕革命」だった。焼畑にはアジアやアメリカ起源の作物が多い。現在の料理と食事では、混然として利用されているのだが、実際は、さまざまな起源地で生まれた食事材料が、さまざまな時期と道すじでコンゴ盆地内にやってきている。食文化は時代に伴ってダイナミックに変化していくものだが、先に紹介したように、隣接する人々との異なるアイデンティティにこだわるような、保守的な面もある。

ソンゴーラ人を始めとして、コンゴ盆地、より広く、アフリカの熱帯雨林の中で暮らす人々の食文化を支えている様々な要素の組み合わせが、どのような歴史的な形によって成立したのかを見直してみよう。

1万年前、湿潤な「緑のサハラ」には土器を使用し採集・狩猟・漁撈を生業とする人々がいた。気候の乾燥化によって南下した人々は、ニジェール川のほとりで穀物のトウジンビエ、アフリカイネと、根栽（芋類）のギニアヤムの栽培化に成功し農耕を開始した。

およそ5000年前に農耕以前から移動を開始していたバントゥー語話者は、その後製鉄技術とアブラヤシとギニアヤムを携えて森に入り、バントゥー拡散のはるか昔から森にいた狩猟採集民とともに暮らし始めた。やがて（1）アフリカ原産のギニアヤムに加えて、（2）新たな焼畑作物としてアジアからのバナナの導入、（3）さらに南アメリカからのキャッサバの導入、という3次にわたる根栽農耕革命を経ることになる。これらの根栽は茹でて食べるか、茹でたものをつき潰した餅あるいは団子状のものを食べてきた。この料理法は採集・狩猟時代からのものである。そして20世紀に入るとベルギー人によって稲作が、1930年代にはキャッサバを粉にしたウガリが持ち込まれた。イネは粒食、ウガリは粉食という、森の人々にとっては新しい料理法であった。ソンゴーラの人々はこれらも主体的に取り入れ、狩猟採集の食文化を今もしっかり残しつつ現在の食文化を豊かにしている。

（安渓貴子）

コラム7

コンゴ盆地の森の地酒を訪ねて

安渓貴子

コンゴの都会では、プリムス、シンバ、テンボ等といった多彩なビールが楽しめる。田舎に行くと、ヤシが生えるところではヤシ酒が人気の地酒だ。ヤシの樹液は糖分が多く採りたては甘くて、女性や子どもでも飲めるしビタミンやミネラルも豊富だ。採集して半日ぐらいのものは、泡立つ乳酸飲料のような甘みとさわやかさがあって、ビールぐらいのアルコールの強さである。このような、糖分を酵母の力でエチルアルコールに変える酒は、原料がヤシの樹液、バナナ、サトウキビ、蜂蜜など多彩だが、みんなワインの仲間だ。

西アフリカで野生のアブラヤシが栽培化されて、3000年以上たつとされているが、ヤシ酒を作るには樹液の湧き出すところを鋭い刃物で毎日削る必要があるので、酒が造れるようになるには、鉄器が登場するまで待たなければならない。蜂蜜酒なら容器さえあればできそうだが、森の狩猟採集民たちは、蜂蜜をそのまま食べ、酒にはしない。

ベルギー統治時代の初期に、コンゴ東部のマニエマ地方の行政官だったデレーズは、バビリすなわち「アブラヤシの人々」と自称するソンゴーラ人が、ヤシ酒で「村ごと朝から酔っ払っていることも珍しくない」と呆れている。私はそれから70年後の1978年から7ヶ月間ソンゴーラ人の村に滞在した。2種のヤシから作るヤシ酒は「水の酒」と呼ばれる。また、「火の酒」という強い蒸留酒も造られていた。飲んでみると上手なものは沖縄の泡盛の風味を思わせる。焼畑で穫れるキャッサバを主原料に、陸稲の籾やトウモロコシにカビをつけたものをスターターにした酒だ。10年後、フランスに1

ソンゴーラ人がカビ発酵酒を森の中の水辺で蒸留する風景（© 安渓貴子）

年半滞在したが、自然史博物館の研究者は「カビ発酵酒は東アジアにしかない」と信じていた。そこで、〝中部アフリカでの酒（カビ発酵酒）の発見〟という報告をフランスの研究誌に書いた。ヨーロッパの気候ではカビが生えにくいせいか、湿潤アフリカの在来技術の特徴ともいえる、カビの利用のすばらしさがそれまで見過ごされていたのである。

ビールと同じ原理の、穀物の発芽時のアミラーゼでデンプンを糖化する穀芽酒も、アフリカのサバンナ帯には広く分布している。シコクビエやモロコシを主に使うのだが、これまでの定説を覆すトウジンビエのビールが、コンゴ盆地のど真ん中にあったという、最近の研究を紹介しよう。コンゴ盆地で考古学の発掘調査を10年間にわたって進めたドイツのノイマン先生に導かれた研究者たちが2022年に発表した大発見である。コンゴ川沿いのンバンダカと、チュアパ川上流の湿潤な森にある漁撈キャンプ遺跡の西暦1350年から1550年ごろの層から、トウジンビエが出土した。量は西アフリカの遺跡より少なく、発芽によって崩れたものが多かった。出土した人間の歯の安定同位体比の研究によって、歯髄のコラーゲンからは、トウジンビエなど光合成能力の高いC4植物を摂取していたことが示され、子ども時代にできたエナメル質からは、おそらくヤムイモと思われる根茎類等のC3植物だけを食べていたことがわかった。この結果は、トウジンビエが主食ではなく、大人だけが飲む酒造りに用いられたとすれば整合的に理解できる。

この他にも、ムンコヨと呼ばれる木の根のアミラーゼを用いてデンプンを糖化する珍しい製法が、カサイ州にはあり、詳しく調べれば、あらたな発見が期待できる。

32

コンゴ東部の経済

★多様な生業と観光★

大地溝帯と生業

アフリカ大地溝帯は、コンゴ東部を南北に貫いている。この地球の裂け目は、南北4000キロ、海抜2000メートルから3000メートルに及ぶ山脈の連なりを作り、その内部に深い切れ目となる陥没帯をもっている。そこにはいくつもの湖があり、その多くには深い切れ込みがある（大地溝帯の崖上から湖の最深部まで、その落差は2000メートルから3000メートルにも及ぶ）。特に赤道近辺では、陥没帯は広いところで幅70キロにもおよび、西地溝帯と東地溝帯を形成している。このことによって、コンゴの中央部のコンゴ盆地を中心とする地域と、東部の大地溝帯の周辺部とでは、全く異なる自然景観が作られている。この地形的・地理的特徴は、この地域に住む人々の生業や経済にも、古い時代から現代まで強い影響を及ぼしている。

長い回廊と牧畜民の世界

この大地溝帯によって、北から南へと続く、海抜1000メートルから2000メートルの長い回廊とも言うべきものができた。この標高の高い回廊は、気温の上で過ごしやすい地域

キヴ湖とバシ人の居住地

を形成しており、西からも北からも、農耕民や牧畜民が流入してきた。その中で最もうまく適応したのは、牧畜を生業の中心とした人々だった。牧畜民は牛を伴って移動しており、ツェツェバエの被害を受けないためには、この高い地域でのみ移動することが可能であったからだ。コンゴ東部のさらに東北側には、現在のウガンダ、ルワンダ、ブルンジの各国に沿って、トゥガンダ王国、ニョロ王国、アンコーレ王国などと、トゥチ、ソガ、トロなど牧畜民の諸民族の王国が連なって形成された。また、コンゴ東部の諸民族も、こうした牧畜民系の民族移動の影響を強く受けてきた歴史がある。

たとえば、キヴ湖の南西岸に住むバシ人は、背の高い牧畜民系の人々が王の一族を輩出するロ－ヤル・クランのメンバーとなり、バシ社会の階層のトップに位置している。一方人口の大部分を占めているのは、中肉ずんぐり型のバントゥー系の人々で、主に農業に従事している。さらに、少数だが背の低いピグミー系の人々がおり、主に森林地帯で狩猟採集に従事している。歴史的に見れば、おそらく農耕民と狩猟採集民の住んでいた山の麓に、牧畜民系の人々が繰り返し移動してきて、王国のような社会を形成していったのだと思われる。そのためこの社会では、牧畜民、農耕民、狩猟採集民という3層になる重層化社会が作り出されている。このようにバシ人の社会は、ルワンダやブルンジ等の成層化した牧畜民の王国社会ときわめて近い社会の構造をもっている。

牧畜民系の人々は、牛を飼い、そこから得られる乳製品を利用し、また牛そのものを売買して、生活を営んでいる。さらにこれらの人々は、もともとは国境を越えて移動しており、同時に牛を取引しており、隣接するタンザニアやケニアの牧畜民系の諸民族ともつながりをもっている。牧畜民というのは、本来牛を飼いながら移動していた人々である。多数の牛の群れを飼養するのが仕事だが、近代的なランチ（大規模な牧場）を経営しているわけではない。また、そこからとれる乳製品や肉類を、大規模に食品に加工し、販売しているのでもない。そうではなくて、牛の群れを威信財として用い、その数を増やすことに何よりも喜びを感じている人々である。また、この地域の人々は、結婚するときに必要とされる婚資（日本の結納金にあたるが、これを支払わないと結婚して生まれてきた子供の帰属が確定しない）を、牛で支払う習慣がある。

農耕民の世界

これに対し農耕民は、農業に従事している。多くは自給用のイモ類や穀類や野菜類を焼畑農業によって生産している。農産物の多くは自給用だが、一部は商品としてコンゴ国内の都市住民にも販売している。農耕民もまた、王や首長の支配する領域の内部に住み、そこで農地を開墾し土地を利用する権利を与えられ、農業を営んで生計をたてている。ただし、収穫の一部を税として、国家と同時に地方首長にも貢納して、社会の基盤を支えている。

空から見たキヴ湖とその周辺の焼畑

漁撈民の世界

大地溝帯の湖の周辺には、漁撈民も存在する。しかし、湖によって漁獲量は大幅に異なる。たとえばキヴ湖では火山の影響もあり魚の数は少なく、専業の漁撈民はいない。しかしその南のタンガニーカ湖では、多くの魚が生息し、漁業も盛んである。タンガニーカ湖でとれた魚の多くは、砂浜で乾燥されたり燻製にされたりして、コンゴ盆地の内陸部や都市部に、有力な交易品として流通している。タンガニーカ湖の干し魚は周辺地域の人々には、貴重なタンパク源となって、喜ばれている。コンゴ盆地にあるコンゴ河流域にも漁撈民はいるが、農耕も同時に行っている場合が多い。

鉱山業

地球の裂け目である大地溝帯沿いでは、マグマが噴出し地殻変動が起こり、さまざまな鉱脈が生み出されることになった。このためコンゴ東部には、金、ダイヤモンド、スズ、コバルト、銅、ニッケル、最近希少鉱物として知られるようになったコルタンなどの鉱脈があり、多くの鉱山が開発され、国にとっては重要な経済資源となっている。莫大な量の鉱産物が産出され、この地域から世界各地に輸出され、経済的利益が獲得されている。しかし、その利益はこの地域に住む住民たちに直接もたらされることはない。農村の若者の中にも、金や銅の鉱山に働きに行く例はあるが、大金を得て帰ってきたという話は聞いたことがない。むしろ鉱産物があることが、この地の住民の生活に、戦争をはじめとする多くの不幸をもたらしているように思える。

鉱山にまつわる経済は、確かにコンゴ東部の経済の一部であるが、それはこの地で暮らす農耕民や牧畜民の生活とはきわめて隔絶したものとなっている。コンゴ東部の経済は、生業的経済（農耕、牧畜、漁撈）と鉱産物経済の二重構造で動いていると、とらえた方がいいだろう。

観光産業

コンゴ東部にみられるもう1つの産業は、観光業である。大地溝帯が生み出した山々と湖の連なりは、美しい景観を作り、独特の動植物を進化させてきた。そのため、この地域には北から南へ向かって、ガランバ、ヴィルンガ、カフジ＝ビエガの3つの国立公園がある。また、気候的にも冷涼なこの地域には、ホテルやレストランも数多く存在する。特にカフジ＝ビエガは野生のゴリラ、ヴィルンガは野生のゾウやカバの大群で知られ、交通網も整備されていた。しかし30年間にわたるコンゴ内紛とルワンダ・ブルンジとの紛争のため、最近は観光客も激減している。

（末原達郎）

33

コンゴ東部の農業

★プランテーション農業と焼畑農業★

プランテーション農業

コンゴ東部の農業は、大きく2つに分けることができる。1つ目は、植民地時代に導入されたプランテーション農業である。しかしその割合は、他のアフリカ諸国と比べると小さい。プランテーションの作物として栽培されているのは、キナ（薬のキニーネの材料となる樹木）、チャ（茶）、アブラヤシなどである。旧植民地の宗主国であったベルギーやその国王レオポルド2世は、コンゴにおける農園経営にそれほど熱心ではなかった。したがって、隣国のタンザニアやルワンダに見られるような大規模で高度なチャやコーヒーのプランテーション農業は行われなかった。今でもごく一部で、チャやキナのプランテーションがみられるが、小規模で管理も行き届いていない。一方、コンゴ盆地の中央部の低緯度地帯では、アブラヤシのプランテーションが見られる。これは石鹸や食用のヤシ油（調味料となっている）の原料となるものである。

焼畑農業

2つ目は、地元の人々が食べる食料を生産するための生業的

プランテーション農業（キナのプランテーション）

農業である。コンゴ東部の圧倒的多数の住民が、この食料生産のための農業に従事している。食料生産の農業のほとんどは、「焼畑農業」によりおこなわれている。作られている作物は、キャッサバ、インゲンマメ、トウモロコシ、バナナなどである。

ところで、焼畑農業とは何だろうか。アフリカの農業では、よく出てくる言葉である。焼畑農業は、畑に火入れをして「焼く」ところから、この名前が出てきた。しかしより農学的に見れば、これは移動式農業の1つで、休閑体系をその内部に含む農業になる。それでは、なぜ「畑を焼く」のだろうか。答えは2つある。1つは、新しい土地を開墾するために火を入れることで、耕地の造成が容易になること。もう1つは、森林を伐採して焼いた後にできる灰を、地面に鋤きこんで「地力の回復」を図るためである。

焼畑農業の3つのタイプ

以下、コンゴ東部の3種類の焼畑農業について、説明していこう。赤道直下付近を、キヴ湖の西岸から西に向かって、ミトゥンバ山脈の斜面を登ったり下ったりすると、バシ人、テンボ人、レガ人に出会う。バシ人はキヴ湖南岸の都市ブカヴの周辺に住む人口50万人を超える大民族である。バシ人は焼畑でキャッサバを生産し、乾燥したキャッサバを近隣の都市の市場に売って現金を獲得している。このため、バシ人の農業は市場経済の影響を強く受けている。キャッサバの市場価格が高騰するにつれ、バシ人はキャッサバの生産量を増加させるために、焼畑休閑のサイクルを速くしようとした。このため地力が回復する以前に休閑地を伐採する焼畑となり、焼畑のサイクルが壊れてしまい、土壌流出（エロージョン）さえ発生している場所もある。

バシ人の焼畑農業（過耕作のため、土壌が流出している）

テンボ人の焼畑農業（休閑地、混作畑、バナナ林が混在）

一方テンボ人は、伝統的な焼畑農業でキャッサバを生産している民族であるが、休閑期間を守りながら持続的に生産を続けることができている。テンボ人の集落は、海抜1000メートルから2000メートルにかけての尾根沿いにあり、集落の周囲にはバナナ林が広がる。テンボ人は、バナナを酒用に用い、焼畑でできたキャッサバから作るウガリを主食としている。ウガリとは、穀物や根茎類を乾燥させて粉にしたものを熱湯で溶いて作る練り餅のようなものだ。

最後のレガ人は、海抜８００メートル付近のコンゴ盆地の低地に住む人口２００万人を超える大民族である。レガ人も焼畑農業によりキャッサバ生産をし、キャッサバのウガリを主食として生活しているが、テンボ人やバシ人に比べ、それほど熱心に農業生産をしているようには見えない。その原因は、キャッサバを生産してもそれを販売する都市が近くになく、さらに都市への流通ルートもないからである。このため、レガ人は自給用としてしかキャッサバを生産せず、焼畑農業は小規模なままである。このように市場経済へのアクセスがないことにより、レガ人は焼畑農業を拡大することなく維持している。

農耕民の食事

収穫されたキャッサバは、水に晒して毒抜きされた後、一般に各家の小屋の囲炉裏上の乾燥棚で乾燥され、保存されることになる。この乾燥キャッサバは保存がきき、流通ルートに乗ることが可能となる。乾燥キャッサバは、毎日縦杵でつかれて粉砕され、それを熱湯で溶くと主食のウガリとなる。コンゴの東部では、キャッサバのウガリが主食として一番多く、隣のウガンダでは、プランテン・バナナが主食となっており、さらにケニアやタンザニアやザンビアでは、キャッサバではなくトウモロコシを粉砕して熱湯で練ったウガリが主食となっている。ちなみにキャッサバからできた粉のことを、日本では「タピオカ」と呼んでいる。２０００年代から日本でもブームとなった「タピオカミルクティー」には、キャッサバの粉末から作ったタピオカパールが用いられている。

コンゴ東部の焼畑農業においては、市場経済と結びついているかどうかが、農業の形態の違いに影響を与えている。自給用に成立した焼畑農業が、より多くの現金獲得のために本来の休閑体系を崩すと、バシ人のような「過耕作（持続が不可能となるような過剰生産のこと）」となり農業としての持続性が失われる。しかし、レガ人のように現金獲得ができないと、都市への出稼ぎをして現金を稼がなければならない。自然の循環体系に則りながら、日々の生活の糧をいかにして稼ぐか。バランスをとりながら持続することが、コンゴ東部の諸民族が直面する焼畑の課題となっている。

混作畑

主食のキャッサバの生産だけでなく、副食類、たとえばインゲンマメ、ラッカセイ、ササゲなどの豆類や、トウガラシ、カボチャ、ヒョウタンなどの野菜類、モロコシ、シコクビエ、トウモロコシなどの雑穀類、さらにはギニアヤム、タロなどのイモ類も、焼畑で同時に栽培されている。このような状態の畑を、「混作畑」と呼んでいる。混作畑では、1筆の耕地に同時に何種類もの作物が栽培され、順次収穫が進んでいく。また、焼畑耕地のほかにも、屋敷畑（キッチンガーデン）では、トウガラシ、ゴマ、ナス、トマトなどが作られ、毎日の食事にバリエーションをつけている。副食としては、アブラヤシの油で野菜が塩とともに煮込まれる料理が多かった。たとえば私の経験では、テンボ人の村の食事で最も多かったのは、キャッサバのウガリとキャッサバの葉のヤシ油煮込みであった。

（末原達郎）

34

キンシャサでブタを飼う

★メガシティでの新たな生き方★

コンゴの首都キンシャサは、アフリカ有数のメガシティといわれている。人口総数は、2010年には850万人だったのが2019年では1000万人を超えている。その結果、そこで暮らす住民にとってタンパク源となる食料の需要が大きく増えた。コンゴ川でとれる魚類や森の野生動物のほかに、近年ではウシやブタやニワトリなどの家畜・家禽の肉が活用されている。

私は、今から10年以上前にキンシャサの中央市場やマシナ市場を訪問する機会があり、庶民の食卓事情をかいまみることができた。まず、野外市場で目にするのが野生動物の肉である。台の上に置かれた鼻のとがったカワイノシシの大きな頭（写真1）、その後ろにはダイカー類の頭がみられる。室内の市場には、内臓が除去されたサルの燻製が山積みとなり、紐で縛られ動けなくなった多数のワニが部屋の端に固まっている。これらはみな、都市住民のタンパク源として人気の高いブッシュミート（野生動物から得る食肉）である。

そして、市場のなかには豚肉専用の売り場がある。そこには、肉切れのほかに2頭の生きた白ブタがいた（写真2）。それ

市場内に置かれる生きたブタ（写真2）

市場で売られているカワイノシシの頭部（写真1）

は、その日の肉の需要に応じてその場で屠畜して販売するためであり、売られている肉が新鮮であることがうかがえる。一方で、市内にはスーパーマーケットがあり、ここでもまた豚肉は部位ごとに分かれて販売されている。

ブタ飼いの暮らし

それでは、このような豚肉や生きたブタは、どこから運ばれてきたものであろうか。私は、２０１０年12月および２０１４年3月にキンシャサ市内で販売されているブタの飼育者がどこに暮らし、どのような飼い方をしているのか、養豚の実情を調査した。その結果、これらの肉が、都市内の養豚従事者やキンシャサから数百キロも離れた農村の飼養者から供給されていることがわかった。例えば、キンシャサ市内の場合はどうだろうか。マシナ市場に近い住宅密集地を訪れると、一見ブタを飼っているようには見えない家がある。しかし、家屋の裏側のわずかな隙間にコンクリートに囲まれた空間があり、鉄製の扉がついてブタが数頭飼われていた（写真3）。そのブタは、在来の黒豚ではなく欧米から移入された白豚（タムウォース種）であった。このように、養豚は都市に暮らす庶民のサイドビジネスになっているように思われた。

いっぽう飼養頭数の多い大規模な養豚は、都市郊外で行われていた。街の中心部から南西部に10キロ離れた集落のはずれでは、川沿いの崖の下にブロックを積み上げた豚舎がつくられていた。そこには、7つの部屋がありそれぞれの部屋には雌ブタが入れられ、合計で52頭のブタが飼われていた。ブタのなかには、黒色のまだらが混じっている白ブタもみられた。そして、2名の共同所有者が、2名の男性を1人あたり月約30ドルの賃金で雇ってブタ飼養をしていた。

家屋の裏側の隙間で飼育されているブタ（写真3）

それぞれの部屋にいる7頭の雌ブタの成獣のうち5頭は、同じ日に生まれている。そしてそれぞれが7～8頭の子供を出産していることになる。子供の出産日は、同じ日に生まれた5頭とも2010年12月4日から7日の時期に集中している。また、数日に1回の割合で獣医師がこの豚舎を訪問しているというのにも驚いた。これには、近年増えているブタの感染症への恐れが反映されている。

キンシャサならではの餌事情

では、飼養されているブタの餌はどうしているのだろうか。キンシャサの場合、その最も大きい比重を占めていたのは市内のビール工場の廃棄物である麦芽の粕であった。私は、荷台にブタの餌

餌が与えられた豚舎のブタ（写真5）

ビール工場の廃棄物の運搬（写真4）

らしきものを山積みしたトラックを見たことがある（写真4）。これが、ビール工場の廃棄物と思われる。これらは、輸送費は必要であるものの無料で多数のブタ飼養者に提供されていた。キンシャサは、赤道に近い湿潤熱帯の低地に位置していて庶民のあいだでのビール（SKOLかPRIMUSが一般的）の需要が多い。市の中心部に2つの大きなビール工場があり、そこでの製造途中で生まれた廃棄物が利用されることになる。

その一方で、上述した都市郊外の大規模なブタ飼養者は、豚舎に隣接してキャッサバ畑をつくっていた。キャッサバの根茎は人の主食の1つになるが、豚舎の近くに植えたキャッサバやサツマイモの葉もまたブタに与えられることになる（写真5）。餌は、1日に2回、朝と夕方に与えられる。ブタの重量は4〜6ヶ月で50キロになり、80〜100キロの重さになると販売されるという。

ブタ飼養は利益をもたらすか

結局、私は、キンシャサ市内で6軒の養豚従事者を確認することができた。個々の経営者の年齢は38〜59歳。民族は、モンゴ（Mongo）、ブザ（Mbuza）、コンゴ（Kongo）、ナンデ（Nande）など多様な人々から構成されていた。このうち2軒は警察官、学校の先生と宣教師が1軒ずつ、残りの2軒が農民が経営するものであった点も興味深い。いずれも副業であることがわかる。また、彼らがブタ飼育を始めたのは、4年から14年前であった。さらに飼育頭数は、8頭から500頭までと大きな違いがみられたが、400、500頭の飼育者は、過去に感染症の豚コレラのためにブタが全滅するという経験をしていた点が印象に残った。そういったリスクがありながら、豚肉の価格が高く利益が多いのも事実である。1キロの肉は、中央市場にて7000FC（コンゴ・フラン、約450円に相当）、スーパーマーケット（店名はPeloustore）ではさらに高価で1万FC（約700円）で売られていた。

これらのことから、キンシャサでのブタ飼養は、過去10年あまりで急激に成長してきた仕事であり、都市生活者のサイドビジネスとしても成長してきたといえるが、頭数を増大した経営者には感染症の問題を見出すことができた。つまり、キンシャサでは、小規模養豚の場合には上述したようにビール工場で生まれた廃棄物を餌として利用でき、比較的コストのかからない副業となっている経済活動ではあるが、郊外の大規模養豚になると儲けも大きい代わりに感染症のリスクのある産業になっている。

（池谷和信）

35

河の民ロケレ

★キサンガニ西方の交易活動★

スタンレーの記述にもある漁撈民ワゲーニャの伝統漁法（写真1）

アフリカ大陸のほぼ中心部、かつて探検家ヘンリー・モートン・スタンレーが「暗黒大陸」と呼んだ鬱蒼と繁る大密林にはコンゴ河水系が網の目のように張り巡らされている。首都キンシャサからの水上交通の終着点であるチョポ州の州都キサンガニでは、彼が旅した当時とほぼ変わらない情景を今も目にすることができる。急流の真ん中に櫓を立てて魚籠を仕掛ける伝統漁法（写真1）や激しい河の流れを悠々と越えていく水上航行の技術など、先人が培ってきた知恵は今もこの土地に色濃く残っている。本章では、紛争後のコンゴ社会を展望するために、時代を通じて人々が積み重ねてきた営為に改めて光を当てたいと思う。

1998年に勃発した第2次コンゴ戦争によってこの国の流通システムは崩壊した。紛争により540万以上の人命が失われ、橋や道路などの陸上輸送インフラも破壊された。国家の崩壊に陥ったコンゴでは、中央政府によるインフラ再建は期待できない。橋が落ちたことで車両の往来が途絶え、かつて地方都市を結んでいた国道は荒廃の一途をたどっている。熱帯林の侵食にさらされ、現在ではかろうじてバイクでの通行が可能なか細い道が残るばかりだ。紛争によって車両交通が寸断された結果、生活の存立基盤は揺るがされている。

森林地帯にまで集荷や仲買に訪れていたトラックの往来が途絶え、人々はコーヒーやヤシ油など換金産物の販路を失った。今日では現金稼得の機会に乏しく、塩や衣類など日用品へのアクセスも制限されている。もちろん、彼らが最低限生きられるだけの恵みは森から採集できるものの、村にとどまっているだけでは子どもたちの学費や医療費に充当するに十分な現金収入は得られない。そのため、森林内の農村に暮らす人々は、今日、流通活動に自ら参画するようになった。村で獲れた魚や獣、あるいはキャッサバやコメなどの主食作物を背負って「森の道」を越え、販路が得られる河沿いの定期市へと歩き続ける。彼らは時に往復3週間かけて500キロ以上の長距離徒歩交易を実施することで糊口をしのいでいるのだ。

その一方、森の民が目指す河川沿いの定期市は、紛争後、流通の中心的な結節点となり活発な商業活動が観察できる。河川沿いの市場には、時に400艘を超える丸木舟や1000人以上の商人が参集する（写真2）。市場の辻という辻は人々の熱気で満たされ、売り子のかけ声や大音量のリンガラ・ミュージックが鳴り響く。都市や農村から持ち込まれる多様な商品が売買され、市場は日本の縁日にも似た心地よい活気で包まれる。こうした市場での調査を続けるにつれて、植民地期に打ち立てられた陸上輸送インフラは紛争により確かに失われたものの、人々は「河の道」を通じて流通の再編を試

河川沿い市場の遠景（写真2）

みていることが次第にわかってきた。

チョポ州の水上交易において最も主導的な地位を占めているのは、ロケレという民族である。彼らは漁撈を中心とした生業形態をもち、屋形をかけた丸木舟で河川を縦横に移動するという生活を送ってきた。加えて、植民地化以前から周辺の焼畑農耕民との間で物々交換市を開設するなど、いち早く商業へと参入し、今日では定期市を起点に流通ネットワークを広げつつある。

ロケレ商人の多くは、河川沿いに点在する5つか6つの定期市を曜日毎に巡回することで生計を営んでいる。早朝6時から16時まで、彼らは市場の露店で衣服や電化製品、雑貨など都市で仕入れた工業製品を販売する。市が閉じれば、数百キロの重さにもなる商品を複数の梱《こり》に入れて丸木舟に積み替え、翌日開く市へと移動する。彼らは、居住村ではなく、市場の露店で夜を明かすという移動生活を通じて各地に工業製品を供給している。

河川交易における彼らの優越性は民族が培ってきた在来の知識に支えられている。特に、櫂を操り丸木舟で河川を自由に行き来するロケレの技術は卓越していた。彼らに同行していると、機械による助けもなく身一つで定期市を結ぶたくましさに驚かされる。市場での販売作業を終え、しばしの休息をとるやいなや、再び月や星の他に何の明かりもない河へと果敢に漕ぎ出していく。彼らの鼻歌と櫂がかなでる水の音だけが耳元に響いてくる。商品を満載した長さ10メートルほどの丸木舟を巧みに操り、ロケレは各地の市場を巡っていく。

河を下るのとは対照的に、河の流れに逆らった商品の輸送には途方もない労力や技術が求められる。コンゴ河を遡上する際、ロケレは、長さ3メートルほどの「ポンド（pondo）」と呼ばれる棹を用いる。金属製の鉤爪がくくりつけられた棹先を水底に差し入れ、文字通り丸木舟を押し進める（写真3）。遠方の市場へと河を遡上する際には、額の汗を指先で拭いながら夜半から早朝にかけて8時間以上にもわたって丸木舟を押す。彼らは日々の生活を成り立たせるために過酷な労働によって紛争後の社会状況を克服しようとしていた。

ポンドを用いた河の遡上（写真3）

もちろん、河の民ロケレが日々積み重ねている交易活動には、多くの困難やリスクがある。河川航行には転覆による商品喪失や命の危険も少なくない。河は、数年かけて増やした資金や商品はもちろん、時に商人たちの命すらためらいなく呑み込んでいく恐ろしい場所なのだ。彼らは生活を成り立たせるために死というリスクも厭わず、河という自然と対峙していると言える。しかし、彼らはそうした危機に対して、伝統の技のみに頼った受動的な対処に終始しているわけではない。彼らは自分たちの生活世界の境界を越えることで、むしろ貪欲に機械動力や構造船の導入など様々な技術や知識を取り込みながら事態の解決に挑んでいる。「旅するものの目は開かれる。旅するからこそ知恵が生まれる」というロケレの越境への志向が、紛争後の社会にいかなる展望を拓いていくのか、今後も注視していくことが必要であろう。

（高村伸吾）

36

森林地域と都市の市場のつながり

★人の移動と商品の流通★

広大な面積をほこる森林におおわれたコンゴの「森の世界」では、森がもたらす恵みに強く依存した伝統的な暮らしを営んでいる人々がいる。一方で、巨大都市キンシャサを筆頭に、多くの人とモノが集まった現代的な都市が各地に点在している。コンゴの特徴は、このような対極的な生活環境が併存していることにある。そして、「森の世界」と都市とのあいだでは、人とモノがたえず行き交っている。

しかしながら、各地をむすぶ道路網はきわめて脆弱である。外国資本のプランテーション会社が操業していた1980年代ころまでは、コーヒー、ゴム、ヤシ油などの商品を輸送するトラックが森の奥にまで出入りしていたが、内戦によって外国企業がことごとく撤退すると、道路網は整備されなくなって崩壊していった。内戦終結後も、とくに地方部の道路網は荒廃したままであり、森林地域に暮らす人々は、徒歩や自転車など人力での移動を余儀なくされている。一方で、各地につながるもうひとつの動脈として河川がある。森林のなかに網の目のように広がった河川は、森の世界と都市とをむすぶ生命線である。

私は2017年、本書の執筆者でもある山口亮太氏と高村伸吾氏とともに、ボノボの調査地として知られるチュアパ州のワンバ村から、赤道州の州都でコンゴ河に面した都市ンバンダカまで、ワンバ村の住民らとともに船で旅をした。ここでは、「森林地域と都市の市場のあいだの人の移動と商品の流通」という点に着目してこの旅をふりかえってみたい。

深い森にいだかれたワンバ村は、動植物や昆虫などの資源の宝庫である。なかでも季節的に発生するガの幼虫（ビンジョ）は、貴重なタンパク源であるとともに、都市部での需要が大きい有力な現金収入源である。一方、森をひらいておこなわれる焼畑では、キャッサバをはじめとするさまざまな農作物が収穫される。農作物だけでなく、キャッサバとトウモロコシを原料とする蒸留酒（ロトコ）やアブラヤシをしぼってつくられる油など、農作物由来のさまざまな加工品も生産される。とくにロトコは、地域内で飲まれるだけにとどまらず、都市の人々にも強く好まれており、ビンジョとならぶ有力な商品である。

豊富な資源をかかえる一方で、ワンバ村周辺の道路網はいちじるしく荒廃しており、バイクを所有する者がごく一部いるが、ほとんどの住民は徒歩や自転車で移動するよりほかない。河川を移動して商品をやりとりする交易商人が出入りしているものの、その数はかぎられており、商品を販売して現金収入を得たくてもなかなかその機会がない状況にあった。

そこで、多くの商品を町に運ぶために住民とともに企図したのが、船による輸送であった。こちらで船を借りて輸送を助けるので、売りたい商品を集めてほしいと呼びかけると、人口３０００人弱の村の多くの人が参加して、ビンジョの採集やロトコの生産をはじめとした商品の準備にいそしんだ。その結果、約1ヶ月のあいだに乾燥させたビンジョ約７４００キロ、ロトコ約１５００リットルをはじめ、ヤシ油、乾燥魚、キャッサバ、トウモロコシ、蜂蜜、さらにはヤギやブタなどの家畜といった膨大な商品が集まった。大ざっぱな計算で日本円にして約130万円に相当するものであり、森林資源の高いポテンシャルがうかがわれた。

集められた商品。袋にはビンジョ、ポリタンクにはロトコが入っている

これらの商品を船に積み込む。30メートルにおよぶ巨大な丸木舟を2艘つなげ、そこに柱を立てシートをかぶせて屋形船状にしたもので、15馬力の船外機2機で動かす。ワンバ村からンバンダカまで約800キロ、船の上で生活しながら昼夜を問わず走りつづけた。ワンバ村に近いあたりの川幅はそれほど広くなく、木をくりぬいて造られた丸木舟に乗った漁師が投網や仕掛け網を用いてあちこちで魚をとっている。川ぞいには漁師たちが泊まるための小屋が点在しており、とれた魚がそこで燻製にされている。下流に行くにしたがって川幅は広くなり、板材を組んだ2～3層構造の「バリニエ」と呼ばれる木造船が、大きなエンジン音をひびかせ、あふれそうなほどの旅客と貨物をのせて進んでいく。

いくつもの支流と合流して川幅はさらに広がり、やがてコンゴ河にいたる。流域面積と流量がアマゾン河につ

輸送に用いた船

ぐ世界第2位の大河・コンゴ河は、人々にとって水産資源や生活用水をもたらす生活の支柱であるとともに、流域の都市につながりキンシャサにまでいたる移動のための大通りでもある。丸太をつなげた伝統的なつくりのいかだから、丸木舟、バリニエ、さらに、鉄のはしけを連結させた全長数百メートルの動力船にいたるまで、大小さまざまな船が行き来している。いかだには数人が乗っており、上につくられた草ぶきの小屋で生活しながら、川の流れに任せてのんびりと町をめざしている。町に着くといかだは解体されて木材として売られる。一方、数百人もの乗客と膨大な荷物、さらに家畜や交易品などをのせた巨大な動力船は、数週間かけて流域の各都市からキンシャサへ、あるいはキンシャサから各都市へと移動する。交通手段というより動く町といえるような規模である。

こうした旅を経て、私たちは1週間後にンバンダカにたどり着いた。港に着くやいなや、というよりも港に着く前から、商品の買いつけに商人が集まってくる。商人たちは、こちらの船がやって来るのをみつけると小型船で向かってきて、船に乗り込んできて家畜や魚を買っていく。港の倉庫に運び込まれたほかの商品もすぐに買い手が見つかり、輸送した商品を数日間で売りさばくことができた。乾燥させたビンジョは、タンパク源として価値が高いうえに、その味も多くの人々に好まれており、国内だけでなく国外にまで輸出される。ロトコは、都市のあちこちに点在するバーで飲まれる庶民の味で、とくにワンバ村周辺でつくられたものは評判が高い。森林地域からもたらされる食料や飲料が大都市の人々の食生活を支えていることがみてとれる。一方、船旅に参加した村の人たちにとって都市で買い物ができるのは貴重な機会であり、塩、石鹸の材料、薬など村で販売するものを大量に仕入れたり、農具、建材、日用品などをまとめて購入したりしていた。村の人たちには、森の世界では手に入らない工業製品に対する高い欲求があることがわかる。

森林地域に潜在する豊富な資源が都市の生活を支え、森林地域の生活にとって貴重な工業製品が都市から各地へと流通する。絶え間ない人々の移動がそれを媒介する。このようにして、森の世界と都市は強く深くむすびついているのである。

（松浦直毅）

37

鉱物資源を売って魚を買う

★鉱山都市住民の経済活動★

キンシャサに次ぐコンゴ第2の人口を擁する主要都市、それがルブンバシだ。ルブンバシはコンゴ南東部のオー・カタンガ州の州都で、人口は約120万人と推計されている。銅、コバルト、ウランなどの鉱物資源が豊富なオー・カタンガ州には、鉱山都市がいくつかあり、各種の鉱山会社がその拠点をルブンバシに置いている。主要都市だけあり、ルブンバシには国際空港に加えて、ザンビアからアンゴラ領内へと続く鉄道駅もあり、交通の要衝ともなっている。

ルブンバシがコンゴ有数の都市で、特に鉱物資源が豊富な鉱山都市であることを私が知ったのは、ルブンバシを訪問した後のことだった。ルブンバシに関する私の認識は、タンザニアから輸出される魚加工品の一大集積地というものだった。タンガニーカ湖を挟んで東に国境を接するタンザニアでは、スワヒリ語でダガーと呼ばれる小魚が各地で水揚げ・加工され、国内外で重要なタンパク源として利用されている。私は、タンザニアにおけるダガーの漁業・加工・流通に関する調査を主な研究テーマとしている。ダガーとは小魚の総称で、特定の魚種を指す単語ではない。ヴィクトリア湖、タンガニーカ湖、マラウイ湖などの内水面、インド洋沿岸域等、タンザニア各地で種の異なる小魚が漁獲・加工され、いずれもダガーと呼ばれて流通している。

私の調査地の1つ、タンガニーカ湖畔の街キゴマとその周辺の漁村で、コンゴ人商人がタンガニーカ湖産の乾燥ダガーを大量に買い付けている姿は、私にはごく自然なこととして受け止められた。コンゴ、タンザニア、ブルンジ、ザンビアの4ヶ国が接するタンガニーカ湖は、南北に約670キロと長いが、東西の幅は40～50キロとさほどでもなく、両岸のタンザニア、コンゴに住む人々にとっては、湖を渡って隣国を訪れることは、自国の首都を訪れることよりもはるかに容易いことだ。

ところが、インド洋上に位置するタンザニアの島嶼地域ザンジバルにも、コンゴから多くの商人がやってきて海のダガーを買い付けているのに遭遇し、私はとても驚いた。ザンジバルではカタクチイワシの漁業と、加工産業が盛んだ。漁獲されたカタクチイワシは、塩茹でされた後に天日乾燥され、まさに「煮干し」に加工されている。そして、その大部分がコンゴに輸出されているのだ。内陸のコンゴからインド洋沿岸部まで来て、さらに海を渡ってザンジバルまでダガーを買い付けに来る商人たちは、皆一様にルブンバシから来た、ルブンバシにダガーを運ぶという。これが、私がルブンバシという地名と出会った最初だった。

ザンジバル各地の漁村で集荷されたダガーは、フェリーでタンザニアの首座都市ダルエスサラームに運ばれる。ダルエスサラーム到着後、ダガーはトラックに積み込まれ、タンザニア－ザンビア国境の街トゥンドゥマまで運ばれ、ここで出国の手続きを済ませて越境する。ダガーはさらにザンビア領内を通り、ザンビア－コンゴ国境の街カスンバレサでコンゴに入国し、ルブンバシ市内のンジャン

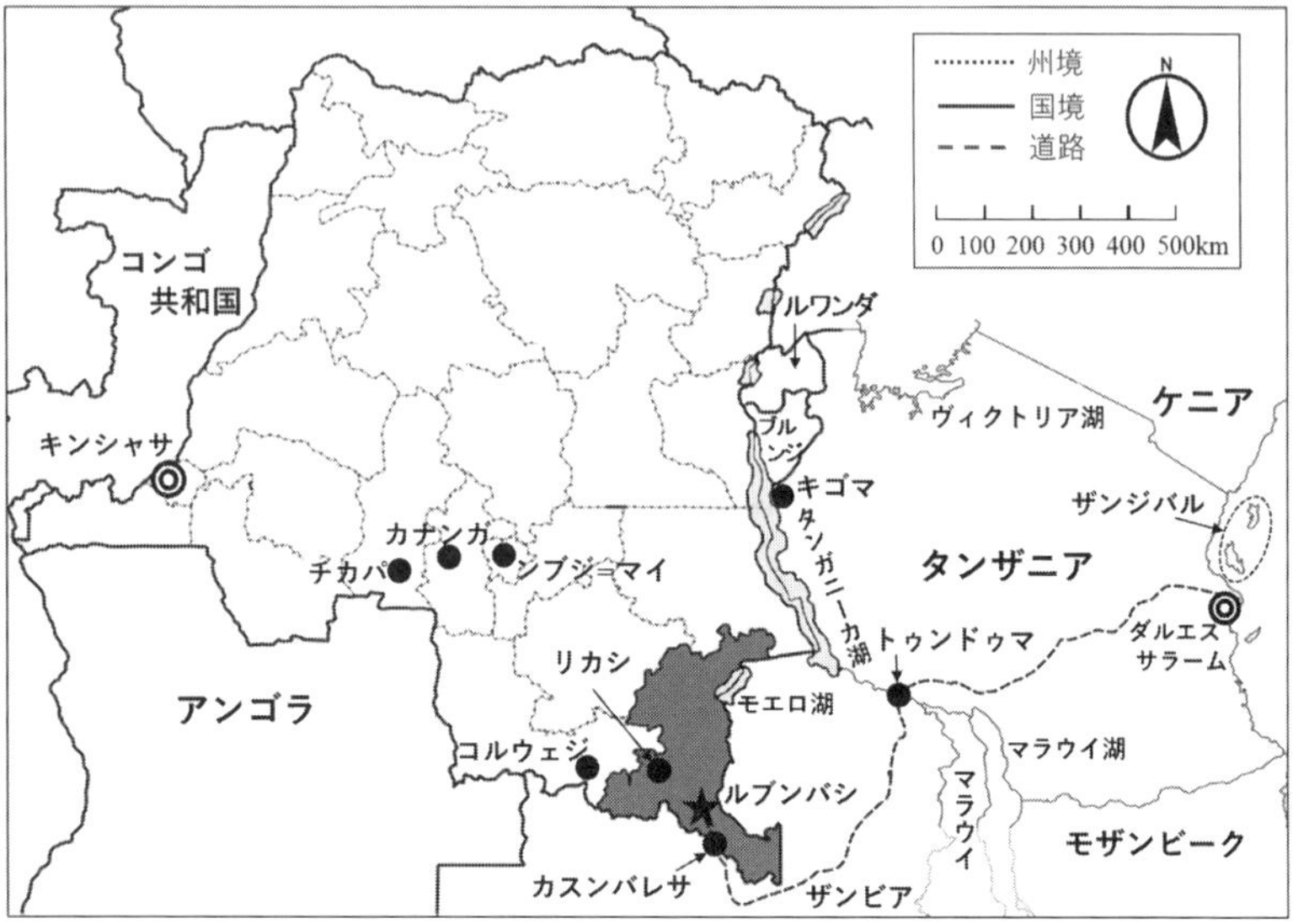

図１　オー・カタンガ州、ルブンバシの位置およびここに集積する魚加工品の主な産地

ジャ市場へと運ばれる。ンジャンジャ市場は45の食料倉庫が立ち並び、約６００人もの国内外の商人が出入りする魚加工品専門の巨大市場だ。ザンジバルからルブンバシまで自らダガーを売りにきたというザンジバル人商人にも、ここで出会った。

ンジャンジャ市場では、他にもタンガニーカ湖、マラウイ湖、カリバ湖の小魚、モザンビークのインド洋産小魚も取引されていた。また、コンゴ－ザンビア国境に位置するモエロ湖南部の街カセンガ産の加工魚や、スーダンから輸入されたという魚加工品も売られていた。国内外の魚加工品が集まるンジャンジャ市場では、一般消費者向けの小売りも行われてはいるが、ここからさらにコンゴ各地に魚加工品を流通させる卸売市場としての役割が大きい。

ザンジバル産の乾燥ダガーは、オー・カタンガ州内の都市リカシ、コンゴ中南部の主要都市コルウェジ、ンブジマイ、カナンガ等に流通していた。コルウェジやリカシにはカスンバレサから直接輸送する商人がいるとのことだ。また、ザンジバルのダガーの一部は、空路でキンシャサにまで流通しているという。コンゴ各地の都市部では人口増加が著しく、それらの都市住民のタンパク源として魚加工品が周辺国からルブンバシに集積しているのだ。ンジャンジャ市場での人々との会話から、ルブンバシの人々が自国あるいはオー・カタンガ州の経済活動をどう認識しているかを示す興味深い言説が聞かれた。それは次のようなものだ。

「我々は鉱物資源を売って外貨を稼ぎ、そのお金で周辺国から食料を買っているのだ」

コンゴの国家統計データが人々の言説と合致するかどうかはさておき、ルブンバシ市民にとっての「我々の国（地域）は鉱物資源を売って稼いだ金で、外国から食料を買っている」という認識は、ある程度実状を表しているという印象を私は受けた。その印象を強めたのは、リカシ市の市場を訪問した際の出来事だった。

リカシ市はルブンバシから北西に約120キロの距離に位置する鉱山都市で、ザンジバルのダガーが複数の市場で販売されている。

ンジャンジャ市場で小売りされる各種の魚加工品

大量の魚加工品をンジャンジャ市場に運ぶトレーラー

リカシでの調査中、ルブンバシ在住で私の調査を手伝ってくれていた男性がこんな話をしてくれた。第2次世界大戦末期の1945年8月6日に広島に投下された原爆の材料となったウランは、ここリカシで採掘されたものだというのだ。当時コンゴはベルギーの植民地で、ベルギー領コンゴと呼ばれていた。ベルギー政府が国策会社として経営していたシンコロブウェ鉱山は、現在のリカシ市に位置する。このシンコロブウェ鉱山で採掘されたウランが、ベルギー政府から「マンハッタン計画」を極秘裏に進めていた米国政府の手に渡り、広島に投下された原爆の材料となったというのだ。リカシは現在もウランの重要な産地であり、鉱山で働く人々の被曝が度々問題となっている。日本人の私が全く知らなかったリカシと日本のつながりは、現地の人々に広く認識されており、日本人がリカシに来たならぜひ話さねばと思って話してくれたようだ。リカシでは、ウランこそが今も昔も経済活動の中心にある。

また、鉱物資源と魚加工品が直接交換されているという話も耳にした。カサイ州に位置する都市チカパでは、アンゴラで採掘されたダイヤモンドが持ち込まれ、ダイヤモンドとダガーが交換されているというのだ。アンゴラは世界第4位のダイヤモンド産出国で、多くの労働者がダイヤモンド鉱山で働いている。その鉱山労働者のタンパク源として、ザンジバルのダガーが利用されているのだ。ンジャンジャ市場でも、アンゴラにダガーを売りに行くという商人数名と出会った。インド洋に浮かぶ島ザンジバルで生産されたダガーは、遠く離れたコンゴ南東部やアンゴラで、鉱山都市の人々の食生活を支えているのだ。直接的か間接的かはともかく、鉱物資源を売って魚を買う経済活動は、これらの地域で確かに行われている。

（藤本麻里子）

38

統計で見るマクロ経済の変遷と実体経済

★フォーマルとインフォーマル★

コンゴ経済は、独立後どのような軌跡を辿ってきたのだろうか。それを知るために、統計を利用することは有益だ。コンゴに関する統計資料は不完全で、そのまま鵜呑みにすることは危険である。しかし、それを前提とすれば、長期の経済トレンドなど、統計から確認できる事柄も少なくない。世界銀行のWorld Development Indicators（ＷＤＩ）などのデータを利用して、コンゴ経済の大きな流れを把握してみよう。

まず、最も基本的な情報として、国内総生産（ＧＤＰ）の推移を見る。図1が示すように、独立後の経済成長のトレンドは、概ね3つの時期に分けられる。第1に、独立以降1970年代半ばまでの時期である。この時期、1人当たり所得は着実に増加した。1961年のＧＤＰは大きく落ち込んでいるものの、コンゴ動乱の影響は顕著には見られない。国際資源価格も比較的堅調であったのだろう。

第2の時期は、1970年代半ば以降2000年までである。1980年代まではＧＤＰが停滞、そして1990年代には大きく低下している。ＧＤＰの落ち込みは、1990年代前半が著しい。1991年や1993年など、この時期続けざまに起

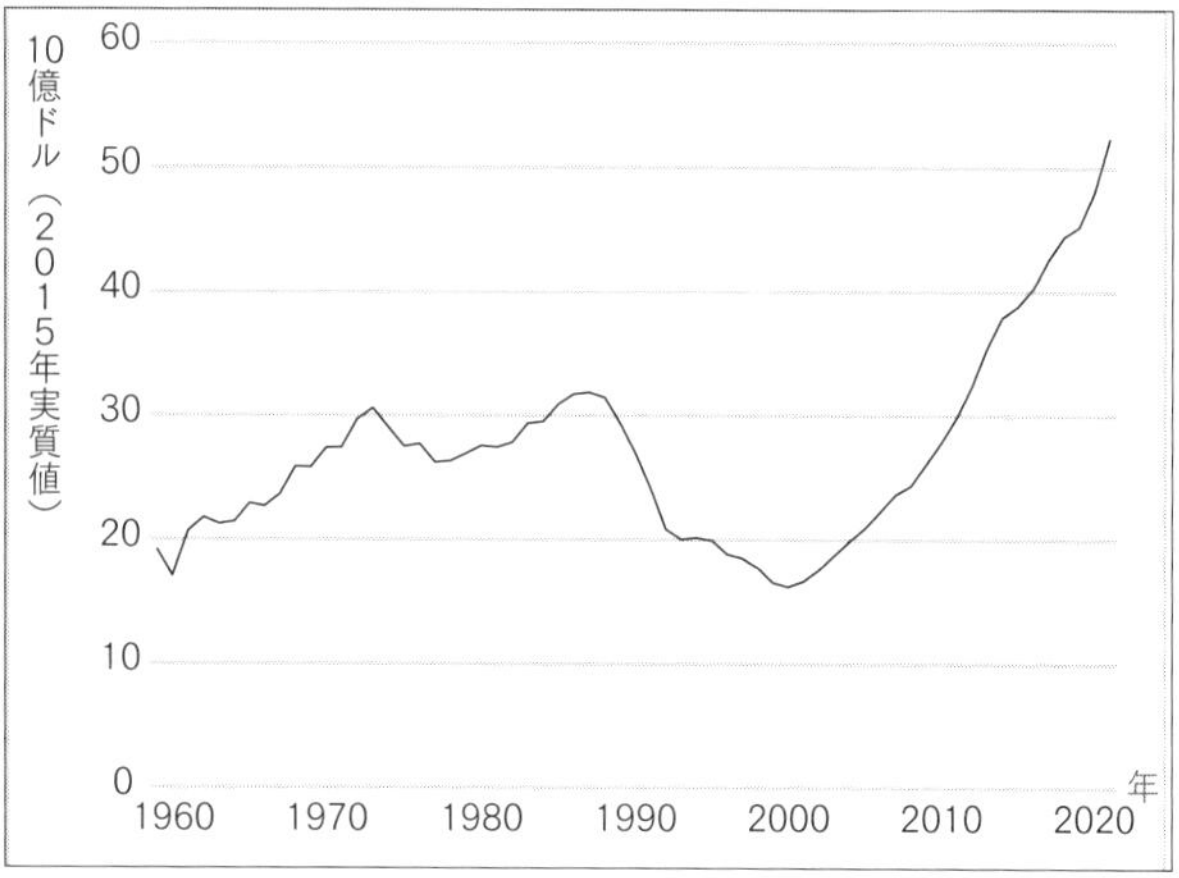

図1　コンゴの実質GDP推移（1960～2022年）
出典：WDIから筆者作成。

こった大規模な暴動や略奪が、短期的には戦争以上に経済にダメージを与えたことがわかる。

第３の時期は、２０００年代以降である。ここでは右肩上がりでＧＤＰが成長している。この経済成長を支えたのは、輸出である。図２に示すように、コンゴの輸出額は１９９０年代末以降一本調子で増加し、20年間で５倍以上も拡大した。マクロで見ると、コンゴの輸出のほとんどは、鉱物である。例えば、２０１７～19年の輸出内訳を政府統計で見ると、その８～９割を鉱物が占めている。ここから推測できるのは、２０００年代以降の経済成長が、鉱物資源の輸出拡大によって支えられたことである。上記政府統計によれば、２０１９年の輸出額上位品目として、銅、コバルト、ダイヤモンド、金、スズ、ニオブ、タンタル、バナジウムなどの鉱物が並んでいる。

独立後のＧＤＰの推移を、１人当たりで示したものが図３である。同じＧＤＰの推移とは言え、図１

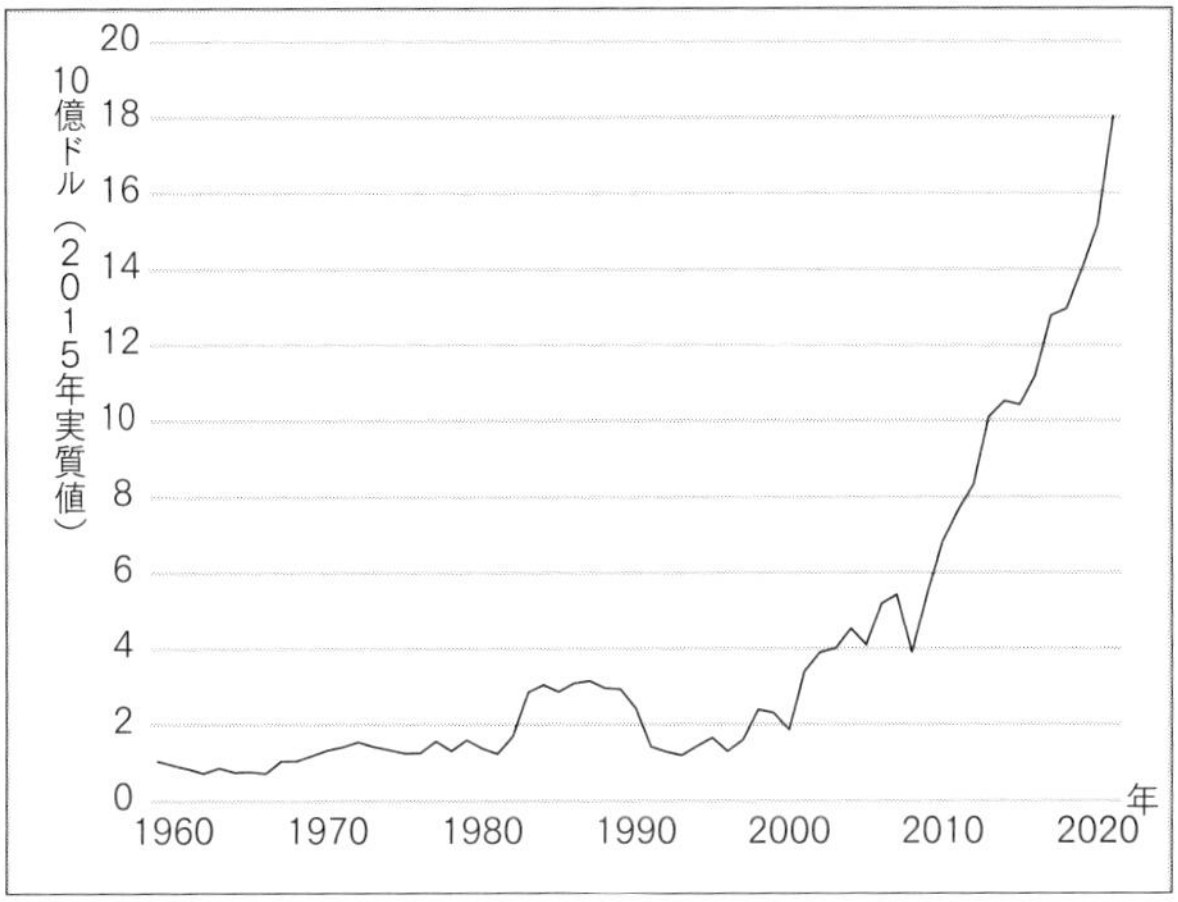

図 2　コンゴの輸出額推移（1960 ～ 2022 年）
出典：WDI から筆者作成。

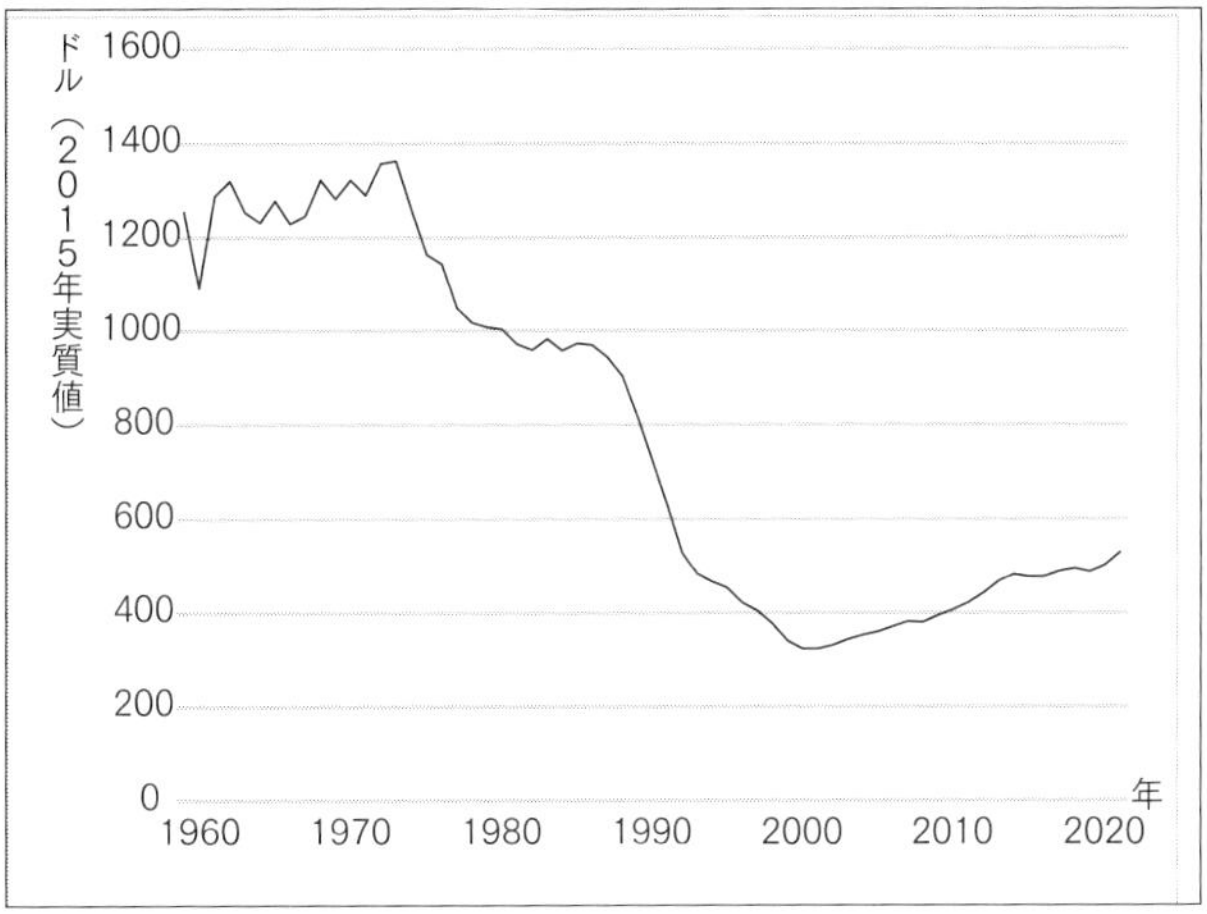

図 3　コンゴの 1 人当たり実質 GDP 推移（1960 ～ 2022 年）
出典：WDI から筆者作成。

とは形状が大きく異なる。言うまでもなく、GDPを総人口で除すからである。コンゴは独立後、急速な人口増加を経験した。1960年に1500万人強だった人口は、2020年には9000万人を超えたと推計されている。このため、独立直後はかなり高い水準にあった1人当たりGDPは、先の第2期に大きく落ち込み、その後の経済成長過程においてもわずかしか回復していない。

以上の簡単な分析から、コンゴの経済動向について一定の予測が可能である。コンゴのフォーマル経済は、圧倒的に鉱業部門に依存している。その相当部分を占める銅とコバルトは、20世紀初頭以降は「ユニオン・ミニエール・デュ・オー・カタンガ」（上カタンガ鉱業連合）社が、そして1967年の国有化以降はジェカミン社が活動していた南東部カタンガで生産される。21世紀に入ってジェカミン社は民営化され、その大部分を中国系企業が握るようになった。この先も所有企業が変わる可能性はあるが、エネルギー転換の中で需要が増している銅、コバルトの生産と輸出は拡大基調となるだろう。つまり、当面はコンゴの輸出は増加を続け、したがってGDPも成長を続けるであろう。ただし、それが国民一人一人の所得水準を大きく引き上げることは期待できない。国民が個人レベルで経済成長の果実を享受するには、鉱業部門だけでなく、より幅広い部門での成長が必要になるからである。

ここまで、統計資料に基づいて独立以降のコンゴ経済のトレンドを辿ってきた。読者に注意を喚起したいのは、こうした統計は基本的にフォーマル経済が反映されたものであり、それは実体経済のごく一部に過ぎないことである。鉱業部門をとっても、そこには膨大なインフォーマル部門が存在する。コンゴには、人々が手掘りでコバルトやスズ、金やダイヤモンドを採掘する小規模鉱業が広く存在する。特に東部では、武力紛争でインフラが破壊され、農業が甚大な打撃を被る中で、農村部の若者が大挙して小規模鉱業部門に流入した。こうした活動で採掘される鉱物は、武装勢力の資金源となって、周辺国に密輸されることが多い。すなわち、それらは統計資料に反映されにくい。

この点は、農業部門ではより顕著である。コンゴには大規模な商業的プランテーションも存在するが、農業部門の圧倒的多数を占めるのは家族経営を中心とする生存維持農業である。彼らのＧＤＰに対する貢献は、多くの場合は人口をベースに推計される。農産物の生産量も、多くは前年実績に基づく推計に過ぎない。

政府統計に捕捉されないという点では、都市部も全く同じである。首都キンシャサの人口は現在約１５００万人を超えると言われるが、労働人口の圧倒的多数がインフォーマル部門に従事する。いわゆる都市雑業層がそれで、市場や路上での物品販売、人力や自転車、リアカーなどを使った運輸業、飲食店、接客業、売春など、ありとあらゆる職業が営まれる。これらは都市の人々の暮らしを支えているが、統計にはほぼ反映されない。

インフォーマル経済はとりわけ発展途上国ではどこでも広範に観察されるが、面積が巨大で９ヶ国と国境を接するコンゴにおいて特徴的なのは、周辺国との密貿易の巨大さである。１９９１年にマクガフェイ編で出版された『ザイールの真の経済』(MacGaffey 1991) では、公式統計に捕捉されない経済活動の重要性が詳しく分析されている。多くの人類学者が本書で紹介する農業や交易も、インフォーマル経済の実態把握に格好の事例を提供する。

（武内進一）

V

政治・国際関係

39

コンゴ紛争総説

★国際関係の視点から★

独立以来、コンゴは幾多の紛争を経験し、現在もなお紛争の渦中にある。本章では、それらの紛争を国際関係の観点で整理したい。紛争には多様な側面があるが、コンゴの紛争の多くは、諸外国が関わる中で暴力の規模が拡大したという共通点を有する。以下では、その視点に基づいて、特に1990年代以降の紛争を中心に整理し、次章以降の基礎知識として概説する。

1960年6月30日に独立したコンゴが、そのわずか数日後に兵士の反乱とカタンガ州の分離独立宣言によって動乱に引き込まれていく様は、第16章で見たとおりである。そこで説明されているように、コンゴ動乱には植民地宗主国との関係や東西冷戦の影響が色濃く反映されていた。国連の軍事介入や米国の支援もあって、カタンガ州の分離独立運動は63年初めに収束したが、東部では60年代半ばまでその余波が残った。

1965～97年のモブツ政権期における重要な紛争として、1977年3～5月と1978年5月に勃発したシャバ紛争がある。アンゴラからシャバ州（カタンガ州のこと。モブツ期に改称された）に武装勢力が侵攻し、主要都市コルウェジを占拠してヨーロッパ人にも多数の犠牲者が出たが、侵攻勢力は「カタンガ憲兵隊」――すなわちコンゴ動乱時のカタンガ州治安部隊の残党で、その後アンゴラ内戦に関与してきた武装勢力であった。シャバ紛争は、コンゴ動乱とアンゴラ内戦が交差するところで起こったと言える。

１９９０年代に始まり今日まで続く紛争の発端は、ルワンダ内戦（１９９０〜94年）であった。ルワンダでは１９６２年の独立前後に紛争が起こり（第46章参照）、旧支配層のトゥチ人が多数難民として国外に逃れた。独立後、フトゥ人を中心とする政権は難民帰還を許さず、多くのトゥチ人がウガンダ、コンゴ、ブルンジ、タンザニアなどの周辺国で暮らした。こうしたなか、ウガンダのトゥチ人難民グループが「ルワンダ愛国戦線」（ＲＰＦ）を結成し、１９９０年に祖国ルワンダに攻め込んで、内戦が勃発した。

国際社会の仲介によっていったん和平合意が結ばれたものの、１９９４年４月６日にルワンダのハビャリマナ大統領が暗殺されると、「大統領を暗殺したのはＲＰＦであり、ＲＰＦを支持するトゥチ人に報復せよ」という指令が政府や軍の有力者から下され、トゥチ人に対する虐殺（ジェノサイド）が全土で広がった。虐殺をきっかけに内戦が再発すると、軍事力に勝るＲＰＦが政権派を駆逐し、７月には新政権を樹立した。

これに伴って、旧政権派は多数のフトゥ民間人とともに、コンゴ（当時はザイール。本章では時期にかかわらずコンゴと表記する）やタンザニアへと逃亡した。コンゴ東部のルワンダ国境付近には１５０万人を超える難民が押し寄せ、旧政権派勢力が武装解除されないまま難民キャンプに収容された。

ＲＰＦ政権樹立後、旧政権派勢力はコンゴの難民キャンプを拠点としながら、ルワンダ本国への攻撃を繰り返した。暗殺されたハビャリマナと親しかったモブツも、旧政権派を支援した。RPF政権は国連など国際社会に対して状況改善を要請したものの、その反応は鈍かった。難民キャンプに人道援助をする国はたくさんあったが、その武装解除を率先して行う国は現れなかった。

1996年9月にその難民キャンプで勃発した武力衝突は、RPF政権が自国軍を派遣し、またコンゴ東部のルワンダ系住民を動員して実行した旧政権派武装勢力の掃討作戦であった。コンゴ東部には多数のルワンダ系住民が居住するが、1990年代にモブツ政権の混乱が深まり、加えて1994年に膨大な数のフトゥ難民が押し寄せてきて以来、ルワンダ系住民とその他のコンゴ人の関係は顕著に悪化していた。こうした中で、RPFは掃討作戦のための多数のルワンダ系住民の動員に成功したのである。

掃討作戦を実施した勢力は、コンゴ国内の反モブツ勢力と合流し、またウガンダの支援も受けて、「コンゴ・ザイール解放民主勢力連合」(AFDL)を名乗った。そして、ローラン＝デジレ・カビラをトップに担ぎ、1997年5月にはモブツ政権を転覆させた。第1次紛争と同じく、1998年8月に始まる第2次紛争も周辺国との関係で始まった。第2次紛争は、ジンバブエ、アンゴラ、ナミビアが政権側を、ルワンダとウガンダが反政権側を軍事的に支援する「アフリカ大戦」となった(第19章参照)。この紛争は、2002年12月の和平合意と2003年6月の移行政権発足によって公式には終了したが、東部では今日に至るまで紛争が続いている。2023年末の時点で、コンゴ東部には100を超える武装勢力が存在する。

東部の紛争がここまでこじれた背景として、近隣諸国、特にルワンダの関与が重要である。移行期からその終了後にかけて、東部では「人民防衛国民会議」（ＣＮＤＰ）や「3月23日運動」（Ｍ23）といったルワンダ系コンゴ人の武装勢力が反乱を繰り返した。これらはコンゴのトゥチ人を中心とする組織で、ルワンダのＲＰＦ政権から支援を受けていた。これらの武装勢力は、コンゴ東部で脆弱な状況に置かれているトゥチ人コミュニティを守るために立ち上がったと主張した。また、ＲＰＦ政権は、旧ハビャリマナ政権派の残党「ルワンダ解放民主勢力」（ＦＤＬＲ）の脅威を理由にコンゴ東部に関与してきた。

東部ウガンダ国境ブナガナでの M23 の兵士（Al Jazeera English, CC BY-SA 2.0）

こうした主張には一定の真実が含まれているが、それだけでは武装勢力やＲＰＦ政権の行動を説明できない。ＣＮＤＰやＭ23の反乱は、同じコンゴ人トゥチ・コミュニティを中核とする「民主コンゴ連合」（ＲＣＤ）が２００６年の選挙で惨敗して政治力を失ったことがきっかけになっている。ＦＤＬＲはＲＰＦ政権にとってすでに実質的な脅威ではなくなっていたが、ＲＰＦ政権がＣＮＤＰやＭ23を支援したために反乱が拡大した。

南北キヴ州では、これらトゥチ系反乱組織とフトゥ系のＦＤＬＲの他にも、ニャトゥラと呼ばれるフトゥ系武装勢力やマイマイと呼ばれる非ルワンダ系コンゴ人の武装勢力が数多く存在している。このうち大規模な武装行動を実行できる組織は限られており、多くはそうした大きな組織の動きに対する反動や付

東部ベニ近郊におけるコンゴ軍と国連平和維持部隊の対 ADF 共同作戦（MONUSCO Photos, CC BY-SA 2.0）

随現象として結成されたものである。

それ以外に近年激しい紛争が生じているのは、イトゥリ州である。従来から牧畜民のヘマ人と農耕民のレンドゥ人の間に緊張関係があったが、第2次コンゴ紛争のなかで当初はウガンダ、後にルワンダがこの地域に介入し、コミュニティを基盤とする武装勢力を支援したために、衝突が激化した。ヨーロッパ連合（ＥＵ）による軍事介入（２００３年）などが奏功し、いったんは収まったものの、２０１０年代後半から再び紛争が激化している。

本章で論じたように、コンゴの多くの紛争は、その勃発や激化が国際関係に深く影響されてきた。一方で、注意すべきは、コンゴ東部紛争が長期化する中で、次第にそれが自律化していることである。東部紛争には未だ収束の機運がなく、武装勢力の数は拡大を続けているが、ルワンダの関与は以前ほどではない。最近の東部紛争のダイナミズムには、外部の関与よりもコンゴ国内の要因が強く影響していると言われる。コンゴ東部紛争の性格が変質しつつある現状に、注意を払う必要がある。

（武内進一）

コラム8

1998年コンゴ紛争勃発時の脱出記

八角幸雄

これは第2次コンゴ紛争勃発（1998年8月）の際の、邦人保護とキンシャサ脱出オペレーションの記録である。大使館の次席館員として、前任地のブリュッセルからキンシャサへ着任して間もない頃の出来事だった。

モブツ独裁政権崩壊後のさらなる情勢悪化を心配した外国人は、帰国を急いでいた。キンシャサ発ブリュッセル行きの便は満席だったが逆方向はガラ空きで、赴任の便のビジネスクラスは私ひとりであった。

海外を職場とする者にとっての子女教育問題は切実である。私の場合はフランス語圏での勤務が長かったので（約30年間）、子供たちは幼稚園期から赴任国にあるフランス人学校でお世話になった。ベルギー在勤時もブリュッセルのリセ（中・高校）でお世話になった。コンゴの現状に鑑み、子女の同伴が困難であることを熟知しているベルギー政府の厚意もあり、子供たちはブリュッセルに残留させることにした。

戦争の勃発に気付いたのは8月2日の深夜だった。すでに宿舎の自室で熟睡中だったが、「お父さん、誰か塀の外で花火をしているみたい」と、娘に起こされた。ブリュッセルのリセが夏休みであった子供たちは、子女呼び寄せ制度を利用してキンシャサを訪れていた。私が「こんな時間に花火をやるわけないだろう」と言った途端、至近距離でのカラシニコフの銃声が聞こえた。キンシャサ転勤の辞令を受けた時、任期中に混乱が起きないことを祈ったが、結局通じなかった。このような場所に、子供たちを呼び寄せてしまった愚かさを悔やんだ。

直ちに国境は閉鎖された。大使館の建物は大通りに面しており、近くで銃撃が発生していた。時には流れ弾が大使館の建物を傷つけていた。1993年の暴動の際に執務中のフランス大使が流れ弾を受け死亡した事件を知っていた館員は、その度に床に伏せた。ある日現地職員から、「街中で捕まった男が古タイヤを被せられ、ガソリンを浴びせられ、生きたまま焼かれている場面を目撃した」との報告もあった。領事担当官にあっては、在留邦人の安全確認・連絡の為に市内を移動中に、武装兵に銃を突きつけられる事態にも遭遇していた。

その後国境が一時的に再開した際、館員家族を含む一般の在留邦人は大使館の勧めに従って出国してくれたが、問題になったのはある宗教団体に属する二十数名の若い女性たちだった。彼女たちは出国を望まず、中には現地人の夫と十分に言葉が通じず、また乳呑児を抱えた者もいた。再度銃声が身近に聞こえるようになってから改めて出国の希望がなされたが、自ら脱出する手段はなく、大使館としても要望に応えられなかった。

米国の外交官たちは、同年8月7日に在ナイロビとダルエスサラームの大使館が同時に爆破されるテロ事件が発生したこともあり、自国の救援機での脱出を急いでいた。こうした状況下で、米国の次席館員から日本大使館員の同乗を誘われた。私は東京の指示に従い、「彼女たちも一緒に乗せて欲しい」と要請した。しかし先方から、「任務で残留している友好国の外交官は乗せても良いが、自分の都合で残っている者は駄目だ。それは米国人でも同じだ」と、断られてしまった。

15日午前、フランス大使館の次席館員から私に対し、「本日コンゴ河の渡河オペレーションを行う」旨の電話連絡が入った。特に制限は設けられなかったので、脱出を望む邦人は全員乗船できたが、定員を大幅に超過した老朽船での渡河は不安であった。彼女たちの中には、旅行気分で桟橋周辺の写真を撮ろうとする者もいた。私のパスポートを検査したコンゴ人の役人からは、「コンゴを見捨てて逃げ出す奴は、二度と来るな！」と凄まれ、数次ビザを無効にされた。

ルワンダの大虐殺事件の端緒になったファルコン機撃墜事件は有名だが、私はこの混乱に乗じて「何者かが何かを仕掛けるのではないか！」との不安に襲われた。後日ベルギーの著名な大湖地域問題専門家ブラックマン記者と話した際、彼女も「その可能性は否定できなかった」と述べていた。河の中程に至り、邦人記者から電話取材を受けた（記事参照）。予定より大幅に遅れ、暗闇のブラザビルに上陸した。心配は取り越し苦労に終わった。

その後リーブルビルへ移動し放心状態にあった私の下に、父の訃報が届いた。急遽葬儀を主催するために、日本へ帰国した。

内戦のコンゴ 日本人25人無事脱出

【ナイロビ16日＝安東建】少数派ツチ族系兵士の反乱で内戦が続くコンゴ（旧ザイール）で、混乱を避けるために大使館で脱出のため待機していた在留日本人と大使館員ら二十五人は十五日午後七時（日本時間十六日午前三時）ごろ、対岸にあるコンゴ共和国の首都ブラザビルに無事到着した。また、英、米、フランス、ベルギーなどの外国人も、船でブラザビルに渡るか、チャーター機でガボンに向けて飛ぶなどして相次いで脱出した。

（国際面に関係記事）

脱出した日本人は、民間人の女性と子ども計二十一人と、それに付き添う大使館員四人。コンゴ政府軍との交渉の結果、国境のチェックポイントが開いたため、フランスのチャーター船に乗り込み、ブラザビルに渡った。同市内のホテルに滞在しているが、コンゴ共和国内も情勢が不安定なため、ガボンの日本大使館が手配するチャーター機で、ガボンに向かう予定という。外務省によると、コンゴには、宗教関係者や、コンゴ人と結婚している人ら十四人が、本人らの強い希望で残っている。日本大使館は、当面閉鎖となる。

同大使館の八角幸雄参事官は朝日新聞に「船は定員以上の人が乗り暗い中を対岸につくまで不安で仕方なかった。女性には身重の方もいる。無事に出てこれてほっとしている」と語った。

1998 年 8 月 17 日付の朝日新聞

40

武装勢力

★紛争主体たちの系譜★

現在、コンゴには100を超える武装勢力が存在していると言われている。この武装勢力の多さはコンゴ紛争を理解する上での大きな障害だ。報道や解説を読めば、その度に違う名前の武装勢力が登場する。似たような名前も多い。武装勢力同士の関係性も流動的で敵だったはずの武装勢力同士が協力していたり、仲間だったはずの武装勢力の間で紛争が勃発していたりすることも珍しくない。武装勢力の分裂統合も頻繁に生じる。全く新しい組織が現れたかのように見えても実は既存の組織が分裂統合や改名しただけだったということも多い。コンゴの武装勢力に関する情報は決して乏しくはないのだが、このように状況が複雑で混沌としているため、継続的にコンゴに関心を持っていたとしても、コンゴ紛争で何が起きているのか、膨大な数の武装勢力が一体何者なのか、すっきりと理解することは極めて困難だろう。本章ではそのような混沌とした状況を少しでも整理することを試みる。

まず、そもそもコンゴで活動している膨大な数の武装勢力はそこで何をしているのだろうか。首都キンシャサまで攻め上り、コンゴ政府から国全体の支配を取って代わろうというような武

第40章
武装勢力

装勢力は、現在のコンゴでは基本的に見当たらない。確かにコンゴ内戦期においては政権を脅かす力のある武装勢力が存在し、モブツ政権は実際に第1次内戦で倒れた訳だが、現在チセケディ政権が武装勢力によって倒される、またそれを武装勢力が目指しているとは考えにくい。

むしろ多くの武装勢力はコンゴ東部のごく狭い地域を縄張りとして持ち、その縄張りを互いに争ったり、その中で経済的・政治的な利益を獲得したりすることを主眼として活動している。彼らは住民からの不当な人頭税や通行税の徴収、鉱物資源などの違法取引・密輸などで利益を得ている。選挙期間中の協力の見返りに政治家が援助を行うこともある。人員を確保するために、支配地域の住人を半強制的に動員する場合もあれば、一般の仕事の求人であるかのように装い他の地域などから騙して連れてくることもある。武装勢力の規模は数千人の戦闘員を抱える大規模な組織から100人程度のごく小規模のものまで様々で、十分な銃火器で武装している場合もあれば、槍や弓のような原始的な武装のみの組織もある。徴税から人員確保に至るまで武装勢力の活動の多くは、自分たちに従わないもの、自分たちを密告するものに容赦なく暴力を振るい、支援を半強制的に引き出すことで成立している。

さて、ではこれらの100を超える武装勢力はどこから湧いて出てきたのだろうか。ここでは国外からの流入、周辺国政府による形成、地元組織からの発展の3つのパターンに分けて整理してみよう。

第一に、コンゴには周辺国から多くの武装勢力が流入してきた。彼らは出身国政府の弾圧を逃れて生き延びるため、また出身国政府への攻撃の後方拠点として利用するために、コンゴに侵入する。もちろんそういったことを許さないのがコンゴ政府の役割のはずなのだが、コンゴはモブツ政権期から現在まで国外からの武装勢力の流入を防げないどころか周辺国への対抗策として黙認や支援を行ってきた。またコンゴの周辺国も自国内に多くの紛争をかかえてきたため、武装勢力の供給源となってきた。現在も注目を集めている例としては、ルワンダからの「ルワンダ解放民主勢力」（FDLR）、ウガンダからの「民主同盟軍」（ADF）、ブルンジからの「ブルンジ法治国家樹立抵抗運動」（RED-Tabara）などが挙げられる。これらの武装勢力はコンゴ国内で縄張りを持ち、そこで人々に危害を加えるだけでなく、出身国でテロ活動などを行うこともある。だからこそ彼らの存在は周辺国にとってコンゴに介入する口実となり、常にこの地域の不安定性の大きな原因となっている。

第二に、周辺国政府が自国の利益のためにコンゴ国内で武装勢力を立ち上げてきた。第1次内戦でモブツ政権を倒した「コンゴ・ザイール解放民主勢力連合」（AFDL）や第2次内戦で大きな支配地域を確立した「民主コンゴ連合」（RCD）と「コンゴ解放運動」（MLC）などはその代表格で、ルワンダとウガンダの支援なしにこれらの組織が旗揚げされ大きな勢力になるということは考えられなかっただろう。また内戦後のコンゴ東部紛争において、北キヴ州のゴマに迫りコンゴ政府にもっとも脅威を与えた「人民防衛国民会議」（CNDP）と「3月23日運動」（M23）はどちらもルワンダの支援を受けて設立されたRCDの系統に連なる組織であり、ルワンダ政府が支援する武装勢力の系譜がコンゴ紛争でいかに中心的な役割を果たしているかがよくわかる。周辺国が設立・支援する武装勢力はコンゴ政府と周辺国政府の関係次第で大きくその勢いが変化するのも特徴だ。

第三に、地域やエスニシティを基盤として様々な武装勢力が生まれてきた。ここまで周辺国の反政府組織や政府の役割について述べてきたが、コンゴの武装勢力でもっとも数が多いのがこのパターンだ。コンゴの武装勢力の一覧にはマイマイ、ライアムトンボキ、ニャトゥラなどの単語を共通に冠する無数の武装勢力が並んでいる。マイマイA、マイマイB、マイマイCといった具合でA、B、Cのところにはリーダーの名前などが入る。これらは小規模な組織であることが大半だが、南キヴのマイマイ・ヤクトゥンバのように長期間にわたって地域に大きな影響力を持つこともある。なお、地域的な基盤があるからといって地元の人々に危害を加えない訳でもないし、周辺地域に暴力的に勢力拡大を行うこともあるので、やはり彼らもコンゴの治安における深刻な問題なのだ。顔ぶれが変わることも多いが、基本的には地域レベルでのエスニックな対立に基づいて武装勢力の系統が理解できることが多い。例えばイトゥリでは現在まで様々な武装勢力が現れたが基本的にはヘマ人とレンドゥ人というローカルな対立構造の中で武装勢力が形成されている。

以上3つのパターンに分類して、コンゴの武装勢力について議論してきたが、コンゴ政府はそれら全てに関与してきた。周辺国から流入した武装勢力を支援したこともあれば、逆に自国の反乱軍と形式的な軍事統合を行い、それによって彼らを強化してしまったこともある。ローカルな武装勢力を支援することもあり、そもそも離脱した元国軍指揮官がそれらの組織を率いていることも多い。コンゴ政府のこれまでの日和見的な対応の中で、全てのタイプの武装勢力の形成や発展を助長し、武装勢力の間を一層複雑に結びつけ、紛争を解決困難にしてしまったといえるだろう。ここまで増加・定着した武装勢力の活動が収束するには長い時間がかかるだろうが、そのためには周辺国政府との協力、ローカルな紛争への対応、そしてそれらに対するコンゴ政府の一貫した姿勢が必要不可欠だろう。

（大石晃史）

41

コンゴ紛争と難民

★国境を越えて連鎖する悲劇★

コンゴは世界最大規模の難民・国内避難民を発生させている国であり、コンゴにおける難民と紛争の関わりには多様な側面がある。第1に、コンゴを含むアフリカ大湖地域では紛争の連鎖が起きており、ある国の紛争を逃れた難民が滞在国で紛争に巻き込まれてさらに隣国に逃れるなど、繰り返し避難することがある。第2に、1960年代にウガンダに逃れたルワンダ難民の中から武装勢力が結成されて1990年にルワンダ紛争を起こしたり、コンゴ東部に逃れたルワンダ難民の青年が武装勢力に徴兵・訓練されてコンゴ紛争を戦うなど、難民が紛争主体になることがある。紛争の結果として居住地を追われる難民・避難民の数は増え続け、長引く紛争によって避難生活が長期化している。国連・国際機関の援助を受けるために出身国を偽る難民もいる。こうした問題はウガンダ、ブルンジ、ルワンダ、コンゴの間で顕著に起きている。本章では、コンゴ東部に逃れたルワンダ難民の問題と、コンゴ東部から逃れたコンゴ難民や国内避難民の問題を見ていく。

コンゴ東部のルワンダ難民

もともとコンゴ東部にはルワンダ系住民が多く居住している。植民地化以前に牧草地を求めて移住したトゥチの牧畜民や、植民地期に農地開拓のために移住させられたフトゥの農民が定住し、それぞれがくらす地域名を冠した「バニャムレンゲ（ムレンゲの人々）」「バニャマシシ（マシシの人々）」などと呼ばれていた。現在に続く難民問題が発生したのは、1959年にルワンダでトゥチのエリートがフトゥによって追放される「社会革命」が発生し、コンゴ東部にトゥチ難民が流入したときである。彼らはもともと政治エリートであるため、コンゴのモブツ政権に重用される者もいた。

その後もたびたびコンゴ東部にはルワンダ難民が流入したが、紛争の火種が持ち込まれたのは、1994年のルワンダ・ジェノサイド後に大量のフトゥ難民が流入したときである。難民に紛れ込んだジェノサイド首謀者が難民キャンプを軍事化し、コンゴ東部にくらすトゥチのルワンダ系住民・難民を攻撃した。対抗のためにルワンダ新政府はコンゴ東部のトゥチ青年を徴兵し、軍事訓練をしてコンゴ東部に送り返した。こうしてルワンダの紛争がコンゴ東部に飛び火した。混乱に巻き込まれた地元のコンゴ住民は、トゥチでもフトゥでも、難民でも移民でも、ルワンダ人はルワンダに帰るべきと訴え、自衛の武装勢力マイマイ（Mai Mai）を結成して対抗した。民主化の波によって政権基盤が揺らいでいたモブツ大統領は難民の流入に乗じて国際社会からの援助を取り付けようと画策し、混乱を収拾しなかった。結果として、1996年にルワンダ軍がコンゴ東部に侵攻し、コンゴ紛争が発生した。1959年から60年代に発生したルワンダ難民の問題を長年解決しなかったうえに、1994年に発生したルワンダ難民をジェノサイド首謀者による軍事化から守れなかったことが、コンゴ紛争に結びついたのである。難民を介して紛争が連鎖したといえよう。

２００３年にコンゴ紛争が公式には「終結」した後も、ルワンダ難民の問題は解決していない。UNHCRの統計によれば２０２３年現在のコンゴ国内には52万人の周辺国難民がくらしており、うち20万人がルワンダ難民である。ルワンダの「ルワンダ愛国戦線」（RPF）政権は難民の帰還をうながしているが、様々な迫害が懸念されるために帰還を拒否する難民がいる。

紛争状態が続くコンゴ東部では、フトゥ難民が武装勢力「ルワンダ解放民主勢力」（FDLR）に、トゥチ難民が「人民防衛国民会議」（CNDP）や後続の「3月23日運動」（M23）に徴兵されるなど、武装勢力による難民青年の徴兵が続いている。さらに、ルワンダ難民の元兵士が武装解除してコンゴ国軍に統合され、国軍兵士としてコンゴ東部に派遣されることで地元住民の不安が駆り立てられるという問題もある。

コンゴ東部から逃れる難民と国内避難民

紛争が悪化すると武装勢力間の衝突に加えて住民への攻撃が行われ、コンゴ東部から周辺国へ逃れる難民や国内避難民が大量に発生する。２０２３年現在、アフリカ諸国には１００万人以上のコンゴ難民がくらしており、そのうち80万人がアフリカ東部の大湖地域に集中している。主な受け入れ国は、「コンゴ民主共和国地域難民対応計画」（RRRP）に参加しているアンゴラ、ブルンジ、コンゴ共和国、ルワンダ、ウガンダ、タンザニア、ザンビアの７ヶ国である。特にウガンダは約半数に上る49万人を受け入れている。ウガンダ政府は難民をキャンプに収容しない政策をとっているため、難民には移動や就業の自由が認められている。多くの難民がくらす「難民定住地」には、食料品や生活用品の店、理髪店や仕立て屋などが並び、学校、教会、診療所もあって1つの町になっている。一方で、水道や電気などのインフラ設備がないため、水は給水所からタンクで運ばなければならない。一見すると活気にあふれる町でも、家や畑などの財産と生業を失ったり家族と離れ離れになったりした難民の生活には困難がある。居住地を追われた際に武装勢力から受けた襲撃の傷を抱えたままの難民もいる。また、定住地の人口増加によって周辺の森林が破壊されたり水源が減少したりするなどの環境負荷が

難民定住地の給水ポイントにはたくさんのタンクが並ぶ

難民定住地の教会に集まったコンゴ難民

国内避難民キャンプで食糧を運ぶ女性たち（提供：下村靖樹）

大きく、受け入れ社会にも負担がかかっている。

ウガンダの難民定住地でくらすコンゴ東部出身者に聞き取り調査をすると、2つの共通した答えが返ってきた。1つ目に、避難の経緯として、たとえ近隣で紛争が悪化していても、先祖から受け継いだ土地や生活の糧である畑を守るために人々は故郷を離れたがらず、自身のくらす村や家が襲撃されてはじめて避難をしていた。2つ目に、家や土地を失い、恐怖を体験した故郷には帰還したがらず、かといって難民定住地での生活はつらく、「コンゴでもなくここでもないどこかに行きたい」と望む。中には、「アフリカはどこに行っても同じ。アフリカの外のどこかに行きたい」と答える人もいた。

難民に加えて、国境を越えられない国内避難民も増え続けている。近年では、2019年からコンゴ東部のイトゥリ州と北キヴ州で武装勢力の闘争が激化し、36万人が居住地を追われた。新型コロナウイルスの感染拡大によってアフリカ諸国が国境を閉鎖した2020年には、武装勢力の攻撃からウガンダに逃れようとした難民が国境で足止めされる事態も発生した。国境を越えずにイトゥリ州、北キヴ州、南キヴ州でくらす国内避難民は560万人にのぼっている。避難民キャンプにくらす人々もいるが、多くは避難先の村に受け入れられてくらすため、受け入れ社会の負担はここでも生じている。

（華井和代）

42

コンゴ東部に対する紛争予防・平和構築の試み

――★北キヴ州の紛争地域を中心とする日本と国際社会の平和構築支援★――

２００８年末、国境なき医師団（ＭＳＦ）の活動でナイジェリアのデルタ地帯に滞在していた私のもとに、コンゴ東部の紛争でウガンダ側の国境付近に大量の難民が流出しているので、緊急で難民キャンプ支援の活動に異動して欲しいとの連絡が入った。翌日のフライトに乗り、連絡から３日後には、ウガンダのコンゴ国境に近い一時キャンプに到着した。２ヶ月後、ウガンダでコンゴ難民キャンプ２ヶ所の活動を終えた私は、コンゴ難民との雑談で聞かされた「コンゴ民主共和国国連ミッション」（ＭＯＮＵＣ）、「人民防衛国民会議」（ＣＮＤＰ――コンゴ東部のトゥチ系反政府武装勢力）など、コンゴの支援関係者なら必ず知っているキーワードが頭から離れず、２００９年にはＪＩＣＡの治安セクター改革（ＳＳＲ）担当企画調査員として、念願のコンゴでの平和構築プロジェクトに従事することとなった。

コンゴの平和構築関連プロジェクトはその多くが東部で実施されており、アメリカ合衆国、フランス、オランダ等は北キヴ州ゴマ市に外交官を常駐させている。当地に２０１０年から展開している国連ＰＫＯの「ＭＯＮＵＳＣＯ」（国連コンゴ民主共和国安定化ミッション）も平和維持軍等の機能の多くをゴマ市に

日本の支援で実施した北キヴ州ルチュルでのプロジェクト視察には、安全上の理由からヘリで移動（2015年）

集中させており、同市周辺には各国の援助機関が入り乱れている。当時のＪＩＣＡコンゴ事務所が実施していたＳＳＲプロジェクトには警察民主化と司法改革の２つのプロジェクトがあったが、より平和構築に直結するとの事情からか警察研修プロジェクトに多くの比重を置いていた。そして注目すべきこととして、従来数日から数週間の短期がほとんどだった警察研修を、私が着任した２００９年末以降は、１９９７年に発足したコンゴ国家警察（ＰＮＣ）に対する初の長期研修に変更した。

当時のＰＮＣの課題の１つとして、一度も警察官教育を受けたことのない名ばかりの警察官の存在や、２００３年の終戦協定（サンシティ合意）によってＰＮＣに統合された元武装勢力の戦闘員をいかに警察官らしくするかという点があった。特に統合された元戦闘員は、合意文書の上でのみ警察に統合されたものの、研修も一切なく、給料も支払われないまま放置されていた。

そのためＪＩＣＡはＰＮＣ長官と協議し、２０１０年に実施されたカパラタ警察研修センター（旧オリエンタル州）での最初の長期研修に、主に北キヴ州と南キヴ州から元武装勢力出身の新人警察官を参加させた。これに対してオリエンタル州から、同州での事業なのに地元警察官を対象とした研修がないことに不満が出されたため、２０１１年に実施した第２回研修では、元武装勢力の警察官だけでなく地元オリエンタル州の警察官も加えて、合同で研修を実施することに路線変更した。

さて、元武装勢力の新人警察官であるが、研修開始前はまことにだらしのない姿で、真っ直ぐに整列することさえもできず、ならず者集団と呼んでも過言ではなかった。これが6ヶ月後の修了式で規律正しい警察官に変身していたのを目にした際には、講師陣に大いなる尊敬の念を覚えたものである。

他方、研修中には東部および元武装勢力集団ならではの問題がいくつか発生した。この地域では、他人に不平不満がある場合、直接言わずに毒物を使って相手に危害を加えることがある。出身の民族や武装勢力が異なる人々との共同生活には我々には知り得ない問題があったようで、研修開始直後から数名の研修生が毒物によって死亡した。また、研修生がいくつかのグループに分かれて蒸発したこともあった。2009年3月の政府との合意で警察に統合された元CNDPの集団がそうで、2012年4月に新たな武装集団「3月23日運動」(M23)の決起を準備すべく、リクルートが行われていたようである。

研修生から率直な意見を聞くべく、国連と合同でモニタリング調査を行った際には、「毎日3度の食事がもらえて嬉しい」というのが最も多く聞かれた感想であった。印象に残った意見として、「これまでは武装勢力のリーダーの命令通りに人を殺していたが、警察研修に来て、それはいけないことだとわかった」というものがあり、笑うに笑えない進歩と成果であった。

と、ここまでJICAによる警察研修プロジェクトの説明をしたが、コンゴ東部地域には日本政府がレベル4の退避勧告を発出しており、JICAのプロジェクト実施にあたっても、同地域に出張できるのは所長及びSSRプロジェクト担当企画調査員のみ、かつ最大5日までという制約が設けられ

日本の補正予算による支援を受けて UNMAS が実施する地雷及び不発弾処理の現場に立つ筆者（2015 年）

ていたし、現在もそれは継続している。コンゴにおいて最も支援の必要な地域で、日本人が直接プロジェクトを実施する機会が制限されているのがＪＩＣＡによる支援の実情である。

わが国の紛争予防・平和構築支援においてその点を補うのに、日本政府の補正予算による緊急人道支援や無償資金協力等がある。私は２０１３年からの２年間を在コンゴ民主共和国日本大使館の専門調査員として、同予算による国際機関等を通じた緊急支援プロジェクトの策定と資金援助を担当し、また２０１６年からの４年間は外務省の一等書記官として、同予算等で実施されたプロジェクトの調査や視察を行った。ちなみに２０１５年には、国連ＰＫＯ局地雷対策サービス部（ＵＮＭＡＳ）のコンゴ民主共和国事務所において、同補正予算を利用したＰＫＯプロジェクトを実施する立場も経験した。そこでは、わが国の支援を受けて、東部の紛争地に残された地雷及び爆発性残存物（ＥＲＷ）の除去活動等のプログラム策定を行った。

最後に、日本の無償資金協力を利用してＵＮＤＰとの連携により実施したプロジェクト「北キヴ州ルチュル地域における元こども兵の社会復帰のための共同計画」を紹介する。日本政府は国連の日本人職員数を増やすべく積極的に働きかけ、その成果あって、コンゴにも数名の優秀な日本人が派遣されていた。このプロジェクトは日本人国連職員が計画・立案したもので、市場の整備や職業訓練校の建設等、武力紛争の犠牲となった地域の復興プロジェクトが多数盛り込まれていた。2017年には私も同プロジェクトを実際に視察し、感銘を受けた。

しかし、東部で頻発する紛争に関連して、頭から離れない事柄がある。2021年末からCNDPの後継集団であるM23とコンゴ国軍（FARDC）の紛争が再発し、この原稿を書いている2023年5月の時点で、約30万人の国内避難民（IDP）がルチュル地域を含む北キヴ州北部から、主にゴマ市郊外の臨時キャンプに避難している状況がある。平和への道のりは、残念ながら逆戻りしてしまった。

日本の支援でユニセフが建設した、紛争で被害を受けた子どもたちの社会復帰施設（2015年）

同プロジェクトの目玉の1つに、紛争後におけるコミュニティの融和と持続的開発を目指す手法を用いた橋の建設がある。この手法はUNDPが開発したもので、橋の建設を見ながら、少なくともこの地域には持続的な平和が築かれるよう心から期待したのだが、この願いはそう簡単には叶わなかった。コンゴ東部の紛争では、資源や経済的利益を狙って多くの政治家が裏で糸を引いており、それはまさに平和構築とは裏腹な動きなのである。このような動きの前に、紛争予防・平和構築の試みはあまりにもはかない努力となり得る。

（朝倉恵里子）

バニャムレンゲはコンゴ東部紛争をどう見ているか

コラム9

朝倉恵里子

コンゴではモブツ政権の大統領府官房長だったバルテレミィ・ビセンギマナ（ルワンダ国籍）や、2000年代の移行政権期の副大統領アザリアス・ルベルワなど、多くのルワンダ系（特にトゥチ系）コンゴ人が政権中枢の要職を務めた。1880年代のベルリン会議で国境が設定される前から現在のコンゴ領に住んでいた人も多く、特に南キヴ州出身のトゥチ系コンゴ人を指してバニャムレンゲと呼ぶ。コンゴ東部の紛争の中心にいる民族のひとつである。筆者は、現在のコンゴで最も有力と目されるバニャムレンゲ2名から、長年続く東部紛争の根幹について見解を聞いた。

証言者1

コンゴ東部の問題は1990年代から始まった。トゥチ人はルワンダの国内人口の約20％を占めるが、コンゴにおいてなぜこれほどまでにコンゴ人同胞から差別されるかというと、その理由のひとつは、フトゥ人がバントゥー系で多くのコンゴ人と見た目が変わらないのに対し、自分たちトゥチ人には簡単に識別可能な見た目の違いがあるためだ。自分の祖先は7世代前の時代、大湖地域にまだ国境がない1700年代頃から、現在の南キヴ州に暮らしていた。だから自分も、外国人などと呼ばれる所以がまったくない生粋のコンゴ人である。東部では1960年代からトゥチ人とコンゴ人コミュニティとの間に小さな争いは発生していたものの、特に1990年代にブルンジとルワンダでフトゥ系大統領が殺害され、トゥチ人の大虐殺に発展した頃から、外見の違いもあって、トゥチ系コンゴ人に対する差別が顕著化した。1994年には、虐殺の報復を恐れて多くのフトゥ系ルワンダ人が国境を越えてマシシやルチュルに逃れてきた。「人民防衛国民会議」（CNDP）や「3月23日運動」（M23）など、トゥチ系の武装勢力による問題が繰り返し起こるのは、虐殺の当事者であるインテラハムウェの民兵が、大小さまざまな武器を携え難民に紛れて流入したためだ。結果として、コンゴ東部に暮らしていたトゥチ系コンゴ人がルワンダに逃れ、現在までずっとそこで難民キャンプ生活を余儀なくされている。M23などトゥチ系武装勢力による軍事行動は、親の世代が失った彼らの土地や生活を取り戻し差別と闘う、トゥチ系コンゴ人の若者世代による抵抗運動なのだ。

証言者2

コンゴ東部紛争の根幹は植民地時代にさかのぼり、民族分布を無視したベルリン会議での線引きによってアフリカが切り裂かれ、同じ民族がいくつかの国に分かれたことにある。それ以降、大湖地域で民族的な問題が発生すると、例えばブルンジではフトゥ系難民をコンゴに送り込み、コンゴのトゥチ人を殺害するなどした。1959年頃には、ベルギー当局がトゥチ人をルワンダから追い出すためにフトゥ人を操った。南キヴ州の高地では、1964年から繰り返し暴動が発生し、多くの家畜を持って裕福だったバニャムレンゲが他のコンゴ系民族から襲撃されるようになった。自分たちルワンダ系コンゴ人の国籍が現在に至るまで誤解されている原因は、ルワンダ系住民のコンゴ国籍を認める法案がモブツ大統領時代に提出されたのに、それがルワンダ国籍のビセンギマナ官房長の手によるものだったという理由で廃案になったことにある。同法案はその後サンシティ合意で採択されたが、

北キヴ州ヴィルンガ国立公園付近。このあたりは武装勢力が割拠している地域（2017 年）

コンゴ人の中に反ルワンダ系感情が強く残る結果となった。自分としては、２０１８年末の選挙でチセケディ大統領が誕生してから、東部のルワンダ系住民が多い地域で意図的に紛争が引き起こされていると感じる。ところで、ＣＮＤＰやＭ23はトゥチ系武装勢力だが、彼らのメンタリティはというと、それはコンゴ人そのものなのである。彼らは北キヴ州のマシシ、ベニ、ブテンボで自分たちの親の世代が築き、１９９４年以降に難民としてルワンダに逃れて以降、他民族の住民に搾取されたままの富を、再度トゥチ人の手に取り戻すべく戦い続けているのだ。では、カガメ・ルワンダ大統領が彼らに同情しているかというと、彼はコンゴ東部の問題を長引かせて経済的利益を得たいだけであろう。

43

紛争鉱物問題

★規制の取り組みとロンダリングの課題★

コンゴは鉱物資源に恵まれた国である。南部や東部の山岳地方には、金、銅、スズ、ダイヤモンド、コバルト、ウラニウム、タンタル、タングステン、ニオブ、マンガンなどの鉱脈があり、輸出品の9割は石油と鉱物資源が占める。特に銅と銅製品は20世紀初頭からコンゴの重要な輸出品であり、コンゴの経済を支えてきた。コバルトは世界の生産量の7割をコンゴが占めており、環境配慮のために電気自動車が急速に普及しているなか、リチウムイオン電池の原料として需要が高まっている。

しかし、豊かな鉱物はコンゴの経済を支えると同時に、地域住民に悲劇をもたらしている。それが、「紛争鉱物問題」である。

1996年から紛争が続くコンゴ東部の北キヴ州、南キヴ州、イトゥリ州には、スズ、タングステン、タンタル、金（まとめて3TGとよぶ）という4種類の鉱物の鉱山がある。タンタルとタングステンはレアメタルとよばれる世界的に希少な鉱物であり、特にタンタルは世界の生産量の40％をコンゴが占めている。しかし、鉱山がある地域は紛争が起きている地域と重なっているため鉱山会社が操業したがらず、地域の鉱夫が鉱山に入って

小規模手掘り鉱で鉱坑を掘る鉱夫たち（提供：アジア太平洋資料センター）

シャベルやポンプを使って鉱石を掘る「小規模手掘り鉱」という方法で採掘されている。採掘された鉱石はトラックなどで町の取引所に運ばれ、ディーラーに売られて外国に輸出され、鉱石から鉱物を取り出す製錬所や鉱物の純度をあげる精錬所で加工される。こうした採掘・流通・取引に武装勢力が介入して紛争資金を稼いでいるのである。

武装勢力はどのようにして介入し、鉱物から利益を得ているのだろうか。1996~2003年の2度のコンゴ紛争の初期には、武装勢力が鉱山や取引所を襲撃して鉱石やお金を略奪する方法がとられた。しかし、2000年代以降はいわゆる「税」のような形でお金が徴収される方法が主になっている。例えば、鉱山とその周辺地域を実効支配した武装勢力は、鉱山に入る鉱夫に「入坑税」、鉱物を運ぶトラックやバイクに道路で「通行税」を課したり、鉱山周辺の村に一軒当たり、あるいは1人あたりいくらという「人頭税」を課したりする。コンゴ政府の統治がおよばない地域で、武装勢力が事実上の統治者のようにふるまっているのである。こうした状況において武装勢力間の戦闘や支配領域の拡大が起きると、住民は攻撃の対象となり、村や家が襲われて殺害、略奪、性暴力に遭う。

鉱物が紛争の資金源となる問題を断つために、2010年に欧米先進国で紛争鉱物取引規制が始まった。アメリカでは金融改革法（通称ドッド・フランク法）の1502条が制定され、経済協力開発機構（OECD）ではデュー・ディリジェンス・ガイダンスが公表された。デュー・ディリジェンスとは、投資や取引を行う際に求められるリスク調査を指す。これらの規制は、鉱物サプライチェーンの下流に位置する欧米先進国の企業に対して、自社の製品に使用されている鉱物に紛争に関わった鉱物が使われていないか調査する「紛争鉱物調達調査」の実施を求めた。スズ、タングステン、タンタル、金は様々な産業機器の原料として使われることに加えて、スマホやパソコンなどの電子機器の原料として使われることも多く、一般の消費者にもつながりが深い。特にタンタルは電解コンデンサの原料としてあらゆる電子機器に使われている。欧米ではNGOが政府や企業の対応を求めて市民運動を行い、市民への情報公開が企業に求められた。

規制の導入によって、紛争に関わらない「紛争フリー」の鉱物を認証するしくみがサプライチェーンの上流・中流・下流においてそれぞれ整えられた。

上流にあたる鉱物産出地域ではアフリカ大湖地域国際会議（ICGLR）と西欧諸国の主導により、鉱山を監査して紛争に関わっていないと認定された鉱山には、鉱石の袋につける電子タグを発行する「地域認証メカニズム」がつくられた。スズ、タングステン、タンタルの鉱山では、「国際スズ協会スズ・サプライチェーン・イニシアティヴ（ITSCI）」という認証機関が監査と電子タグの発行を行っている。

中流では企業の主導によって「責任ある鉱物イニシアティヴ（ＲＭＩ）」という組織が設立された。紛争フリーのタグが付いた鉱石だけを扱い、人権侵害リスクがないことを認証する監査に準拠した製錬／精錬所は、ＲＭＩのリストに登録されてウェブ上で公開される。２０２３年現在、登録されている３ＴＧの製錬／精錬所は世界中で１９６社である。

下流にあたる欧米先進国の企業間ではサプライヤー同士が紛争フリーの鉱物しか使っていないことを報告し合うための「紛争鉱物報告テンプレート」がつくられた。日本では独自の法による規制が導入されていないが、欧米企業と取引するには必要なため、日本企業も大規模な調査を行っている。業界団体である電子情報技術産業協会（ＪＥＩＴＡ）が設立した「責任ある鉱物調達検討会」が紛争鉱物調達調査の実施方法を企業の担当者に説明し、日本企業全体として紛争鉱物取引規制の遵守に取り組む体制がつくられている。

これらによって、鉱山での採掘から製錬・精錬、素材や部品の加工、最終製品の組み立てまでの全工程で紛争フリー鉱物しか使わない「クローズド・パイプライン」がつくられた。２０２１年にはＥＵでも規制が開始された。

鉱物を使用する企業が紛争鉱物を使わない仕組みづくりに乗り出したことは高く評価できる。ただし、実際には監査を受けていない鉱山の鉱石に電子タグがつけられていたり、電子タグのない鉱石が監査を受けた製錬／精錬所に持ち込まれているなど、サプライチェーンの上流である鉱物産出地域における「ロンダリング」が行われている。コンゴ東部に３０００近くある小規模手掘り鉱山のすべてを継続的に監査するには人的・資金的リソースが不足している。また、金に関してはＩＴＳＣＩのような認証機関がないこともあり、大量の金がウガンダなどの周辺国に密輸されている。国連の専門家グループやグローバル・ウィットネスなどの国際NGOはコンゴ東部と周辺国での現地調査を行い、報告書を公開している。つまり、「クローズド・パイプライン」が最初から汚染されているという問題はいまだに続いている。そして残念ながら、規制の制定から10年以上を経た現在でも、コンゴ東部の武装勢力は鉱物を資金源として闘争し続けており、住民への暴力は止まっていない。労力をかけてつくり上げた「クローズド・パイプライン」を名実ともに紛争フリーにするためには、鉱物産出地域の状況を引き続き調査し、改善に向けた努力を続けることが必要である。　（華井和代）

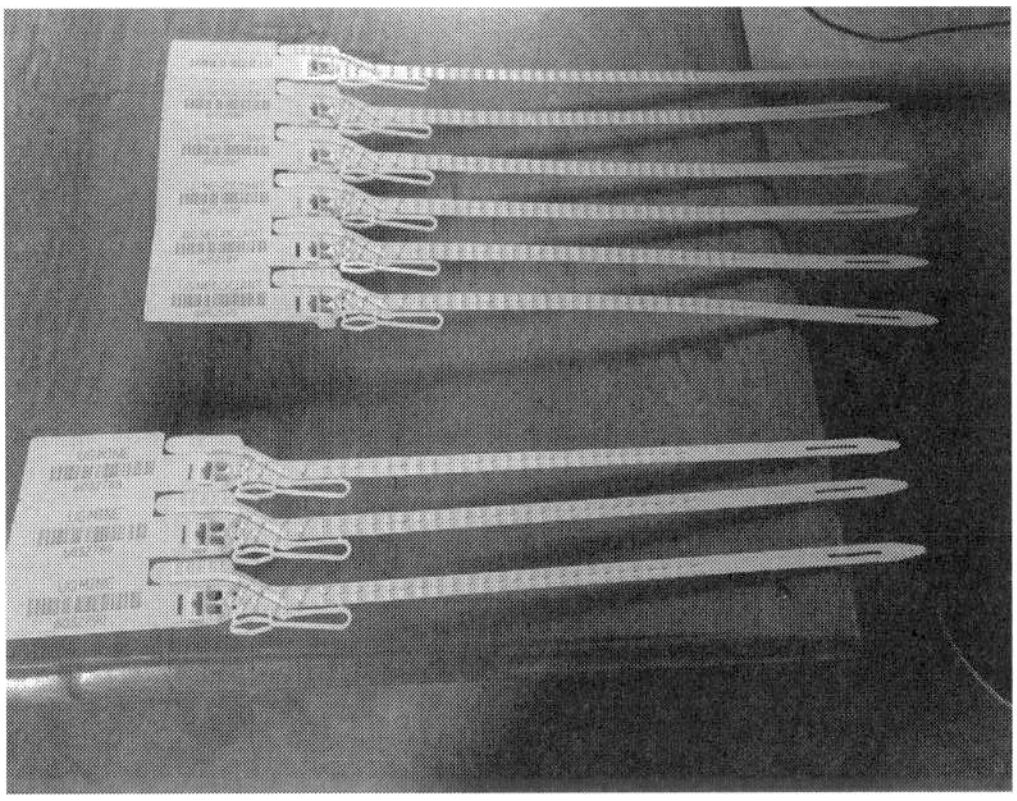
紛争フリー鉱石の袋につける電子タグ

44

紛争と性暴力

★婦人科医ムクウェゲ医師の救済活動★

2018年、コンゴの婦人科医デニ・ムクウェゲ医師がヤジディ教徒のナディア・ムラド氏とともにノーベル平和賞を受賞した。両名は紛争下の性暴力と闘う人権活動家であり、紛争の武器として性暴力が使われることを終わらせようとする努力が評価された。

ムクウェゲ医師は出産で命の危機にさらされる女性たちを救いたいと望み、1999年に南キヴ州の中心都市ブカヴにパンジ病院を創設した。しかし、連日運ばれてくるのは残虐な性暴力によって傷を負った女性たちであった。この事態に異常を感じたムクウェゲ医師は村を回って調査を開始し、武装勢力が村を襲撃する際に組織的な性暴力を行っていることに気がついた。さらに、性暴力被害女性3万人の出身地を調査して地図化した結果、鉱山周辺に集中していることを明らかにした。

紛争にともなって性暴力が行われる事例は世界中のどの紛争を見ても枚挙にいとまがない。しかし、コンゴ東部においては、武装勢力が鉱山周辺を支配するために住民に恐怖心を植え付ける手段として性暴力を行っている点に特徴がある。紛争と鉱山支配と性暴力とが結びついているのである。武装勢力は、鉱山周辺の村を襲撃して、略奪と住民の殺害に加えて組織的な性暴力を行う。家族や村人の前で女性（男性が含まれる場合もある）を集団強姦したり、性器をナイフや銃、棒などで傷つける。ムクウェゲ医師によれば、武装勢力によって傷のつけ方に特徴があり、治療のために傷を見るとどの武装勢力による暴力かがわかるという。コンゴの女性たちは働き者で生計の中心を担っているにもかかわらず、性暴力被害に遭うことで肉体的、精神的苦痛を負い、さらには汚れた存在とみなされて往々にして家族やコミュニティから排除される。守るべき妻や娘を守れなかったことで男性にも屈辱を与え、家族やコミュニティの間に断絶が生まれることを武装勢力はねらっている。「性暴力は性欲の問題ではなく力の誇示である」とムクウェゲ医師は強調する。

例えば、国連の報告によれば、２０１０年7月30日から8月2日までの間に、ワリカレという地域の13の村で、マイマイ・シェカ（Mai Mai Sheka）という武装勢力が少なくとも３８７名（女性３５５名、男性32名）に対する性暴力を行った。この事件を指示したシェカの司令官は後に逮捕された際、国際社会に対して自分たちの存在を誇示するために組織的に行ったと明言している。ある元兵士は聞き取り調査において、村での性暴力が武装勢力兵士の「義務」になっており２００人以上の女性を強姦したこと、上官の指示に逆らえなかったことを証言している。

さらに、組織的な性暴力を行うのは反政府武装勢力だけではない。２０１２年11月20日から30日の間には、コンゴ国軍兵士が少なくとも１２６名に性暴力を行っており、国軍までもが加害者になっている。国連の報告によれば、コンゴで起きている住民の殺害や性暴力などの深刻な人権侵害の3割は国軍兵士や警察官によって行われている。国軍は本来、住民を守る役割を担い、マイマイも本来は自衛集団であったはずである。それにもかかわらず、双方が住民を攻撃する存在になっている。こうした状況から、コンゴ東部を「女性にとって最悪の場所」、「世界のレイプの中心地」と表現する国連の専門家もいる。

ただし、コンゴ東部で残虐な性暴力が始まったのは第2次コンゴ紛争の発生後であるとムクウェゲ医師は指摘する。紛争以前から婦人科医として多くの女性たちを治療し、紛争中には勤務していた南キヴ州レメラの病院が武装勢力によって襲撃された経験を持つムクウェゲ医師でも、第2次紛争以前にはこのような残虐な性暴力の被害者を診ることはなかったという。さらに、パンジ病院開業当時に運び込まれた性暴力被害女性の9割は、加害兵士がルワンダ語を話していたと証言していたという。ルワンダからコンゴ東部に持ち込まれた紛争が、紛争の武器としての性暴力も持ち込んだことがうかがえる。

2023年現在までにパンジ病院では7万人以上の性暴力被害者を治療している。その治療にあたって、パンジ病院では、医療ケア、精神的ケア、社会経済的ケア、法的ケアが4つの柱として行われている。残虐な性暴力はしばしば、膣と膀胱や直腸の境に穴が開いてしまうフィスチュラという病気を引き起こす。一般的にフィスチュラは長時間にわたる困難な分娩で発生するケースが多く、適切な助産や帝王切開が受けられないアフリカの女性を苦しめてきた。ムクウェゲ医師はフィスチュラを修復する手術ができる希少な婦人科医であり、性暴力被害女性に手術を施している。そのうえで、心に受けた大きな傷を癒すために音楽や空手などをつかった精神的なケアが行われる。さらに、家族やコミュニティから排除された女性たちが生計手段を得られるように、洋裁や石鹸、かごなどの製作を学ぶ社会経済的ケアが行われる。技術を身に着けた女性が他の女性たちに教えることで自己肯定感を取り戻していく効果もあるという。

そして、加害者を訴追するために裁判書類を整える法的ケアが行われる。汚職がはびこるコンゴにおいて、さらに政府の統治がおよばない東部においては、不処罰が横行している。戦争犯罪に関わったり、性暴力を行ったりしても、訴追されることはほとんどなく、たとえ訴追されて刑務所に入れられたとしても賄賂を用意すれば短期間で釈放されてしまうのが現状である。不処罰は武装勢力による暴力のみならず、若者の倫理観の崩壊にもつながり、暴力の増加を招くとムクウェゲ医師は警告している。

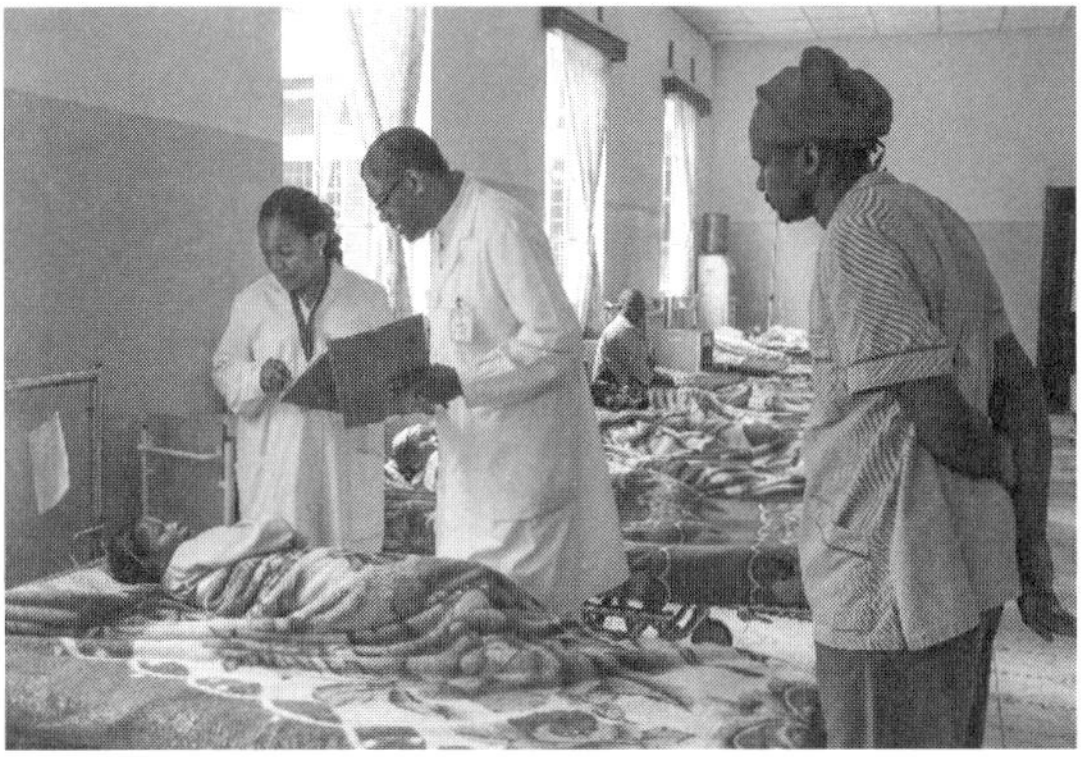
パンジ病院で患者の治療にあたるムクウェゲ医師（中央）（映画『女を修理する男』より）

ムクウェゲ医師の活動は、ドキュメンタリー映画『女を修理する男』（ベルギー、2015年）や『ムクウェゲ「女性にとって世界最悪の場所」で闘う医師』（日本、2022年）に描かれ、日本でも大学や市民団体による上映会が各地で行われている。コンゴにおける紛争と性暴力の問題を研究し、日本での啓発活動を行うNPO法人RITA-Congoは、2016年と2019年にムクウェゲ医師を

東京大学で講演するムクウェゲ医師（提供：RITA-Congo）

日本に招聘し、日本の市民がコンゴの実情を知る機会をつくった。世界有数の資源消費国である日本の市民が、第43章で描いた紛争鉱物問題と合わせて、身近に使っているスマホやパソコンなどの電子機器がその原料生産地であるコンゴでの悲劇につながっていることを知り、消費者あるいは日本の有権者として声をあげることは重要である。企業や日本政府による取り組みを求めたり、ムクウェゲ医師やコンゴ東部で活動するNGOを支えたりすることで、日本にいる私たちでも支援や問題解決の一翼を担うことはできるはずである。

（華井和代）

45

南アフリカに新天地を求めるコンゴ人

★30年にわたる軌跡と現在★

アフリカ大陸の最南端に位置する南アフリカ共和国には数多くのコンゴ人が暮らす。国連の推計では6万4000人程度（2020年）とされるが、非正規移民もいるため、正確な人数は不明である。他方、コンゴ人が南アフリカに移住し始めた経緯は比較的よく知られており、それはモブツ政権末期、1990年代初頭のザイールに遡る。これ以前は、留学やビジネスで一旗揚げたいと考えるコンゴ人にとって、旧宗主国のベルギーや公用語の同じフランスが主たる移住先であり、80年代にはヨーロッパで成功を掴んだミュージシャンもいた。しかし冷戦が終わると、欧米諸国はモブツの独裁的な性格を問題視し、ザイール人に対する渡航ビザの発給を渋るようになった。そんな折、政情不安と経済的混乱が進むザイールからの国外脱出を望む人びとにとって、新たな移住先として登場したのがアパルトヘイト体制の改革に取り組み始めた南アフリカだった。

1990年代初頭に南アフリカに移住したコンゴ人の多くは、ヨハネスブルク市中心部からそう遠くない旧白人地区の一角にある、55階建ての超高層住居ビルでアパートを借りて住むようになった。当時、この地区一帯は急速に治安が悪化していて、

55階建ての超高層住居ビル、ポンテ・シティ。ヨハネスブルクにおけるコンゴ人の移住はここから始まった（2014年11月）

もともと住んでいた白人の退去が進む一方で、空き室となったアパートに南アフリカ国内外から黒人移民が入居するようになったのである。その後、このビルを出て郊外に住宅を構えたコンゴ人もいるが、ビルがある地区一帯は今日でもコンゴを含むアフリカ各地からの移民や難民が多く居住する地区であり続けている。

初期のコンゴ人移民は医者やエンジニアなどの専門的スキルを持つ労働者かビジネスマンとその家族が中心で、南アフリカに移動後、就労ビザを得て専門性を生かした職業に就いたり、永住権を取得したりすることも比較的簡単にできた。しかしながら今日、南アフリカで経済的に安定した生活を送るコンゴ人は、同国在住のコンゴ人のなかでは少数派である。紛争や長引く経済的停滞を背景にコンゴから南アフリカへの移住者は２０００年代に入って急増したが、初期の移民とは異なり、その多くは安定した在留資格を得ることができず、経済的にも精神的にもぎりぎりの生活を強いられることになった。

21世紀のコンゴ人移民の多くは庇護申請者である。庇護申請者とは本来、迫害や紛争を理由に出身国から逃れてきた人びとが移動先国で庇護を申請した後、難民として認定されるまでの間の在留資格であるが、実際には経済的な機会を求めて移動してきた人びともこの在留資格を取得している場合がある。南アフリカでは、難民として認定されれば２〜４年の在留資格が与えられ、難民認定後に合計で10年以上の滞在期間を経たのちには永住権の申請が行える。だが、庇護申請者のままでは数ヶ月〜1年という短い在留資格を更新し続ける必要があり、更新ができずに非正規滞在者になる危険性もある。さらに近年、難民認定を受けることがますます狭き門となっているため、数年から十数年以上も庇護申請者として生活することを余儀なくされるコンゴ人が多くいる。

南アフリカで庇護申請者や難民は、基本的に自分で仕事や住居を見つけ、自活する必要がある。だが、失業率が3割前後の国で良い仕事に就くことは困難で、コンゴ人の多くは警備員のような危険を伴う長時間労働の仕事か、多様な零細自営業に従事している。後者の主な例としては、男性の場合はカーウォッチと呼ばれる路上やショッピングモールでの駐車補助兼監視係、女性の場合は中古衣料や野菜、揚げパン等の路上販売や自宅やサロンの一角を借りての髪結いなどがある。夫の給料など元手が得られるコンゴ人女性のなかには、週末に開かれる蚤の市で衣料品や生活用品を販売する人もいる。単一の生計手段では生活費を賄えないため、零細自営業をしつつ、週に1〜2日、家事労働者として働く女性も多い。生計活動という点では、庇護申請者や難民であるコンゴ人と、非正規を含む移民が中心の南部アフリカ諸国出身者との間には大きな差はなく、アフリカ各地の出身者がヨハネスブルクを含む大都市の移民や難民が多く住む地区で、住居費節約のために住宅をシェアしたりしながら、生活している。

南アフリカに暮らすコンゴ人と一口に言っても、コンゴの出身地はさまざまである。2014年から実施している筆者の調査をもとに述べると、おおむね首都キンシャサを含む西部出身者が3割、南部の都市ルブンバシを中心とする旧カタンガ州出身者が3割、紛争の続く東部の南北キヴ州出身者が3割、中部に位置する旧カサイ州出身者が1割弱ではないかと思われる。西部出身者はリンガラ語、東部と南部の出身者はスワヒリ語が主たる共通言語だが、東部出身者のなかには南アフリカに来てからリンガラ語を学び、話すようになったという人がいるように、出身地域ごとに生活圏が分かれているわけではない。ただし、2003年に第2次コンゴ戦争が終結してからも紛争状態が続くコンゴ東部の出身者のなかには、キンシャサやルブンバシの出身者が南アフリカで庇護申請をするせいでコンゴ人による庇護申請が増加し、自分たちの難民認定がされにくくなっているのではないか、という疑念を抱く人も少なくはないようだ。

2020年3月末に新型コロナ対策のために国境が閉鎖されるまでのおよそ30年の間、南アフリカが経済的な機会を求めるコンゴ人、そして迫害や紛争から逃れようとするコンゴ人にとっての重要な移住・避難先であったことには疑いがない。だが、コロナ禍を経た現在では、南アフリカ経済のさらなる悪化のために、UNHCRの帰国支援事業を利用するコンゴ人が増えている。とはいえ、コンゴの政治経済状況が根本的に改善されない限り、南アフリカはこれからもコンゴ人にとっての重要な移住先であり続けるのだろう。30年の間には、親とともに移動したり、移動後に南アフリカで生まれたりして、英語で教育を受けたコンゴ人の1・5世や2世も無視できない存在となってきた。1990年代初頭の初期の移民の子どもたちの多くは、南アフリカの大学を卒業するなどして安定した生活を手に入れることができたようだが、21世紀に庇護申請者として移動してきたコンゴ人の子どもたちにはどのような未来が待っているのだろうか。これからも目が離せない。

（佐藤千鶴子）

46

ルワンダとの関係

★バニャルワンダとバニャムレンゲ★

コンゴの政治や紛争を理解する上で、ルワンダとの関係は決定的に重要である。この背景として、コンゴ東部に居住するルワンダ系住民の存在がある。彼らはルワンダ本国の政治情勢に影響を受けながら、コンゴ東部で独自の政治力学を生み出してきた。

ルワンダは、17世紀頃に国家形成がなされた王国を基盤とする。19世紀末にその領域がドイツの保護領となり、第1次世界大戦後は国際連盟の委任統治領（のちに国際連合の信託統治領）としてベルギーが事実上の植民地支配を行った。ルワンダの居住者はトゥチ、フトゥ、トゥワというカテゴリーに分かれる。このうちトゥワは先住民（いわゆるピグミー）で全人口の1％程度に過ぎないが、トゥチは人口の1割強、フトゥは8割強を占める。ただし、彼らの間に言語や宗教の違いはなく、混じり合って居住する。

植民地化以前の王国時代、牧畜を生業とするトゥチは支配層に多く、ウシを持たない農耕民のフトゥは被支配層に多かった。ただし、両者の境界線は曖昧で、何世代かするとトゥチからフトゥへ（あるいは逆に）アイデンティティが移動することもあった。しかし、植民地統治を行ったヨーロッパ人は、ルワンダ伝統社会を「牧畜民トゥチ人が農耕民フトゥ人を征服、支配して成立した」と捉え、両者の区分を厳密化し、教育や就業で差別的に扱った。その結果、トゥチの伝統的首長による支配は、植民地期に強化された。この政策はフトゥ知識人層の不満を醸成し、植民地期末に政党活動が解禁されると、フトゥ人を基盤とする政党が結成されて、トゥチ人を中心とする政党との緊張が高まった。両党支持者間の衝突から1959年11月に全国規模の暴動が発生すると、ベルギー当局がフトゥ側を支援したために、膨大な数のトゥチ人が難民となって周辺国に流出した。これ以降独立（1962年）後まで続いた騒乱を「社会革命」と呼ぶ。

コンゴ東部には多数のルワンダ系住民がいるが、その来歴はおよそ3つに大別できる。まず、植民地化以前からコンゴ領内に居住していた人々がいる。例えば、南キヴ州の高原に居住するバニャムレンゲと呼ばれる人々は、もともと19世紀頃に移動してきた牧畜民である。また、移民としてやってきた人々も多い。1930年代以降、ベルギー当局はキヴに入植した白人農家のためにルワンダからフトゥ人を移民させる政策をとった。さらに、上述した「社会革命」の混乱を逃れてきた難民も少なくない。北キヴ州でバニャルワンダと呼ばれるルワンダ系住民の人口は、1980年代には約80万人に達し、土着のエスニック・グループであるナンデ人とシ人に次ぐ第3の人口規模を持つに至った。

ルワンダ系住民と他のコンゴ人との関係は、特に植民地化以降、微妙なものとなる。植民地期政府はバニャムレンゲを「外国人」だと見なし、土地を正式に与えなかったからである。コンゴ動乱期、東部に紛争が広がる中で、バニャムレンゲが所有するウシ略奪が相次いだため、彼らは治安確保を求めて中央政府を支持した。これによって、中央政府に対する反乱兵「シンバ」を支持する他のコンゴ人との関係は悪化した。モブツ政権期にはバニャルワンダ出身の有力者（B・ビセンギマナ）が大統領府長官の要職に就き、その威光を利用して利益を享受する人々が増えた。ザイール化政策（第18章参照）によって白人農家からプランテーションが払い下げられ、牧場として利用された例も報告されている。これも、その土地への権利を主張する他のエスニック・グループとの関係をこじらせた。

以上の経緯から、ルワンダ系住民の市民権は常に問題含みであった。ビセンギマナが長官の座にあった1972年には、1950年以降コンゴに居住するルワンダ系住民にはコンゴ国籍が与えられるという法律が制定されたが、1981年にはそれが撤回された。1991年にモブツが複数政党制を認め、競争的選挙が再び導入されると、誰が投票する権利を持つのかにいっそうの関心が集まり、ルワンダ系住民をめぐる緊張関係はさらに高まった。1993年には、北キヴ州でルワンダ系住民とそれ以外のコンゴ人との衝突が起こっていたが、1994年のルワンダ内戦再発と「ルワンダ愛国戦線」（RPF）政権の樹立、それに伴う膨大な数のフトゥ難民流入によって、事態は決定的に混乱を深めた（第39章参照）。

第1次コンゴ紛争でモブツ政権を打倒した「コンゴ・ザイール解放民主勢力連合」（AFDL）、第2次紛争で東部を占領した「民主コンゴ連合――ゴマ派」（RCD-Goma）はいずれも、コンゴ東部のルワンダ系住民が中核となり、ルワンダのRPF政権が直接、間接に支援した組織であった。2003年の移行政権発足後に東部で反乱を繰り返した「人民防衛国民会議」（CNDP）や「3月23日運動」（M23）についても、その構図は当てはまる。RPF政権は、コンゴ東部で活動を続ける旧フトゥ人政権派の残党「ルワンダ解放民主勢力」（FDLR）の存在を理由に、関与を正当化してきた。

ルワンダのカガメ大統領（© ITU/J.Ohle, CC BY 2.0）

ただし、ＲＰＦ政権による直接の支援は時間とともに減少している。ＡＦＤＬにはルワンダの国軍が多数参加したし、ＲＣＤ‐ＧｏｍａもＲＰＦ政権と緊密な連携があった。一方、ＣＮＤＰやＭ23にルワンダ政府が支援したことは疑いないが、国軍兵士の直接参加は以前ほどではない。

コンゴのルワンダ系住民やトゥチ人は、ＲＰＦ政権と密接な関係があるとはいえ、その操り人形ではない。そもそも彼らは一枚岩ではなく、ＲＰＦ政権の関与に反発する人々も少なくない。第２次紛争時には、ＲＣＤ‐Ｇｏｍａに刃向かうコンゴ人トゥチの武装勢力もあった。さらに、２０００年代半ばの国軍改革によって、ＲＣＤ‐Ｇｏｍａを含む多数の武装勢力が国軍に取り込まれた。その中にはＣＮＤＰのように離脱して武装活動を再開した集団もいるが、国軍に留まるルワンダ系住民も少なくない。コンゴの国軍や警察の幹部には多くのルワンダ系住民がおり、ルワンダとの関係も非常に複雑である。

２０２１年11月以降コンゴ東部でＭ23の活動が再び活発化し、これによって一時好転していたチセケディ、カガメ両政権の関係は悪化の一途を辿っている。以前と違って、今日コンゴ東部紛争に対するルワンダの関与は少ないが、コンゴ国内ではルワンダに対する怨恨が蓄積している。モブツ政権期のコンゴは地域大国で、当時のルワンダ大統領のハビャリマナはモブツの弟分のような存在だった。しかし、２度の紛争のなかでカガメ政権はコンゴ東部から鉱物資源を略奪、搾取し、自国の経済成長につなげた。「奇跡の復興」ともてはやされるルワンダに、コンゴ人は冷めた眼差しを向けている。

（武内進一）

47

コンゴ北東部におけるウガンダとの関係

★対立から協力へ？★

コンゴ北東部、すなわち北キヴ州とイトゥリ州の経済は隣接するウガンダと深く結びついている。ティテカ Titeca（２０２０）によればウガンダにとってコンゴは、２０２０年の国別輸出額の第３位を占める重要な国であるが、コンゴからの輸入額は少ない。そのためウガンダのコンゴに対する輸出超過額の規模は南スーダンに対する超過額に次ぐ第２位である。ウガンダにとってコンゴは経済的に重要な隣国なのだ。

ウガンダからコンゴへの輸出品は、工業製品、水産物、農産物などであり、コンゴからの輸入品は鉱物、木材、農産物、衣類などである。

両国にまたがるアルバート湖とその周辺では原油が発見されており、ウガンダの原油埋蔵量はサハラ以南アフリカで第４位の規模である。そのため Congo Research Group によれば油田地帯の治安維持はウガンダにとって重要な課題となっている。後述するようなウガンダ軍によるコンゴ領内での「民主同盟軍」（ＡＤＦ）掃討作戦の背景には、油田地帯の治安確保の目的があるという意見もある。

両国間の経済活動の主役となっているのは、国境を挟んで居住する近縁の民族だ。例えば北キヴ州のナンデ人は実業家を輩出しているが、ウガンダ側のバコンジョ人と近縁であり、文化的経済的な結びつきが強い。またウガンダのヒマ人はウガンダのムセベニ大統領の出身民族だが、彼らの一部が移住してコンゴのヘマ人となったという。ヘマ人はナンデ人と並んで北キヴ州とイトゥリ州において政治的経済的に活発な活動を行っている民族である。

現在のコンゴとウガンダの国家間関係は、1996年10月に始まった武力紛争の影響を強く受けている。これは当時のザイールのモブツ政権を打倒することを目的として「コンゴ・ザイール解放民主勢力連合」（AFDL）が始めた内戦だ。AFDLはルワンダの支援を受けていたばかりでなく、この内戦にはルワンダ軍、およびルワンダの実力者カガメと密接な関係にあったムセベニが大統領を務めるウガンダの国軍もAFDLを支援して参加した。翌年5月に首都キンシャサが陥落し、AFDLの代表であったローラン＝デジレ・カビラが新しい国、コンゴ民主共和国の大統領となった。

ローラン＝デジレ・カビラ大統領の政権中枢にはルワンダ出身者が多数いたため、コンゴ国民の反感を買うことになった。そのためカビラはルワンダとの距離をとり始め両国間の関係は悪化した。1998年8月、ルワンダはカビラ政権打倒を目指す武装勢力「民主コンゴ連合」（RCD）を支援し、またルワンダ軍も直接加わって再び戦いが始まった。今回もウガンダ軍が東部コンゴに侵入した。

この際ウガンダ軍は、コンゴ側に潜むウガンダの反政府武装勢力、すなわち「神の抵抗軍」（LRA）とADFを掃討することを目的としてコンゴ領内に侵攻したと言われている。しかし国境地帯から直線距離で400キロ以上離れた内陸のキサンガニまで到達するほど深く侵入した。

この紛争の初期に、ウガンダはコンゴの有力な実業家であり政治家でもあったジャン＝ピエール・

ベンバを支援して、新たな武装勢力「コンゴ解放運動」（ＭＬＣ）を作った。この動きはＲＣＤを支援するルワンダに対抗する形となった。このＭＬＣはイトゥリ州に侵攻した際に数々の残虐な行為を行った。

ウガンダ軍による軍事的な損害のみならず経済的な損害も大きかった。ウガンダ軍の一部はコンゴ領内から金やダイヤモンドなどの鉱物、および木材などをウガンダ国内に不法に運び大きな利益を得たとされている。

２００２年９月、コンゴとウガンダの間で両国の関係正常化を約したルアンダ合意が結ばれ、１９９８年からの武力紛争における両国間の軍事的対立は終結することになった。

軍事的対立は終結したものの、ウガンダ軍による損害の賠償問題は解決が長引いた。国際司法裁判所によれば、１９９９年６月にコンゴは国際司法裁判所に対して、ルワンダ、ウガンダ、ブルンジによる武力攻撃を非難し、それによる損害への賠償を求める訴えを起こした。このう

イトゥリ州のイトゥリ川の崩壊した橋と艀（はしけ）、この橋をコンゴが修復することはできずその後 MONUC（国連コンゴ民主共和国ミッション）が新しい橋を建設した（2008 年）

イトゥリ州の道路、車がほとんど通らない。修復されていない道路を車両が通ることは難しく、地域の経済的な活動が低下する（2018年）

ちウガンダだけが、国際司法裁判所による義務的管轄権を認めていたために、両国間で長期にわたる法廷闘争が行われた。２０２２年２月、国際司法裁判所はウガンダに対して、コンゴへ総額３億２５００万ドルを５回に分割して支払うよう命じる判決を下した。２０２２年９月には第１回目の６５００万ドルがウガンダからコンゴに支払われており、この戦争による両国間の賠償問題は決着しつつあるようだ。

このように両国間の対立関係は終わりつつあると思われるが、残された課題は多い。現在もっとも大きな課題は北キヴ州からイトゥリ州にかけて活動を活発化させているＡＤＦへの対応であろう。ＡＤＦは１９９０年代前半にサラフィー主義のムスリムを中心にウガンダで創設された。彼らはウガンダ西部、コンゴとの国境付近の山岳地帯を中心に反ウガンダ政府武装闘争を行っていたが、ウガンダ軍に攻撃されてコンゴ領内に逃亡し、そこからウガンダ領内に侵入していた。ウガンダ、コンゴ両国軍による攻撃を受けて弱体化した時期もあったが、2014年頃からコンゴ領内の一般住民を殺戮するようになり、ウガンダ政府に対する武装闘争はほとんど見られなくなった。彼らはコンゴ領内の一定の地域から住民を追い出して自らの領域を確保しようとしているようだ。しかしこの動きをコンゴ軍は抑止することができず、ADFはその活動領域を拡大しつつある。

当初ADFはコンゴ領内の地元ムスリムと関係を持っていたが、2018年頃からは「イスラム国」(IS)と連携するようになり、その活動が活発になってきた。北キヴ州のウガンダとの国境付近にとどまっていた彼らの活動領域は、さらに北方のイトゥリ州にも広がり、また国境から離れた内陸にも定着して周辺の住民を度々襲っている。

ADFの活動は、コンゴのみならずウガンダにとっても重要な問題だ。なぜならコンゴとウガンダの交易が活発に行われている北キヴ州の国境地帯の治安が悪化して、経済活動に大きな支障が生じているからだ。2021年からウガンダ軍はコンゴ東部のADFを掃討するためにコンゴ政府の了承を得てコンゴ領内に入った。2022年からウガンダ軍はコンゴ軍と本格的に連携して、主に北キヴ州の国境付近においてADF掃討作戦を展開しており、イトゥリ州へ展開することも予定されている。

ウガンダ軍がこの掃討作戦を北キヴ州で開始する頃、国境付近における道路の整備事業をウガンダの会社がコンゴ政府から受注している。ウガンダは東部コンゴにおける治安の改善と両国間の交易のさらなる拡大を目指しているように思われる。これら一連の出来事において、ウガンダによる積極的な活動が目立っており、コンゴ北東部において、ウガンダによる政治経済的な影響力が増大しつつあると言ってよいだろう。

(澤田昌人)

VI

日本との関わり

48

1930年代のコンゴ盆地と日本

★ベルギー領コンゴへの日本品輸出★

２０２３年８月、日本の経済産業大臣が訪問したコンゴ民主共和国では、需要の拡大が見込まれるコバルト、リチウム、銅を産出する同国との協力内容を具体化する実施合意書の署名が行われた。コンゴ民主共和国がベルギーから独立した１９６０年以降、日本は経済発展に不可欠な鉱物資源の供給国として資源外交を展開してきた。しかし１９３０年代の日本にとってベルギー領コンゴは、日本品、とくに綿製品の重要な輸出市場であった。

両大戦間期の１９２０年代は、軍縮や国際金本位制の再建など国際協調に基づく国際秩序の再構築が目指されたが、１９２９年のニューヨーク証券市場の崩壊を契機として生じた世界恐慌は世界の工業国と原料輸出国を身動きのとれない状態に陥れ、経済のブロック化が進行した。サハラ以南アフリカの輸出指向型の植民地国家においても世界市場の崩壊にともなって、経済変化の重要な推進力となってきた対外貿易は長引く不況のために動揺した。

日露戦争以後、外債依存で国際収支の危機に陥っていた日本は第１次世界大戦期のブームで債権国となり、工業化と産業構造の変革を達成した。日本は、1930年には金本位制に復帰したが、1931年には金輸出を再び禁止し、円為替の下落は世界経済の攪乱要素となり、アフリカを含めて日本の輸出攻勢は貿易摩擦を引き起こした。

第1次世界大戦後、対等互恵の通商自由主義の下で海外市場へ進出していった日本は、1930年代初頭、新市場アフリカへ進出するが、アフリカで有望視された市場の1つがベルギー領コンゴとその周辺であった。この地域は、アフリカ大陸の中央、コンゴ盆地に位置し、通商戦略上、重要な位置を占めており、また開発、居住および通商の自由と機会の均等が承認されていたからである。

1924年に日本とベルギーの間で対等互恵の通商自由主義の外交方針の下で結ばれた通商航海条約は、沿岸貿易の相互開放や附属地——朝鮮とベルギー領コンゴ——へ適用された。ベルギー領コンゴについては、1885年のベルリン西アフリカ会議の一般議定書および1890年のブリュッセル議定書によって通商の機会均等が義務づけられており、しかも日本は1919年のサンジェルマン・アン・レー条約（コンゴ盆地条約）に署名していた。この条約は、1920年代後半から1930年代において日本がコンゴ盆地地域に進出する可能性を開く一方で、進出の範囲を規定する枠組みとなった。

第一次世界大戦後、ベルギーでは、アルベール1世（レオポルド2世の甥）の下で普通選挙制度が導入され、カトリック党を中心に三党連立政権が組まれた。ところが、世界恐慌以後、レオポルド3世の下で階級間の意見対立が生じ、国内政治の不安定な状況が続いた。

このようなベルギーのコンゴ支配は1908年に始まった。ベルギー領コンゴでは、植民地政府と宣教団とコンセッション会社の三位一体的（colonial trinity）支配が進行した。コンセッション会社——ユイルリー・デュ・コンゴ・ベルジュ（ベルギー領コンゴ搾油会社）（パーム油）、フォルミニエール（ダイヤモンド）、キロ・モト（金）、ユニオン・ミニエール・デュ・オー・カタンガ（上カタンガ鉱業連合）（銅）——は、資本主義的事業だけでなく植民地政府にかわってインフラ建設などさまざまな事業を行い、キリスト教宣教団は植民地統治のネットワークの形成に重要な役割を演じた。輸出向けの農産物や鉱産物の開発に必要な労働はコンゴのアフリカ人に委ねられた。

以上のようなベルギー領コンゴの日本品市場としての可能性について、1927年、加藤喜太郎外務書記生は『白耳義領コンゴー経済事情』（外務省通商局）で次のように報告した。

アフリカ人の顧客としては、鉱山都市の労働者と農村で現金作物を栽培する農民がいる。前者は比較的購買力があり、後者も椰子の実の採取や綿花の栽培で現金を得れば、需要が生まれる。鉱山都市で働くアフリカ人の間では、メリヤスのシャツ、白またはカーキのシャツ、半ズボン、女性用の布（ブルーの地に白い模様を抜いたもの、赤地に白の渦巻きや直線模様、インディゴ地に水玉模様）に需要があり、農村のアフリカ人の間では、刃物類、柄付きナイフ、エナメル鉄器、蠟燭、マッチ、瀬戸物、アルミニウム器などの道具類、また、市中で働くアフリカ人には、安洋服、古洋服、長ズボンなどの需要がある。日本品の交易ルートとしては、ダルエスサラームを拠点にタンガニーカ鉄道によってタンガニーカ湖の東岸キゴマに至り、キゴマから水路でカタンガのアルベールヴィル（現カレミエ）に達するルートが推奨される。

表1　ベルギー領コンゴの綿布輸入額（種類別）
1932～1936年、単位ポンド

年	晒綿布	未晒綿布	捺染綿布	反染綿布	糸染綿布
1932	988 (52:5)	5,081 (1,434:28)	23,507 (504:2)	19,392 (1,075:5)	-
1933	1,146 (192:1)	5,017 (3,464:69)	28,180 (3,318:11)	17,407 (3,208:18)	-
1934	2,473 (880:11)	6,040 (4,960:82)	25,222 (5,139:20)	12,620 (3,038:24)	6,876 (4,128:60)
1935	3,619 (1,339:36)	8,037 (7,238:90)	54,185 (18,289:33)	17,535 (6,245:35)	13,462 (9,917:73)
1936	5,426 (3,371:62)	16,855 (15,662:92)	60,123 (34,176:56)	23,659 (15,329:64)	19,237 (14,937:77)

注：(　:　) 内は、日本品の輸入額と割合（%）
出典：「本邦品市場としての白領公果」（外務省通商局『海外経済事情』昭和11年第15号、昭和11年8月10日）および外務省通商局『海外経済事情』各号

また、モンバサ領事館の報告などによると、ベルギー領コンゴでは、アフリカ人向けの商品の大部分は綿布で、スタンレーヴィル（現キサンガニ）各地のアフリカ人相手の店頭に並ぶ商品の6割から8割までは綿布類であった。日本品の取扱いは、レオポルドヴィル（現キンシャサ）、スタンレーヴィル、エリザベートヴィル（現ルブンバシ）に在住するベルギー人、ギリシャ人、イタリア人の商人の手で行われていたようである。各小売店で取り扱われた綿布は、捺染が多く、次いで、反染、生地、糸染、晒の順であった。1930年代のベルギー領コンゴの各種綿布の輸入額は表1の通りである。

捺染綿布は、キテンゲと普通の捺染物に分かれる。キテンゲは、大柄の平織捺染綿布で、その用途は、アフリカ人用の腰布またはモンバヤ・ローディと称する婦人服である。キテンゲは、上下2種類あり、上等品は英国製の臈纈染めで、柄も染色も美しいが高価なためにアフリカ人の手には届かなかった。

反染綿布では、インディゴ・ドリルとカーキ・ドリルが

主であった。インディゴ・ドリルは、濃藍色綾織無地染で、需要が多く、アフリカ人男性用のショーツや婦人の腰布に利用された。とくにモンバサ経由で輸入される名古屋の杉本商会の製品は好評であった。アフリカ人男性は通常カーキ綾のショーツまたは長ズボンをはいていた。カーキ綾はキテンゲに次いで需要の多い綿布であった。

生地綿布は、「アメリカニ」と称される粗布で、その用途は腰巻きであった。生地綿布（未晒）の輸入の約80％までも日本品が占めていた。

糸染綿布は、男性用の肌着に用いられる。肌着地には捺染縞物や無地染もあったが、縞三綾が多かった。ショールまたはパンデモジャと称される赤黄白糸で織った大柄縞物の腰布の需要も多かった。この糸染の約60％が日本品であった。

綿布以外の輸出可能な日本品としては、人絹織物（マフラー）、綿毛布、既製品衣類（肌着）、帽子類（フェルト帽）、綿縫糸、靴類（ゴム底キャンバス靴）、装身用品（ネクタイ・ハンカチ・帯革・靴下止め）、琺瑯《ほうろう》鉄器とアルミニウム器、陶器と硝子器、洋灯（ランプ）、裁縫ミシン、石鹸類、セメント、麦酒、缶詰（鰯、鮭、鰊）、マッチなどの市場調査が行われていた。

（北川勝彦）

49

コンゴと日本の開発協力

★開発課題は膨大。しかし人的資源に希望の光が★

我が国開発のクロノロジー

コンゴ民主共和国（以下コンゴ）に対する我が国の開発援助については、外務省またはJICAホームページの国別情報をご覧いただければ詳細な情報が掲載されている。ここでは2009〜13年に筆者自身がJICAコンゴ民主共和国事務所長を務めた経験をベースに、主に2006年ジョゼフ・カビラ大統領就任後の状況に焦点を当てた内容としたい。

コンゴへの開発援助は、国名がザイールであった頃から、在コンゴ日本大使館を主体に行われてきた。1983年、円借款で建設されたマタディ橋はその時代の象徴的な案件である。1997年のモブツ政権崩壊後、長い国内動乱の時代を経て、2007年にはJICAコンゴ民主共和国事務所が開設され、無償資金協力と技術協力を中心に援助を拡充してきた。

現在我が国の協力の基本方針は、「国家再建に向けた平和の定着および経済社会発展への支援」であり、重点分野として①平和の定着、②保健システムの強化、③経済開発、④環境保全、を設定している。同方針・重点分野は内戦終結後2005年の日コンゴ政策協議、2008年パリ世銀事務所で行われた援助国会合を経て決定され、以後大きな改変もなく現在に至っている。

今やわが国援助は、それぞれの重点分野においてトップドナーまたはそれに近い地位を確立している。以降は、それぞれの分野のトピックスを記す。

①平和の定着

戦後復興において治安分野は喫緊の課題であり、過去の例でも軍隊・警察・司法の協力にプライオリティを置くのは政策の定石である。我が国は軍事協力を行うことはできないので、このうち警察と司法に重点を置いた活動を行ってきた。特に、ＵＮＰＯＬ（国連警察）やＵＮＤＰ（国連開発計画）と協力して実施してきた警察研修は、国際機関との連携の点で画期的であり、その後同手法は同じくポストコンフリクト国であったコートジボワールにも拡充されている。警察支援は現在、ＥＵ・米国と並んで日本がトップドナーであり、現在ＪＩＣＡ直営で警察研修実施能力強化プロジェクトフェーズ２が実施されている。余談だが、故安倍首相は２０１５年国連総会一般討論演説において、我が国の警察分野の協力について、コンゴとアフガニスタンの協力事例を挙げて紹介している。

2018 年警察研修の一コマ

②保健システムの強化

保健分野の協力は、２００８年の保健次官アドバイザー専門家派遣に始まり、当初は保健人材管理能力強化を中心に協力が展開され、その後感染症分野の協力が加えられた。2023年現在、無償資金協力では保健人材センター、国立生物医学研究所がすでに稼働しており、これらの施設に関連する技術協力として保健人材能力開発支援（フェーズ3）、感染症疫学サーベイランスシステム強化、ウイルス性人獣共通感染症の疫学に関する研究プロジェクトを実施中である。また、保健アドバイザーも継続して保健省に派遣されている。

③経済開発

同分野では、具体的には雇用促進とインフラ開発による協力を実施中である。雇用促進については、過去技術協力が実施された経緯があるINPP（職業訓練機構）への協力を継続して行っている。同機構は全国に職業訓練校を有しており、我が国の無償資金協力でキンシャサ校、南部ルブンバシ校を整備した。保健分野と同様、併せて技術協力も行われており、現在国立職業訓練機構能力強化プロジェクトフェーズ2により、若手指導員の育成や経営能力強化支援が行われている。

インフラ開発について、2008年頃のコンゴは、中国によるインフラ協力の最盛期であり、キンシャサ市内の主要インフラはコンゴの天然資源採掘権との交換条件のもと中国企業が受注した案件ばかりであった。我が国はここに参入すべくコンゴ政府と粘り強い交渉を重ね、最終的に市内主要道路の1つであるポワ・ルー通りの無償資金協力の実施に成功。途中2車線から4車線への設計変更、これに伴うコンゴ国政府の一部建設費負担など、紆余曲折を経て、2015年に4車線11キロの道路が完成した。同道路はその後街灯も設置され、現在「日本・コンゴ友好道路」に名称を変更し、前述の

マタディ橋を守ってきた技術者と

マタディ橋とともに、日本インフラ協力の記念碑的存在になっている。

このほか、キンシャサの慢性的な渋滞解消を図るべく、技術協力による都市交通マスタープランの実施フェーズに移っている。この成果の1つとして、市内の主要道路の無償資金協力案件を形成予定である。このほか、ディーゼル機関車整備、リモートセンシング、電力供給改善、西部マタディ港改修などの協力を実施または準備中である。

④環境保全

2010年我が国がアフリカ複数国に環境プロジェクト無償（外務省）を供与することが決定、コンゴも対象となったが、JICAはこれら資機材の定着と有効活用を促進するべく、森林モニタリングシステム関連プロジェクトを立ち上げ今に至る。現在は環境アドバイザー専門家も駐在しており、新たな課題である泥炭地開発の協力にチャレンジするべく準備が進められている。

⑤その他の協力

コンゴの多様な課題に対応するべく、上記4分野のほか稲作分野の協力も行っており、すでにコメ増産に係る戦略文書も取りまとめられている。また日本大使館主管での国際機関経由の支援もあり、教育や人権にかかわる分野で活発な協力が行われている。

コンゴ支援の難しさと希望

コンゴで開発を進めることは、自身の経験からも容易なことではない。紛争後、治安は徐々に良くなっているとは言え、首都キンシャサでは、いまだに路上強盗や窃盗などが発生しているため、安全上の理由で我が国開発関係者の徒歩移動は禁止されており車両での移動のみが可能である。他方でコンゴ政府の行政能力も徐々に改善されているとは言えまだまだ非効率であり、ひとつの案件を要請、採択から実施段階にまで持っていくには膨大な労力を要する。例えば、国際約束等の文書を取り付けるにも時間がかかる他、大臣はじめ要人とのアポイントも非常に取りづらい。日本人にとっては大変ストレスフルな世界である。しかし大使館とＪＩＣＡで構成される現地ＯＤＡタスクフォースでは、このような状況にもめげず、今後もよりコンゴ国民に裨益し、効果の大きい案件を発掘し実施していくべく日夜努力を重ねているところである。

コンゴは日本の6倍の国土と豊富な天然資源を抱えつつも、それがゆえに紛争が絶えず、ポストコンフリクト移行期を脱したとは言え、いまだ膨大な開発課題を抱えている。しかし、人的資源には大きな希望がある。ＪＩＣＡ所長時代、我が国が本格的な開発に着手するにあたり先に述べたマタディ橋はじめ日本が過去建設した給水場や職業訓練センター等の案件を視察した際、長い紛争にあっても日本人専門家の指導を受けたコンゴ人技術者が、施設や機材を綿々と守り抜いてきた様を目の当たりにし大変感動したことを覚えている。

私はコンゴの明るい未来を信じている。

（米﨑英朗）

50

小学校建設・学校運営を通じての持続的な関係性構築

★コンゴでの暮らしから生まれる共感と協働★

私とコンゴとの関わりの発端は2007年に遡る。正直に白状すると、私は教育に根差した異言語・異文化コミュニケーション、ソーシャルトランスフォーメーションを専門領域に据えているが、アフリカ諸国の地域研究の専門ではなかった。純粋に教育分野の人間であるからこそ、学生と「学校」をつくることをやりたかった。そのご縁が生まれたのが、偶然にコンゴだったという、実にシンプルなきっかけからこのプロジェクトは始まった。「最高の（EXtreme）学びの場（ACADemy）」という意味で「アカデックス ACADEX」と命名されたこの小学校は、首都キンシャサ郊外の丘陵地であるモンガフラ地区キンボンドの新興住宅地の一角にある私有地がその拠点となった。ある種偶発的に始まったこの「ACADEX小学校プロジェクト」は、一般的なODAとは一味違うものに位置づけられている。何よりも優先されたのは、現地に赴き、衣食住を通した学びから、その地を故郷とする子どもに必要となる学びや、教育のカタチがなんであるのかを徹底的に探究することであった。その探究方法は、文献や資料に頼るのではなく、生活環境と言語の共有を基盤とした。

大学の同僚のサイモン・ベデロ氏がコンゴへの10年ぶりの里帰りから帰ってきて、「コンゴで小学校をつくろう！」と学生へ呼びかけたのがすべての始まりだった。では何から始めたか、常に問われるのは初期費用に関してだが、土地代と第1棟目の校舎・事務所などの学校建設費用の80％は、サイモン氏の個人の貯蓄から捻出された。残りの20％は大学の同窓会組織にご協力いただいて、1棟目の校舎の屋根の建設資金分に充てられた。その他の教員・学生の渡航費等は、それぞれに短期集中のアルバイト代や申請した助成金で充当した。これは「自らの保証は自らする」という、サイモン氏のポリシーに教員・学生一同共感したからである。小学校の建設予定地域で生活をはじめ、現地の人々と同じ食事をし、子どもたちとノートを片手に遊びながら言語を覚えた。徹底的に「遊ぶ」ことから、私たちの小学校プロジェクトは始まった。

ある地域で何かしらの調査や研究を行う場合、その地域との関係構築が何より大切であるというのは言うまでもないが、そこでは何をきっかけに、どこから始めるのかが重要である。小学校づくりに向けて、カリキュラム担当の教育チームと校舎建設担当の建築チームが立ち上がり、２００８年夏、早速教員2名と学生5名、そして発起人のサイモン・ベデロ氏の8名でコンゴの学校建設予定地であるキンボンドへ2週間のフィールドワークに出かけた。

この「アカデックス小学校」の教育理念は、サイモン・ベデロ氏の掲げる以下の6項目で構成されている。

1 「最小の学費での最高の教育」を、地域コミュニティに提供する

2 コンゴ型教育×日本型教育で、児童が自国、コンゴについて、身近なところから将来へ視野を広げ、自分の国や地域に関して「実感を持って学び・理解できる」、コンゴ人としての当事者意識を持って学べる学校を建設する
3 助成金や寄付金は最小限にし、自立運営型の精神構造を醸成し、普及させる
4 使用言語は、リンガラ語、英語、日本語、フランス語とし、多言語・多文化共生の中で、しっかりとしたコンゴの軸足を確立する
5 自分の生まれ故郷である地域について、「自ら考え・判断し・行動する」当事者意識と専門性を持った児童、若者世代を育成する
6 コンゴと日本両国の若者世代をプロジェクトチームの中心に据え、最小限で最大の効果を上げる創発的な協働体制を作り上げる

上記の教育理念を基に、2008年から校舎を1年に1棟ずつ建設し、学年を1年生から1学年ずつ積み上げるという形で、「1年ごとに成長する学校」を実現した。2009年開校時、学校は校舎1棟（2教室）、幼稚園（小学校準備クラス）と第1学年の2クラス編成、教職員3名で構成された。

2008年夏には建設工事と並行して小学生向けのワークショップを連日行った。初回のアカデックス小学校入学説明会には、150名ほどの保護者が集まり、一見注目されているようだった。ところが、開校日初日に登校した新1年生は3名のみ。日本との協働でのアカデックス小学校プロジェクトが始まるという情報が、ラジオやテレビでも周知され、日本が関わるということが、「学費無料」

という誤解を呼んでいた。しかし説明会に殺到した150名近い希望者は、自立運営型の教育モデルを実現する学校であり、少額であっても学費が生じるとわかった結果、雲散し、開校初日に登校したのは新入生3名だけだったのである。がらがらの教室で、3名の新1年生の入学式と開校式が執り行われ、見物人は200名ほどという異様な雰囲気の初日だった。教職員採用試験も、日本への期待が高収入の保証のイメージに限定され、コンゴの最低賃金を提示した結果、多くの応募者が辞退していった。

しかし開校1学期目の終わりには、新1年生の児童数が25名になり、次年度には、幼稚園20名、小学校1、2年生の2学年の全校生徒合わせて60名、校舎数2棟、教職員数7名となり、その後、生徒数は地道に伸び続けた。2023年現在のアカデックス小学校は、全校生徒数600名で、学校はもはや小学校に限定されず、アカデックス学園という幼稚園から高等学校までの私立一貫校に成長し、コンゴの推奨されるモデル校の1つとして注目を集めている。

校舎群全6棟＋医務室の完成までには7年を要したが、2016年度は日本国外務省の草の根無償の助成金を受給し、建築予定に遅れが見られた校舎が一気に完成した。この間、開校当初採用を辞退した教師も戻ってきた。教師側は、最低賃金であっても給料の遅延払いがないこと、生徒側は、授業料の追加徴収がないこと、突然のカリキュラム変更・休講がなく授業日数がきちんと定められていること、健康診断、体力測定、文化祭などの学校行事が充実していること、学内奨学金制度が充実していること、ミシンを用いた洋裁、チョーク製造など、職業訓練プログラムが小学校から導入されていること、これらの徹底が、安定した学校運営を促し、安定した学習環境が児童の習熟度を高めること

アカデックス学園校門

につながった。キンボンドに暮らす人々は、きめ細かにアカデックス学園の日々の様子を観察し、日本人及び日本型のマネージメント力への興味と信頼を深めている。その噂が思いがけないほど遠方まで広がっていった。

開校初日から現在に至るアカデックス学園の成長過程は、規則的に繰り返される心臓の鼓動のように、地道に地域コミュニティに足を運び、丁寧な説明を重ね、学校公開を厭わず、透明性のある学校運営を行ってきた結果に他ならない。コンゴの人々は、すべての事柄に関心が強く、観察し続け、それらに対する説明を求め、問いを投げ続ける。この1つ1つに答え続け、その答えに矛盾しない行動をとり続けてきたことが、アカデックス学園が定着・普及・発展した要因である。そして日本人がアカデックス学園を訪れ活動する毎に、必ず地域の人々や関係者を招いての盛大な現地食パーティーと踊り・歌などのフェスタを全員で準備し、開催した。このように楽しみ尽くす機会を設けてきたことが、実はプロジェクトの職務的な運営以上に、関係者の当事者意識を高め、絆を深める潤滑油となり、アカデックス学園の持続可能性を最大に保証しているといっても過言ではない。

ここまで振り返り、プロジェクト関係者の世代交代のタイミングが目前である今、ドナーの理念を上から押し付けるのではなく、「現地の人々と食文化を通じて胃袋をつかみ合うことなくしてコンゴと日本の関係性のサステナビリティなし」と断言し、アカデックス学園でのコンゴと日本との関わりの結びとしたい。

（長谷部葉子）

コラム10

カオス発のデジタルヘルス革命

古田国之

「安定したビジネス環境」、「成熟した市場」――これらが事業経営者にとって魅力的な要素だ。しかし、私たち株式会社ＳＯＩＫ（ソワック）は逆に、「毎日予想外が起こるカオス」、「ルールも競合もない未成熟市場」での挑戦を選んだ。妊婦死亡率が日本の１００倍にもなるコンゴで、ＳＯＩＫは僻地の産科医療のデジタル化を進めている。日本の金融機関に「成功する可能性が低い」と支援を断られ続けたコンゴでのスタートアップ起業について、私たちの経験の一端をお伝えしよう。

アフリカの中でもコンゴは市場規模の割に進出した日本企業が少なく、ＳＯＩＫは２０１９年の設立当初、日本人が常駐する唯一の日本企業だった。コンゴのビジネス環境における難しさの1つに、トップダウンが全く通用しない組織の脆弱性がある。日本のアフリカ進出支援を行う行政関係者には「大臣とつながっていれば問題解決する」という認識があるようにも感じるが、コンゴでそのようなアプローチは通用しない。組織のトップが約束したことも、実務レベルでその指示が効力を持たないことは往々にしてある。給与不払いや汚職が横行する環境では、上意下達が成り立たないのだ。

この状況で事業を動かしていくためには、重層的かつ多面的な人脈を維持することが死活的に重要だ。重層的とは、組織のトップから局長級、課長級、担当レベルのように縦のラインをそれぞれ押さえておくことだ。我々であれば、保健大臣、保健事務次官、母子保健局長、妊産婦死亡削減課長とその課員といった具合だ。多面的とは、この縦のラインとは別のラインながら、縦のラインにも影響を及ぼせる人脈を指す。具体的には大統領府、首相府、財務省、保健省内の別の部局、各州保健局などが該当する。どの事業でも必ず1人はいる「困った人」に対し、縦横斜めのネットワークを駆使して問題解決に取り組む。この重層的かつ多面的な人脈はこまめなメンテナンスのコストもかかるが、カオスの中で事業を行う上で最強の武器と言える。

この国のビジネス環境のもう1つの課題は、はっきりとしたルールがなく、みんな言っていることが違うという点である。しかしルールがないというのは、逆に基準作りに関与できる可能性が高いということだ。コンゴには1万を超える公的医療施設があるが、各施設に備えるべき機材設備の仕様書がなかった。資金提供者〔ドナー〕が勝手に決めて、バラバラの基準で機材が納入されていた。これに対して、2021年から保健省の公式パートナーとなったSOIKは、2023年に保健省担当局長とワークショップを開催し、コンゴ保健省初の仕様書リストを作成、公式の承認を得た。ワークショップではSOIKのデジタル産科健診キットSPAQの他、別の日本の医療機器スタートアップや大手検査装置メーカーの機材も紹介され、現地専門家に必要性が認められた結果、それらは仕様書に盛り込まれた。これにより、今後は公的医療施設を支援する他国のドナーのプロジェクトにおいても、日本企業のこれらの製品が納入されていくことになるはずだ。

コンゴ保健省はすでにSOIKのキットを購入済であり、全26州への展開を目指している。実現すれば全国の医療施設において、S

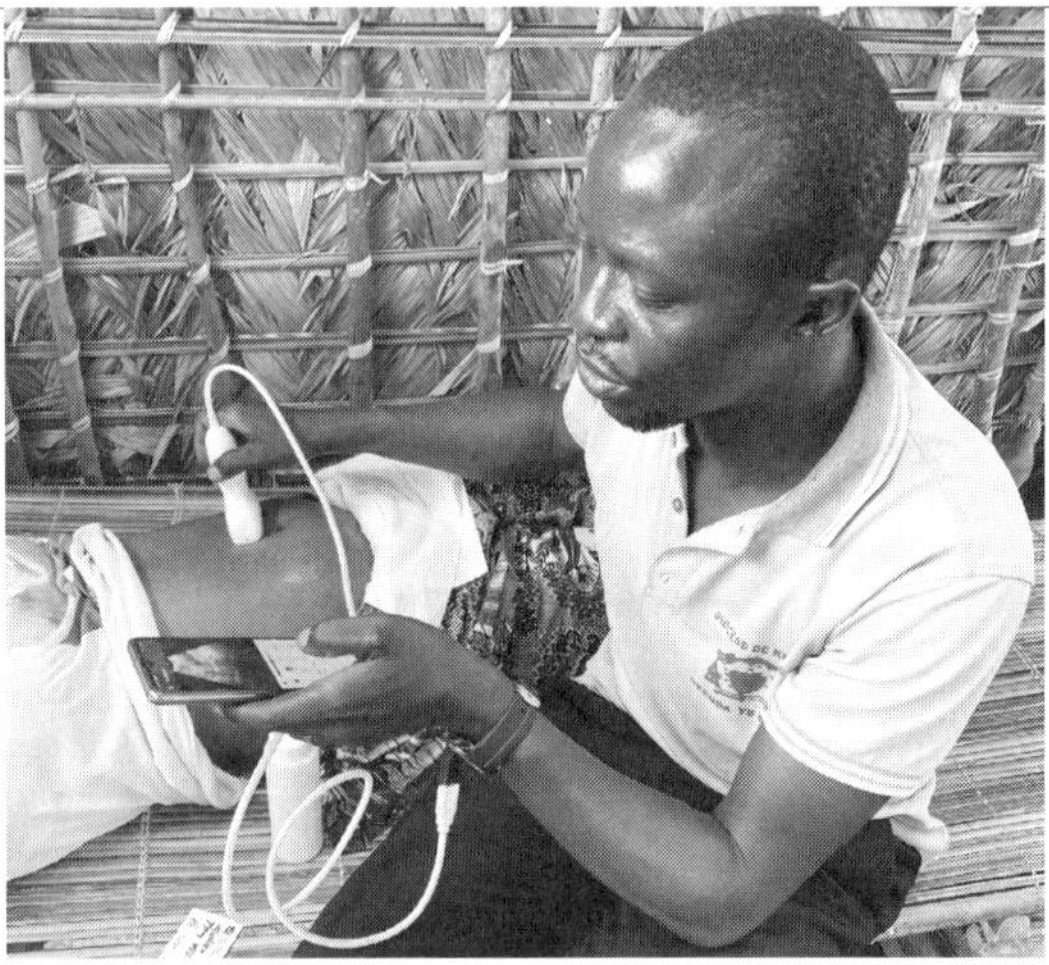
デジタル産科健診キットＳＰＡＱを使って農村での訪問診療を行う看護師。ポータブルなのでどこでも質の高い医療サービスを提供できる。

ＯＩＫのアプリがインストールされたスマホが毎日使われる状態になり、医療行政・医療施設・医療従事者・妊産婦をつなぐ巨大なネットワークが構築されることになる。これにより、最先端の医療用アプリやデジタル医療機器を迅速にコンゴに導入できる土台が整うことになり、多くのスタートアップや医療機器メーカーが参入できるようになる。コンゴという前例も競合もない市場にプラットフォームを構築することで、逆にデジタルヘルス革命を一気に成し遂げる。これにより、妊婦さんや生まれてくる赤ちゃんの避けられる死を防ぐ体制を、短期間で構築していく。こんな夢を抱けるのは、コンゴのカオスのおかげだ。

コンゴ民主共和国をもっと知るための参考文献

◉外国語文献

Autesserre, Séverine. *The Trouble with the Congo: Local Violence and the Failure of International Peacebuilding.* Cambridge University Press, 2010.

Biebuyck, Daniel. The epic as a genre in Congo oral literature. Richard M. Dorson (ed.) *African Folklore.* Indiana University Press, 1972.

Callaghy, Thomas M. *The State-Society Struggle: Zaire in Comparative Perspective.* Columbia University Press, 1984.

Congo Research Group and Ebuteli. U*ganda's Operation Shujaa in the DRC: Fighting the ADF or Securing Economic Interests?* Center on International Cooperation, 2022.

De Witte, Ludo. (trans. Ann Wright and Renée Fenby.) *The Assassination of Lumumba*. Verso, 2003.

De Witte, Ludo. The suppression of the Congo rebellions and the rise of Mobutu, 1963-5. *The International History Review* 39 (1), 2017.

Isidore Ndaywel è Nziem. *Histoire générale du Congo: De l'héritage ancien à la République Démocratique.* De Boeck & Larcier, 1998.

Kennes, Erik and Miles Larmer. *The Katangese Gendarmes and War in Central Africa: Fighting Their Way Home.* Indiana University Press, 2016.

Kimura, Daiji and Lingomo-Bongoli. *Lexique longando* ロンガンド語彙集. Research Institute for Languages and Cultures of Asia and Africa, Tokyo University of Foreign Studies, 2023. (https://doi.org/10.15026/125326)

Kitagawa, Katsuhiko. *Japan's Economic Relations with Africa in a Historical Perspective: A Study of the Pre-War Japanese Consular Reports.* Kansai University Press, 2020.

MacGaffey, Janet (ed.) *The Real Economy of Zaire: The Contribution of Smuggling and Other Unofficial Activities to National Wealth.* University of Pennsylvania Press, 1991.

Mujinga, W., J. Lwamba, S. Mutala and S.M.C. Husken. (trans. A. Ngosa.) *An Inventory of Fish Species at the Urban Markets in Lubumbashi, Democratic Republic of Congo.* The WorldFish Center and FAO, 2009.

Neumann, Katharina, Barbara Eichhorn and Hans-Peter Wotzka. Iron age plant subsistence in the inner Congo basin (DR Congo). *Vegetation History and Archaeobotany*, 2022. (https://doi.org/10.1007/s00334-021-00865-8)

Nzongola-Ntalaja, Georges. *The Congo from Leopold to Kabila, A People's History.* Zed Books, 2002.

Reyntjens, Filip. *The Great African War: Congo and Regional Geopolitics, 1996–2006.* Cambridge University Press, 2009.

Schmidt, Elizabeth. *Foreign Intervention in Africa: From the Cold War to the War on Terror.* Cambridge University Press, 2013.

Schouten, Peer. *Roadblock Politics: The Origin of Violence in Central Africa.* Cambridge University Press, 2022.

Simons, Gary F. and Charles D. Fennig (eds.) E*thnologue: Languages of Africa and Europe (Twentieth Edition).* SIL International, 2017.

Smith, James H. *The Eyes of the World: Mining the Digital Age in the Eastern DR Congo.* The University of Chicago Press, 2022.

Stearns, Jason K. *The War That Doesn't Say Its Name: The Unending Conflict in the Congo.* Princeton University

Press, 2021.
Taylor, Jesse O. *The Sky of Our Manufacture: The London Fog in British Fiction from Dickens to Woolf.* University of Virginia Press, 2016.
Titeca, Kristof. *Informal Cross-border Trade along the Uganda-DRC Border.* UNDP Policy Brief Series, No 2, 2020.
Trefon, Theodore. *Congo Masquerade: The Political Culture of Aid Inefficiency and Reform Failure.* Zed Books, 2011.
Williams, Susan. *Who Killed Hammarskjold? The UN, the Cold War and White Supremacy in Africa.* C Hurst & Co Publishers, 2011.
Williams, Susan. *Spies in the Congo: The Race for the Ore That Built the Atomic Bomb.* C Hurst & Co Publishers, 2018.
Young, Crawford and Thomas Turner. *The Rise and Decline of the Zairian State.* University of Wisconsin Press, 1985.

◉日本語文献

安渓貴子「アフリカの酒――サハラ以南の地酒づくりの技術誌のための覚え書き」『日本醸造協会誌』97－9、2002年
安渓貴子、安渓遊地「コンゴ盆地の食文化と農業イノベーションの歴史」『アフリカ研究』103、2023年
石川薫『アフリカの火――コンゴの森ザイールの河』学生社、1992年
磯見辰典、黒沢文貴、櫻井良樹『日本・ベルギー関係史』白水社、1989年

伊谷純一郎『アフリカ紀行――ミオンボ林の彼方』講談社学術文庫、1984年
伊谷純一郎『森林彷徨』（熱帯林の世界〈1〉）東京大学出版会、1996年
伊谷純一郎、原子令三（編）『人類の自然誌』雄山閣、1977年
伊谷純一郎、米山俊直（編）『アフリカ文化の研究』アカデミア出版会、1984年
伊谷純一郎、田中二郎（編）『自然社会の人類学――アフリカに生きる』アカデミア出版会、1986年
市川光雄『森の狩猟民――ムブティ・ピグミーの生活』人文書院、1982年
市川光雄『森の目が世界を問う――アフリカ熱帯雨林の保全と先住民』京都大学学術出版会、2021年
井上信一『モブツ・セセ・セコ物語――世界を翻弄したアフリカの比類なき独裁者』新風舎、2007年
榎本知郎『ボノボ――謎の類人猿に性と愛の進化を探る』丸善出版、1997年
大林稔『愛しのアフリカン・ポップス――リンガラ音楽のすべて』ミュージック・マガジン、1986年
小田英郎『アフリカ現代史Ⅲ　中部アフリカ』山川出版社、1986年
小田英郎「シャバ紛争の一考察」『法學研究：法律、政治、社会』60－1、1987年
梶茂樹『アフリカをフィールドワークする――ことばを訪ねて』大修館書店、1993年
梶茂樹「多言語使用と教育用言語を巡って――コンゴ民主共和国の言語問題」梶茂樹、砂野幸稔（編）『アフリカのことばと社会――多言語状況を生きるということ』三元社、2009年
加納隆至『最後の類人猿――ピグミーチンパンジーの行動と生態』どうぶつ社、1986年
加納隆至『森を語る男』（熱帯林の世界〈3〉）東京大学出版会、1996年
加納隆至、加納典子『エーリアの火――アフリカの密林の不思議な民話』どうぶつ社、1987年
加納隆至、黒田末寿、橋本千絵（編著）『アフリカを歩く――フィールドノートの余白に』以文社、2002年
北川勝彦「1930年代のコンゴ盆地における日本品の進出」『関西大学経済論集』54－1、2004年
木村大治『共在感覚――アフリカの二つの社会における言語的相互行為から』京都大学学術出版会、2003年
木村大治、北西功一（編）『森棲みの生態誌――アフリカ熱帯林の人・自然・歴史Ⅰ』京都大学学術出版会、2010年

木村大治、北西功一（編）『森棲みの社会誌――アフリカ熱帯林の人・自然・歴史Ⅱ』京都大学学術出版会、2010年
木村大治、安岡宏和、古市剛史「コンゴ民主共和国・ワンバにおけるタンパク質獲得活動の変遷」木村大治、北西功一（編）『森棲みの生態誌――アフリカ熱帯林の人・自然・歴史Ⅰ』京都大学学術出版会、2010年
草場安子『コンゴという国』明石書店、2002年
黒田末寿『人類進化再考――社会生成の考古学』以文社、1999年
黒田末寿、市川光雄、片山一道（編）『人類の起源と進化――自然人類学入門』有斐閣、1987年
コンラッド、ジョセフ『闇の奥』中野好夫訳、岩波文庫、1958年
コンラッド、ジョゼフ『闇の奥』（古典新訳文庫）黒原敏行訳、光文社、2009年
コンラッド、ジョゼフ『闇の奥』高見浩訳、新潮文庫、2022年
酒井傳六『ピグミーの世界』朝日新聞出版、1976年
坂巻哲也『隣のボノボ――集団どうしが出会うとき』（新・動物記3）京都大学学術出版会、2021年
佐々木雄一『近代日本外交史――幕末の開国から太平洋戦争まで』中央公論新社、2022年
佐藤千鶴子「南アフリカにおけるコンゴ人女性による庇護申請と生活経験」児玉由佳（編）『アフリカ女性の国際移動』アジア経済研究所、2020年
佐藤千鶴子「南アフリカ共和国における難民受入れの現状と課題――コンゴ民主共和国出身者の実態を中心として」『難民研究ジャーナル』9、2020年
佐藤千鶴子「南アフリカにおけるコンゴ人ディアスポラ」落合雄彦（編）『アフリカ潜在力のカレイドスコープ』晃洋書房、2022年
佐藤哲「托卵するナマズ」『サイエンス』185、1987年
佐藤哲「東アフリカ大湖群の魚類学」『アフリカ研究』59、2001年
佐藤哲「進化の爆発――複雑な相互作用が進化を加速する？」津田一郎（編）『ダイナミックスからみた生命的システムの進化と意義』国際高等研究所、2008年

澤田昌人（編）『アフリカ狩猟採集社会の世界観』京都精華大学創造研究所、２００１年
白戸圭一『ルポ　資源大陸アフリカ――暴力が結ぶ貧困と繁栄』朝日新聞出版、２０１２年
末原達郎『赤道アフリカの食糧生産』同朋舎、１９９０年
杉村和彦『アフリカ農民の経済――組織原理の地域比較』世界思想社、２００４年
杉山伸也『日本経済史　近世－現代』岩波書店、２０１２年
スターンズ、ジェイソン・K『名前を言わない戦争――終わらないコンゴ紛争』武内進一監訳、大石晃史・阪本拓人・佐藤千鶴子訳、白水社、２０２４年
スタンレー、H「暗黒大陸」『世界教養全集第23』宮西豊逸訳、平凡社、１９６１年
諏訪兼位『アフリカ大陸から地球がわかる』（岩波ジュニア新書）岩波書店、２００３年
ターンブル、コリン・M『森の民――コンゴ・ピグミーとの三年間』藤川玄人訳、筑摩書房、１９７６年
タイボII、パコ・イグナシオ、フェリックス・ゲーラ、フロイラン・エスコバル『ゲバラ コンゴ戦記１９６５』神崎牧子、太田昌国訳、現代企画室、１９９９年
武内進一「キンシャサ周辺農村の土地問題――植民地期労働移動要因の再検討」『アジア経済』29－7・8、１９８８年
武内進一「ベルギー領コンゴにおけるパーム産業の形成過程――ベルギー領コンゴ搾油会社の事業展開と植民地政府の役割」『アジア経済』31－5、１９９０年
武内進一「ザイール川河口地域のキャッサバ生産に関する一考察」児玉谷史朗（編）『アフリカにおける商業的農業の発展』アジア経済研究所、１９９３年
武内進一「コンゴ（ザイール）新政権の展望――権力構造と国際関係」『アフリカレポート』25、１９９７年
武内進一「内戦の越境、レイシズムの拡散――ルワンダ、コンゴの紛争とツチ」加納弘勝、小倉充夫（編）『変貌する「第三世界」と国際社会』（国際社会7）東京大学出版会、２００２年
武内進一「ウォーロードたちの和平――コンゴ紛争の新局面」『アフリカレポート』37、２００３年

武内進一「コンゴの平和構築と国際社会――成果と難題」『アフリカレポート』44、2007年
武内進一「コンゴ民主共和国の戦争と平和」池谷和信、武内進一、佐藤廉也（編）『朝倉世界地理講座12　アフリカII』朝倉書店、2008年
武内進一「コンゴ民主共和国の和平プロセス――国際社会の主導性と課題」武内進一（編）『戦争と平和の間――紛争勃発後のアフリカと国際社会』アジア経済研究所、2008年
武内進一『現代アフリカの紛争と国家――ポストコロニアル家産制国家とルワンダ・ジェノサイド』明石書店、2009年
武内進一「コンゴ東部紛争の新局面」『国際政治』159、2010年
武内進一「コンゴ民主共和国における紛争解決の難航」川端正久、武内進一、落合雄彦（編）『紛争解決　アフリカの経験と展望』ミネルヴァ書房、2010年
武内進一「個人支配の形成と瓦解――モブツ・セセ・セコが安全な悪役になるまで」真島一郎（編）『二〇世紀〈アフリカ〉の個体形成――南北アメリカ・カリブ・アフリカからの問い』平凡社、2011年
武内進一「コンゴ民主共和国、ルワンダ、ブルンジの土地政策史」武内進一（編）『アフリカ土地政策史』アジア経済研究所、2015年
武内進一「土地政策と農村変容――ルワンダ、ブルンジ、コンゴ民主共和国西部」武内進一（編）『現代アフリカの土地と権力』アジア経済研究所、2017年
武内進一「コンゴ民主共和国の歴史と紛争――難民発生要因の見取り図」『難民研究ジャーナル』8、2020年
武内進一「中部アフリカ――ポストコロニアル国家の生成史」永原陽子（編）『岩波講座世界歴史18　アフリカ諸地域～20世紀』岩波書店、2022年
武田淳「熱帯森林部族ンガンドゥの食生態――コンゴ・ベーズンにおける焼畑農耕民の食性をめぐる諸活動と食物摂取傾向」和田正平（編）『アフリカ――民族学的研究』同朋舎、1987年
竹元博幸「大地の変動と生物地理から探るボノボの歴史」『霊長類研究』34－1、2018年

立山芽以子、華井和代、八木亜紀子『ムクウェゲ医師、平和への闘い――「女性にとって世界最悪の場所」と私たち』岩波ジュニア新書、2024年6月（近刊）
田中二郎、掛谷誠（編）『ヒトの自然誌』平凡社、1991年
田中二郎、掛谷誠、市川光雄、太田至（編）『続 自然社会の人類学――変貌するアフリカ』アカデミア出版会、1996年
田中真知『たまたまザイール、またコンゴ』偕成社、2015年
茶野邦雄『THE SAPEUR コンゴで出会った世界一おしゃれなジェントルマン』オークラ出版、2016年
寺嶋秀明『共生の森』（熱帯林の世界〈6〉）東京大学出版会、1997年
寺嶋秀明『森に生きる人――アフリカ熱帯雨林とピグミー』小峰書店、2002年
中井亜佐子『日常の読書学――ジョゼフ・コンラッド『闇の奥』を読む』小鳥遊書房、2023年
西田利貞、伊沢紘生、加納隆至（編）『サルの文化誌』平凡社、1991年
日本アフリカ学会（編）『アフリカ学事典』昭和堂、2014年
華井和代『資源問題の正義――コンゴの紛争資源問題と消費者の責任』東信堂、2016年
原子令三『森と砂漠と海の人びと』UTP制作センター、1998年
ビーブイック、ダニエル、カホンボ・C・マテエネ（編）『ニャンガの昔話』楠瀬佳子、風呂本惇子訳、同朋舎、1983年
平田泰雅、鷹尾元、佐藤保、鳥山淳平（編）『REDD-plus COOKBOOK -How to Measure and Monitor Forest Carbon-』独立行政法人 森林総合研究所 REDD研究開発センター、2012年（https://www.ffpri.affrc.go.jp/redd-rdc/ja/reference/cookbook.html）
フォーバス、ピーター『コンゴ河――その発見、探検、開発の物語』田中昌太郎訳、草思社、1979年
船尾修『循環と共存の森から――狩猟採集民ムブティ・ピグミーの知恵』新評論、2006年
古市剛史『ビーリャの住む森で――アフリカ・人・ピグミーチンパンジー』（科学のとびら2）東京化学同人、198

8年
古市剛史『性の進化、ヒトの進化――類人猿ボノボの観察から』（朝日選書）朝日新聞社、1999年
古市剛史『あなたはボノボ、それともチンパンジー？――類人猿に学ぶ融和の処方箋』朝日新聞出版、2013年
ペパン、ジャック『エイズの起源』山本太郎訳、みすず書房、2013年
堀道雄（編）川那部浩哉（監修）『タンガニイカ湖の魚たち――多様性の謎を探る』（シリーズ地球共生系）平凡社、1993年
マタディ橋を考える会（編）『マタディ橋ものがたり――日本の技術でつくられ、コンゴ人に守られる吊橋』（JICAプロジェクトヒストリー）佐伯印刷、2021年
松浦直毅、山口亮太、高村伸吾、木村大治（編）『コンゴ・森と河をつなぐ――人類学者と地域住民がめざす開発と保全の両立』明石書店、2020年
松尾秀哉（編著）『ベルギーの歴史を知るための50章』明石書店、2022年
松本光朗「REDDプラスの現状とこれから」『海外の森林と林業』92、2015年
マンロー、J・F『アフリカ経済史　1800－1960』北川勝彦訳、ミネルヴァ書房、1987年
三浦英之『太陽の子――日本がアフリカに置き去りにした秘密』集英社、2022年
三須拓也『コンゴ動乱と国際連合の危機――米国と国連の協働介入史、1960～1963年』ミネルヴァ書房、2017年
宮本正興、松田素二（編）『新書アフリカ史（改訂新版）』講談社、2018年
ムクウェゲ、デニ『すべては救済のために――デニ・ムクウェゲ自伝』加藤かおり訳、あすなろ書房、2019年
山極寿一『ゴリラ 第2版』東京大学出版会、2015年
米川正子『世界最悪の紛争「コンゴ」――平和以外に何でもある国』創成社、2010年
米山俊直『ザイール・ノート　アフリカ――町と村と人と』サンケイ出版、1977年

おわりに

地図に描かれたコンゴの国境線を眺めていると、「異形」という言葉が頭に浮かぶ。国土の東側はアゲハチョウの羽のようだ。羽の先端をザンビアに深く食い込ませ、紋様を作るかのようにルアラバ川が北上する。国土の西側ではコンゴ川の無数の支流が、首都キンシャサのマレボプール（旧スタンレープール）に集まっていく。河口部分のわずかな領域だけが、この国と大西洋をつなぐ。コンゴの形状は、巨大な川が生み出す富の管理を第一の優先課題として、欧米列強がこの国家を創りあげたことを明瞭に示している。

この国では、人間の愚かさや醜さを嫌というほど目にする。レオポルド2世の統治下で、ヨーロッパ人は現地の人々に天然ゴムや象牙の採集を強い、ノルマに達しない者の腕を切り落とした。独立を率いたルムンバは大国の思惑が交錯する中で殺され、その遺体は硫酸で溶解された。モブツの独裁の下で途方もないカネが私物化され、独裁が終焉したかと思えば、東部で20年以上にわたって武力紛争が継続し、恐るべき人権侵害や性暴力が繰り返されている。

一方で、コンゴでは、素晴らしい才能や比類のない献身にも出会う。フランコの音楽やシェリ・サンバの絵画が与える感動は国境を越えた普遍的なものだし、東部の紛争における性暴力被害者へのデニ・ムクウェゲ医師の献身と勇気は本当に素晴らしいものだ。この国では、人間の極端なまでの美しさと醜さとが併存する。

私は、１９８６年にアジア経済研究所に就職し、フランス語圏中部アフリカを専門に研究するよう命じられた。それ以来、中部アフリカ最大の国家ザイール、コンゴの歴史を学び、現状をフォローするよう心がけてきた。コンゴでは痛ましい事件が繰り返し起きているが、その背景を学び、意味を考える作業は重要で、やり甲斐のあるものだ。コンゴで起こる問題の要因や背景を考えていくと、それはコンゴ人の問題であるだけでなく、ヨーロッパ人の問題であり、私たち自身の問題だということがわかってくる。コンゴについて学ぶことは、ものの見方に新たな視角を与えてくれるのだ。

＊

この先、コンゴと世界との関係は大きく変わるだろう。コバルトや銅など世界的に需要が高まっている鉱物資源を梃子に、この国は急速な経済成長を遂げる可能性がある。停滞、汚職、紛争、といったイメージで捉えられてきたコンゴが、華々しいビジネスの場として注目を浴びるかもしれない。

こうした明るい未来像は、同時に危うさを孕んでいる。ちょうどこの原稿を執筆している最中に大統領選挙で再選されたチセケディは、選挙戦の中でナショナリスティックな呼びかけを繰り返した。演説のなかで、対立候補のカトゥンビはルワンダとつながったエージェントだと非難し、必要とあればルワンダを攻撃するとも述べた。コンゴの経済力が増せば増すほど、ルワンダとの関係は緊張するだろう。この先、比較的短い期間のうちに、コンゴの国レベルの政治経済は、急速に変化していくに違いない。

そうした変化を追うことは大事だが、その基盤にある社会の仕組みや人々の生活を見失ってはいけない。この巨大な国では、国レベルの政治経済の変化が、必ずしも人々の暮らしに直結しない。また、国レベルの視点では見えにくい要因によって、人々の暮らしが大きく変わることもある。1990年代に起こった戦争、そして同時期の経済自由化（民営化）と相前後して、特にコンゴ東部では、鉱物資源を人力で掘り出す小規模鉱業が急速に広がり、人々の暮らしを大きく変えている。マクロレベルだけに注目していては、見えにくい変化である。

本書には、超長期の地理や環境、また社会、文化の構造を扱った章から、比較的短期かつマクロレベルの政治経済現象を扱った章まで、バラエティに富む内容が盛り込まれている。木村大治さんの幅広い人脈のおかげである。これからいっそう注目されるであろうこの国を理解するために、バランスの取れた構成になったと感じている。原稿を寄せてくださった執筆者の皆様、そして私たちに伴走してくださった明石書店の長尾勇仁さんに心から御礼申し上げたい。

＊

2015年の夏、岡安直比さんや伊谷原一さんに誘われて、コンゴ西部のマイ＝ンドンベ州ンバリを訪ねる機会を得た。木村大治さんも一緒だった。調査地に行くのに、キンシャサから小さな船でコンゴ川を遡上した。一日半ほど遡上して、そこから車で調査地に入る。京都大学の人たちは、こういう調査をするのだと感心した。

朝キンシャサを出航し、一日川を上った後、日が暮れたのでいったん船を泊め、川のほとりにテントを張って寝た。翌朝、滔々と流れるコンゴ川を目の当たりにした時の強烈な印象は忘れがたい。いったいどれだけの水が自分の目の前を流れていくのか。数メートル先から始まり、数キロ先まで続く川のなかは、どんなふうになっているのか。いろんな疑問が湧いた。同時に、自分のようなちっぽけな人間が何を考えようが、この川はずっとこうやって流れてきたし、これからも流れていくのだろう、と思った。

コンラッドはこの川を遡上し、モブツはこの川に呪物を投げ込んだ。戦争の中、この川で落命した兵士や避難民も少なくない。一方で、人々はこの川で魚を捕り、物資を交換し、まっとうに暮らしてきた。人間の愚かしさやたくましさ、醜さや美しさを水面に映しながら、大河は今日も滔々と流れ続ける。

武内進一

2024年4月

山口亮太（やまぐち・りょうた）［30］
金沢大学人間社会研究域人文学系講師。文化人類学、アフリカ地域研究。主な業績『コンゴ・森と河をつなぐ――人類学者と地域住民がめざす開発と保全の両立』（共編著、明石書店、2020年）、『妖術と共にあること――カメルーンの農耕民バクウェレの民族誌』（単著、明石書店、2022年）。

湯本貴和（ゆもと・たかかず）［3］
京都大学名誉教授。元京都大学霊長類研究所所長。熱帯雨林の生態学、とくに植物と動物の相互関係の研究。『屋久島――巨木の森と水の島の生態学』（講談社、1995年）、『熱帯雨林』（岩波書店、1999年）など。

横塚彩（よこつか・あや）［25］
京都大学アフリカ地域研究資料センター特任研究員。京都大学大学院アジア・アフリカ地域研究研究科アフリカ地域研究専攻研究指導認定退学。博士（地域研究）。現在はタイの日系企業に勤務しながら、ヒト－動物関係に関する研究を継続中。タイでは寺院のイヌやサル、地域犬、地域猫などの愛玩動物と人々との関係性に研究関心をもつ。

米﨑英朗（よねざき・えいろう）［49］
JICA職員として長くアフリカ仏語圏諸国の開発に従事。特にコンゴ民主共和国には、事務所長、警察研修プロジェクトチーフアドバイザー、総務班長と通算3回、8年駐在した。2024年3月にJICAを退職後、トーゴ援助調整専門家として5月に赴任予定。

藤本麻里子（ふじもと・まりこ）［37］
鹿児島大学水産学部水産学科（国際食料資源学特別コース兼任）助教、主な業績:「急成長するザンジバルのダガー産業と地域経済の活性化」（今井一郎編『アフリカ漁民文化論——水域環境保全の視座』春風社、2019年)、「タンザニア、ザンジバルにおけるダガー産業の構造——生産地と消費地を結ぶ諸アクターの経済活動の分析をもとに」（『アフリカ研究』87巻、2015年)。

古市剛史（ふるいち・たけし）［5, 9］
京都大学名誉教授。著書に『ビーリアの住む森で——アフリカ・人・ピグミーチンパンジー』（東京化学同人、1988年)、『あなたはボノボ、それともチンパンジー？——類人猿に学ぶ融和の処方箋』（朝日新聞出版、2013年)、『Dispersing primate females: life history and social strategies in male-philopatric species』（共編、Springer、2015年)、『Bonobos and people at Wamba: 50 years of research』（共編、Springer、2023年）など。

古田国之（ふるた・くにゆき）［コラム10］
株式会社SOIK代表取締役CEO。2008年国際協力機構（JICA）入構、コンゴ民主共和国事務所に3年間(2013-2016)駐在。2019年にSOIKの沖縄日本法人およびコンゴ民主共和国現地法人を設立。アフリカの医療サービスの質向上のため、デジタル産科ソリューションSPAQを開発・普及する事業を展開している。

松浦直毅（まつうら・なおき）［36］
椙山女学園大学人間関係学部准教授。専門は人類学・アフリカ地域研究。主著に『現代の「森の民」——中部アフリカ、バボンゴ・ピグミーの民族誌』（昭和堂、2012年)、主編著に『コンゴ・森と河をつなぐ——人類学者と地域住民がめざす開発と保全の両立』（明石書店、2020年）などがある。

三須拓也（みす・たくや）［16, 17］
東北学院大学国際学部国際教養学科教授。専門は国際政治史。主要業績として『コンゴ動乱と国際連合の危機——米国と国連の協働介入史、1960~1963年』（ミネルヴァ書房、2017年)、『冷戦史——超大国米ソの出現からソ連崩壊まで』（共著、法律文化社、2024年）など。

安本暁（やすもと・さとし）［コラム3］
京都大学大学院アジア・アフリカ地域研究研究科アフリカ地域研究専攻中退。主な業績：博士予備論文「コンゴ民主共和国の焼畑農耕民ボンガンドにおける環境認識」、"Column: A Bonobo Funeral - Relationships Between Researchers and Local People as Exemplified in a Funeral Speech," in Takeshi Furuichi et al. (eds.), *Bonobos and People at Wamba: 50 Years of Research*, Springer Singapore, 2023.

山極壽一（やまぎわ・じゅいち）［7］
総合地球環境学研究所所長。サルやゴリラの社会生態の調査を基に人類の進化と人間の本質を究明。主著に『共感革命——社交する人類の進化と未来』（河出新書、2023年)、『森の声、ゴリラの目——人類の本質を未来へつなぐ』（小学館新書、2024年）などがある。

寺嶋秀明（てらしま・ひであき）［27］
神戸学院大学名誉教授。狩猟採集社会（とくにアフリカ熱帯雨林）の生態人類学。共編著『生態人類学は挑む』シリーズ（京都大学学術出版会、2020〜2024年）、著書『平等論―霊長類と人における社会と平等性の進化』（ナカニシヤ出版、2011年）、『共生の森』（東京大学出版会、1997年）など。

寺田佐恵子（てらだ・さえこ）［4］
大阪公立大学農学研究科助教。博士（理学）。専門は保全科学、生態学。農学修士、国際協力機構正職員、博士課程編入、環境省任期付職員などを経て現職。フィールドワークと国際会議参加を継続し、アフリカゾウの獣害や野生生物取引について研究中。ワシントン条約動物委員会アジア地域代表代理。

長谷部葉子（はせべ・ようこ）［50］
慶應義塾大学環境情報学部准教授。専門は、教育における異言語・異文化コミュニケーション、カリキュラムデザイン、教員育成を基盤に、「教育から始めるソーシャルトランスフォーメーションの実現」を掲げ若手リーダー育成を手掛ける。2008年よりコンゴ民主共和国にてアカデックス小学校建設・運営プロジェクトを同義塾非常勤講師のサイモン・ベデロ氏と立ち上げ、慶應義塾内の建築・教育・医・薬・看護領域との連携で小学校から高校までの私立一貫校に成長させた。同時に2011年から国立教員大学内にコンゴ・日本言語文化交流センターを設立・運営し現在に至っている。

八角幸雄（はっかく・ゆきお）［コラム8］
フランス語通訳・翻訳者。元外務省員、JICA専門家他。アフリカ・欧州諸国に通算約30年間在勤（約10ケ国・含む複数回）し、主に仏語圏アフリカ諸国の現場から情報収集に努めると共に、欧州地域からも情報収集を行う。

華井和代（はない・かずよ）［41, 43, 44］
東京大学未来ビジョン研究センター特任講師、NPO法人RITA-Congo共同代表。主要業績:『資源問題の正義――コンゴの紛争資源問題と消費者の責任』（東信堂、2016年）、『ムクウェゲ医師、平和への闘い――「女性にとって世界最悪の場所」と私たち』（共著、岩波書店、2024年）。

原子壮太（はらこ・そうた）［10］
東京外国語大学共同研究員。京都大学大学院アジア・アフリカ地域研究研究科指導認定退学。博士（地域研究）。主要業績：「東アフリカ焼畑農耕民の稲作と米食文化――タンザニア南部の僻村の事例」（農耕の技術と文化、第30号、2022年）、「焼畑農耕民のタケ利用の特性――タンザニア南部の事例」（月刊地理、63（5）、2018年）。

藤井香織（ふじい・かおり）［コラム6］
フルート奏者・米国非営利法人Music Beyond, Inc. 代表。国際的に活躍するフルーティスト。グラミー賞プリノミネート。音楽教育にも情熱をそそぐ。2014年Music Beyond, Inc. を設立。以来音楽の力を使ってコンゴ民主共和国のコミュニティー発展と平和促進に貢献している。

澤田昌人（さわだ・まさと）［47］
京都精華大学国際文化学部教授。京都精華大学学長。理学博士（京都大学）。関連業績として、「コンゴ民主共和国における武装勢力掃討は成功するか？」（『アフリカレポート』52、2014年）、「国連による平和構築の失敗」（渡辺公三・石田智恵・冨田敬大編『異貌の同時代――人類・学・の外へ』以文社、2017年）。

島高行　（しま・たかゆき）［15］
実践女子大学文学部英文学科教授。専門領域：イギリス文学。主な業績として「機械としての名探偵――シャーロック・ホームズと数への還元」吉田朋正編『照応と総合――土岐恒二個人著作集＋シンポジウム』（小鳥遊書房、2020年）所収。

末原達郎（すえはら・たつろう）［32, 33］
京都大学名誉教授・龍谷大学名誉教授。主な著書・論文に末原達郎・杉村和彦・鶴田格編著『アフリカから農を問いなおす』（京都大学学術出版会、2023年）、『アフリカ経済』（編著、世界思想社、1998年）、『人間にとって農業とは何か』（世界思想社、2004年）、『赤道アフリカの食糧生産』（同朋舎、1990年）など。

髙田礼人（たかだ・あやと）［12］
北海道大学人獣共通感染症国際共同研究所教授。専攻・専門：ウイルス学、人獣共通感染症。主な著書:『ウイルスは悪者か――お侍先生のウイルス学講義』（亜紀書房、2018年）、「エボラおよびマールブルグウイルス」『ザンビアを知るための55章』（明石書店）。

高村伸吾（たかむら・しんご）［35］
立命館大学衣笠総合研究機構専門研究員。博士（地域研究）。主要業績:『コンゴ・森と河をつなぐ：人類学者と地域住民がめざす開発と保全の両立』（共編著、明石書店、2020年）、"Reorganizing the Distribution System in Post-Conflict Society: A Study of Orientale Province, the Democratic Republic of the Congo." *African Study Monographs Supplementary Issue* 51:77-91. 2015.

＊武内進一（たけうち・しんいち）［1, 14, 18, 19, 38, 39, 46, コラム1］
編著者紹介を参照。

竹元博幸（たけもと・ひろゆき）［2］
北海道大学理学部地質学鉱物学科卒業（岩石学）、京都大学博士（生物科学）。専門は動物生態学、進化生物学。本稿の元は「大地の変動と生物地理から探るボノボの歴史」（霊長類研究、2018年）。共著に『人とサルの違いがわかる本』（オーム社、2010年）などがある。

田中真知（たなか・まち）［23］
作家・あひる商会CEO・立教大学観光研究所研究員。主な著書に『たまたまザイール、またコンゴ』（偕成社、2015年）、『旅立つには最高の日』（三省堂、2021年）、『風をとおすレッスン』（創元社、2023年）など。

岡安直比（おかやす・なおび）［6, 11］
認定 NPO 法人 UAPACAA（ウアパカ）国際保全パートナーズ代表理事。アフリカ類人猿の保護と熱帯生物多様性保全が専門。主な著作は『子育てはゴリラの森で』（小学館、1999 年）、『みなしごゴリラの学校』（草思社、2000 年）、『サルに学ぼう、自然な子育て』（草思社、2000 年）など。

梶茂樹（かじ・しげき）［21, コラム 5］
京都大学名誉教授。アフリカの言語と文化の研究。著書：『アフリカをフィールドワークする』（大修館書店、1993 年）、『アフリカ諸語の声調・アクセント』（東京外国語大学アジア・アフリカ言語文化研究所、2021 年）など。

北川勝彦（きたがわ・かつひこ）［48］
関西大学名誉教授、南部アフリカ社会経済史、日本－アフリカ経済関係史研究。主な業績として、『現代アフリカ経済論』（共編、ミネルヴァ書房、2014 年）、『概説世界経済史（改訂版）』（共編、昭和堂、2022 年）。

＊木村大治（きむら・だいじ）［22, 28］
編著者紹介を参照。

小林有人（こばやし・ありと）［10］
Preferred by Nature 所属。2024 年より森林ボランティアグループ「五反舎」代表。三児の父。森、農、人間の成長に関心を寄せる。長男は東京賢治シュタイナー学校に在籍。趣味は果樹栽培。最近はシャインマスカットに挑戦中。

坂巻哲也（さかまき・てつや）［コラム 4］
アントワープ動物園基金研究員、ボノボ専門家。コンゴ在住。京都大学大学院理学研究科博士課程修了。博士（理学）。著書に『新・動物記 3：隣のボノボ──集団どうしが出会うとき』（京都大学学術出版会、2021 年）など。

佐藤千鶴子（さとう・ちづこ）［45］
日本貿易振興機構アジア経済研究所アフリカ研究グループ長。南部アフリカ地域研究、国際関係論。主な著作に「南アフリカにおけるコンゴ人女性による庇護申請と生活経験」（児玉由佳編『アフリカ女性の国際移動』アジア経済研究所、2020 年）など。

佐藤哲（さとう・てつ）［8］
愛媛大学 SDGs 推進室特命教授。持続可能性科学、トランスディシプリナリー研究。主要業績：『フィールドサイエンティスト──地域環境学という発想』（東京大学出版会、2016 年）、『地域環境学──トランスディシプリナリー・サイエンスへの挑戦』（菊地直樹と共編著、東京大学出版会、2018 年）。

〈執筆者紹介〉（50 音順、＊は編著者）

朝倉恵里子（あさくら・えりこ）［20, 42, コラム 2, コラム 9］
JICA コンゴ（民）事務所治安セクター改革担当企画調査員、国連 PKO ミッション (MONUSCO)-UNMAS プログラムオフィサー、在コンゴ（民）日本大使館一等書記官（政務班長）、コンゴ（民）政府コンサルタント等を経て、現在は国連開発計画（UNDP）コンゴ（民）事務所の選挙安定化支援コンサルタント。

安渓貴子（あんけい・たかこ）［31, コラム 7］
生物文化多様性研究所所員。熱帯アフリカと奄美沖縄の環境・食・文化の関係。おもな著作は『Cookbook of the Songola』（1990 年）、『森の人との対話──熱帯アフリカ・ソンゴーラ人の暮らしの植物誌』（2009 年）、〔共編〕『ソテツをみなおす』（2015 年）など。

安渓遊地（あんけい・ゆうじ）［26］
山口県立大学名誉教授。奄美沖縄と熱帯アフリカの人と自然の関係史。地域住民との共編著として『ぬ'てぃぬかーら・どぅなん──いのち湧く島・与那国』（2023 年）、『西表島の文化力──金星人から地球人へのメッセージ』（2023 年）、『調査されるという迷惑・増補版』（2024 年）など。

池谷和信（いけや・かずのぶ）［34］
国立民族学博物館名誉教授。家畜と人のかかわりの研究。主な著書に『わたしたちのくらしと家畜（1）』（2013 年、童心社）。

伊丹正典（いたみ・まさのり）［24］
ドラマー。「リンガラ・ポップス」を題材に、敢えて日本語で歌い演奏したバンド「カーリー・ショッケール」に参加。コンゴ渡航 3 回、現地バンド「Rumba Ray: Miranda」録音に参加、キンシャサのみならず地方を旅行し、その成果を旅行記『ザイール・ヤ・バココ』・『簡単なリンガラ語』（いずれもネット公開）にまとめる。

市川光雄（いちかわ・みつお）［29］
京都大学名誉教授。人類学・アフリカ地域研究。主な著作に『森の目が世界を問う』（京都大学学術出版会、2021 年）、『Indigenous Peoples and Forests: Cultural, Historical and Political Ecology in Central Africa』（Kyoto University Press, 2024）。

井戸栄治（いど・えいじ）［13］
千葉大学医学部附属病院客員教授。専門は新興ウイルス感染症。京都大学、東京医科歯科大学を経て現在に至るまで、主にアフリカ大陸中央部を中心に HIV/SIV、HTLV/STLV、蚊媒介性ウイルス感染症等の分子疫学を研究してきた。最近では SARS-CoV-2 や Mpox の遺伝子解析・治療法の研究も手掛けている。

大石晃史（おおいし・こうじ）［40］
インディアナ大学政治学部客員研究員・日本学術振興会海外特別研究員。国際関係論、ネットワーク科学。主要論文に K. Oishi, et al. (2022) "Evolution of global development cooperation: An analysis of aid flows with hierarchical stochastic blockmodels" PLoS ONE など。

〈編著者紹介〉

木村大治（きむら・だいじ）
京都大学名誉教授。
1960年生まれ。京都大学大学院理学研究科博士課程修了、理学博士。専門は人類学、アフリカ地域研究、コミュニケーション論。著書に『共在感覚――アフリカの二つの社会における言語的相互行為から』（京都大学学術出版会、2003年）、"*Lexique longando* ロンガンド語彙集"（共著、Research Institute for Languages and Cultures of Asia and Africa, Tokyo University of Foreign Studies, 2023）、編書に『森棲みの生態誌――アフリカ熱帯林の人・自然・歴史 I』『森棲みの社会誌――アフリカ熱帯林の人・自然・歴史 II』（共編、京都大学学術出版会、2010年）、"*Present Situation and Future Prospects of Nutrition Acquisition in African Tropical Forest*" (African Study Monographs Supplementary Issue 51, 2015)、"*Bonobos and People at Wamba: 50 Years of Research*"（共編、Springer, 2023）などがある。

武内進一（たけうち・しんいち）
東京外国語大学現代アフリカ地域研究センター教授。
1962年生まれ。東京外国語大学外国語学部卒。東京大学博士(学術)。専門は、アフリカ研究、国際関係論。日本貿易振興機構アジア経済研究所を経て現職。著書に『現代アフリカの紛争と国家――ポストコロニアル家産制国家とルワンダ・ジェノサイド』（明石書店、2009年）、編著書として『ブラック・ライヴズ・マターから学ぶ――アメリカからグローバル世界へ』（中山智香子との共編、東京外国語大学出版会、2022年）、*African Land Reform Under Economic Liberalisation: States, Chiefs, and Rural Communities.* (Springer, 2009)、『現代アフリカの土地と権力』（アジア経済研究所、2017年）、『紛争・対立・暴力――世界の地域から考える』（西崎文子との共編、岩波ジュニア新書、2016年）などがある。

エリア・スタディーズ　208

コンゴ民主共和国を知るための50章

2024年6月30日　初版第1刷発行

編著者　木村大治
　　　　武内進一
発行者　大江道雅
発行所　株式会社 明石書店
〒101-0021 東京都千代田区外神田6-9-5
電　話　03-5818-1171
FAX　03-5818-1174
振　替　00100-7-24505
https://www.akashi.co.jp/

装　幀　明石書店デザイン室
印刷／製本　日経印刷株式会社

（定価はカバーに表示してあります）　ISBN978-4-7503-5778-2

エリア・スタディーズ

1 現代アメリカ社会を知るための60章
明石紀雄、川島浩平 編著

2 イタリアを知るための62章【第2版】
村上義和 編著

3 イギリスを旅する35章
辻野功 編著

4 モンゴルを知るための65章【第2版】
金岡秀郎 著

5 パリ・フランスを知るための44章
梅本洋一、大里俊晴、木下長宏 編著

6 現代韓国を知るための61章【第3版】
石坂浩一、福島みのり 編著

7 オーストラリアを知るための58章【第3版】
越智道雄 著

8 現代中国を知るための54章【第7版】
藤野彰 編著

9 ネパールを知るための60章
日本ネパール協会 編

10 アメリカの歴史を知るための65章【第4版】
富田虎男、鵜月裕典、佐藤円 編著

11 現代フィリピンを知るための61章【第2版】
大野拓司、寺田勇文 編著

12 ポルトガルを知るための55章【第2版】
村上義和、池俊介 編著

13 北欧を知るための43章
武田龍夫 著

14 ブラジルを知るための56章【第2版】
アンジェロ・イシ 著

15 ドイツを知るための60章
早川東三、工藤幹巳 編著

16 ポーランドを知るための60章
渡辺克義 編著

17 シンガポールを知るための65章【第5版】
田村慶子 編著

18 現代ドイツを知るための67章【第3版】
浜本隆志、髙橋憲 編著

19 ウィーン・オーストリアを知るための57章【第2版】
広瀬佳一、今井顕 編著

20 ハンガリーを知るための60章【第2版】 ドナウの宝石
羽場久美子 編著

21 現代ロシアを知るための60章【第2版】
下斗米伸夫、島田博 編著

22 21世紀アメリカ社会を知るための67章
明石紀雄 監修 赤尾千波、大類久恵、小塩和人、
落合明子、川島浩平、高野泰 編

23 スペインを知るための60章
野々山真輝帆 著

24 キューバを知るための52章
後藤政子、樋口聡 編著

25 カナダを知るための60章
綾部恒雄、飯野正子 編著

26 中央アジアを知るための60章【第2版】
宇山智彦 編著

27 チェコとスロヴァキアを知るための56章【第2版】
薩摩秀登 編著

28 現代ドイツの社会・文化を知るための48章
田村光彰、村上和光、岩淵正明 編著

29 インドを知るための50章
重松伸司、三田昌彦 編著

30 タイを知るための72章【第2版】
綾部真雄 編著

31 パキスタンを知るための60章
広瀬崇子、山根聡、小田尚也 編著

32 バングラデシュを知るための66章【第3版】
大橋正明、村山真弓、日下部尚徳、安達淳哉 編著

33 イギリスを知るための65章【第2版】
近藤久雄、細川祐子、阿部美春 編著

34 現代台湾を知るための60章【第2版】
亜洲奈みづほ 著

35 ペルーを知るための66章【第2版】
細谷広美 編著

36 マラウィを知るための45章【第2版】
栗田和明 著

37 コスタリカを知るための60章【第2版】
国本伊代 編著

38 チベットを知るための50章
石濱裕美子 編著

39 現代ベトナムを知るための63章【第3版】
岩井美佐紀 編著

40 インドネシアを知るための50章
村井吉敬、佐伯奈津子 編著

41 エルサルバドル、ホンジュラス、ニカラグアを知るための45章
田中高 編著

42 パナマを知るための70章【第2版】
国本伊代 編著

43 イランを知るための65章
岡田恵美子、北原圭一、鈴木珠里 編著

44 アイルランドを知るための70章【第3版】
海老島均、山下理恵子 編著

エリア・スタディーズ

45 メキシコを知るための60章
吉田栄人 編著

46 中国の暮らしと文化を知るための40章
東洋文化研究会 編

47 現代ブータンを知るための60章【第2版】
平山修一 著

48 バルカンを知るための66章【第2版】
柴宜弘 編著

49 現代イタリアを知るための44章
村上義和 編著

50 アルゼンチンを知るための54章
アルベルト松本 著

51 ミクロネシアを知るための60章【第2版】
印東道子 編著

52 アメリカのヒスパニック＝ラティーノ社会を知るための55章
大泉光一、牛島万 編著

53 北朝鮮を知るための55章【第2版】
石坂浩一 編著

54 ボリビアを知るための73章【第2版】
真鍋周三 編著

55 コーカサスを知るための60章
北川誠一、前田弘毅、廣瀬陽子、吉村貴之 編著

56 カンボジアを知るための60章【第3版】
上田広美、岡田知子、福富友子 編著

57 エクアドルを知るための60章【第2版】
新木秀和 編著

58 タンザニアを知るための60章【第2版】
栗田和明、根本利通 編著

59 リビアを知るための60章【第2版】
塩尻和子 編著

60 東ティモールを知るための50章
山田満 編著

61 グアテマラを知るための67章【第2版】
桜井三枝子 編著

62 オランダを知るための60章
長坂寿久 著

63 モロッコを知るための65章
私市正年、佐藤健太郎 編著

64 サウジアラビアを知るための63章【第2版】
中村覚 編著

65 韓国の歴史を知るための66章
金両基 編著

66 ルーマニアを知るための60章
六鹿茂夫 編著

67 現代インドを知るための60章
広瀬崇子、近藤正規、井上恭子、南埜猛 編著

68 エチオピアを知るための50章
岡倉登志 編著

69 フィンランドを知るための44章
百瀬宏、石野裕子 編著

70 ニュージーランドを知るための63章
青柳まちこ 編著

71 ベルギーを知るための52章
小川秀樹 編著

72 ケベックを知るための56章【第2版】
日本ケベック学会 編

73 アルジェリアを知るための62章
私市正年 編著

74 アルメニアを知るための65章
中島偉晴、メラニア・バグダサリヤン 編著

75 スウェーデンを知るための64章【第2版】
村井誠人 編著

76 デンマークを知るための70章【第2版】
村井誠人 編著

77 最新ドイツ事情を知るための50章
浜本隆志、柳原初樹 著

78 セネガルとカーボベルデを知るための60章
小川了 編著

79 南アフリカを知るための60章
峯陽一 編著

80 エルサルバドルを知るための66章【第2版】
細野昭雄、田中高 編著

81 チュニジアを知るための60章
鷹木恵子 編著

82 南太平洋を知るための58章 メラネシア ポリネシア
吉岡政德、石森大知 編著

83 現代カナダを知るための60章【第2版】
飯野正子、竹中豊 総監修 日本カナダ学会 編

84 現代フランス社会を知るための62章
三浦信孝、西山教行 編著

85 ラオスを知るための60章
菊池陽子、鈴木玲子、阿部健一 編著

86 パラグアイを知るための50章
田島久歳、武田和久 編著

87 中国の歴史を知るための60章
並木頼壽、杉山文彦 編著

88 スペインのガリシアを知るための50章
坂東省次、桑原真夫、浅香武和 編著

89 アラブ首長国連邦（UAE）を知るための60章
細井長 編著

エリア・スタディーズ

90 コロンビアを知るための60章
二村久則 編著

91 現代メキシコを知るための70章【第2版】
国本伊代 編著

92 ガーナを知るための47章
高根務、山田肖子 編著

93 ウガンダを知るための53章
吉田昌夫、白石壮一郎 編著

94 ケルトを旅する52章 イギリス・アイルランド
永田喜文 著

95 トルコを知るための53章
大村幸弘、永田雄三、内藤正典 編著

96 イタリアを旅する24章
内田俊秀 編著

97 大統領選からアメリカを知るための57章
越智道雄 著

98 現代バスクを知るための60章【第2版】
萩尾生、吉田浩美 編著

99 ボツワナを知るための52章
池谷和信 編著

100 ロンドンを旅する60章
川成洋、石原孝哉 編著

101 ケニアを知るための55章
松田素二、津田みわ 編著

102 ニューヨークからアメリカを知るための76章
越智道雄 著

103 カリフォルニアからアメリカを知るための54章
越智道雄 著

104 イスラエルを知るための62章【第2版】
立山良司 編著

105 グアム・サイパン・マリアナ諸島を知るための54章
中山京子 編著

106 中国のムスリムを知るための60章
中国ムスリム研究会 編

107 現代エジプトを知るための60章
鈴木恵美 編著

108 カーストから現代インドを知るための30章
金基淑 編著

109 カナダを旅する37章
飯野正子、竹中豊 編著

110 アンダルシアを知るための53章
立石博高、塩見千加子 編著

111 エストニアを知るための59章
小森宏美 編著

112 韓国の暮らしと文化を知るための70章
舘野晳 編著

113 現代インドネシアを知るための60章
村井吉敬、佐伯奈津子、間瀬朋子 編著

114 ハワイを知るための60章
山本真鳥、山田亨 編著

115 現代イラクを知るための60章
酒井啓子、吉岡明子、山尾大 編著

116 現代スペインを知るための60章
坂東省次 編著

117 スリランカを知るための58章
杉本良男、高桑史子、鈴木晋介 編著

118 マダガスカルを知るための62章
飯田卓、深澤秀夫、森山工 編著

119 新時代アメリカ社会を知るための60章
明石紀雄 監修 大類久恵、落合明子、赤尾千波 編著

120 現代アラブを知るための56章
松本弘 編著

121 クロアチアを知るための60章
柴宜弘、石田信一 編著

122 ドミニカ共和国を知るための60章
国本伊代 編著

123 シリア・レバノンを知るための64章
黒木英充 編著

124 EU（欧州連合）を知るための63章
羽場久美子 編著

125 ミャンマーを知るための60章
田村克己、松田正彦 編著

126 カタルーニャを知るための50章
立石博高、奥野良知 編著

127 ホンジュラスを知るための60章
桜井三枝子、中原篤史 編著

128 スイスを知るための60章
スイス文学研究会 編

129 東南アジアを知るための50章
今井昭夫 編集代表 東京外国語大学東南アジア課程 編

130 メソアメリカを知るための58章
井上幸孝 編著

131 マドリードとカスティーリャを知るための60章
川成洋、下山静香 編著

エリア・スタディーズ

132 ノルウェーを知るための60章 大島美穂、岡本健志 編著

133 現代モンゴルを知るための50章 小長谷有紀、前川愛 編著

134 カザフスタンを知るための60章 宇山智彦、藤本透子 編著

135 内モンゴルを知るための60章 ボルジギン・ブレンサイン 編著 赤坂恒明 編集協力

136 スコットランドを知るための65章 木村正俊 編著

137 セルビアを知るための60章 柴宜弘、山崎信一 編著

138 マリを知るための58章 竹沢尚一郎 編著

139 ASEANを知るための50章 黒柳米司、金子芳樹、吉野文雄 編著

140 アイスランド・グリーンランド・北極を知るための65章 小澤実、中丸禎子、高橋美野梨 編著

141 ナミビアを知るための53章 水野一晴、永原陽子 編著

142 香港を知るための60章 吉川雅之、倉田徹 編著

143 タスマニアを旅する60章 宮本忠 著

144 パレスチナを知るための60章 臼杵陽、鈴木啓之 編著

145 ラトヴィアを知るための47章 志摩園子 編著

146 ニカラグアを知るための55章 田中高 編著

147 台湾を知るための72章【第2版】 赤松美和子、若松大祐 編著

148 テュルクを知るための61章 小松久男 編著

149 アメリカ先住民を知るための62章 阿部珠理 編著

150 イギリスの歴史を知るための50章 川成洋 編著

151 ドイツの歴史を知るための50章 森井裕一 編著

152 ロシアの歴史を知るための50章 下斗米伸夫 編著

153 スペインの歴史を知るための50章 立石博高、内村俊太 編著

154 フィリピンを知るための64章 大野拓司、鈴木伸隆、日下渉 編著

155 バルト海を旅する40章 7つの島の物語 小柏葉子 著

156 カナダの歴史を知るための50章 細川道久 編著

157 カリブ海世界を知るための70章 国本伊代 編著

158 ベラルーシを知るための50章 服部倫卓、越野剛 編著

159 スロヴェニアを知るための60章 柴宜弘、アンドレイ・ベケシュ、山崎信一 編著

160 北京を知るための52章 櫻井澄夫、人見豊、森田憲司 編著

161 イタリアの歴史を知るための50章 高橋進、村上義和 編著

162 ケルトを知るための65章 木村正俊 編著

163 オマーンを知るための55章 松尾昌樹 編著

164 ウズベキスタンを知るための60章 帯谷知可 編著

165 アゼルバイジャンを知るための67章 廣瀬陽子 編著

166 済州島を知るための55章 梁聖宗、金良淑、伊地知紀子 編著

167 イギリス文学を旅する60章 石原孝哉、市川仁 編著

168 フランス文学を旅する60章 野崎歓 編著

169 ウクライナを知るための65章 服部倫卓、原田義也 編著

170 クルド人を知るための55章 山口昭彦 編著

171 ルクセンブルクを知るための50章 田原憲和、木戸紗織 編著

172 地中海を旅する62章 歴史と文化の都市探訪 松原康介 編著

173 ボスニア・ヘルツェゴヴィナを知るための60章 柴宜弘、山崎信一 編著

エリア・スタディーズ

174 チリを知るための60章 細野昭雄、工藤章、桑山幹夫 編著
175 ウェールズを知るための60章 吉賀憲夫 編著
176 太平洋諸島の歴史を知るための60章 日本とのかかわり 石森大知、丹羽典生 編著
177 リトアニアを知るための60章 櫻井映子 編著
178 現代ネパールを知るための60章 公益社団法人 日本ネパール協会 編
179 フランスの歴史を知るための50章 中野隆生、加藤玄 編著
180 ザンビアを知るための55章 島田周平、大山修一 編著
181 ポーランドの歴史を知るための55章 渡辺克義 編著
182 韓国文学を旅する60章 波田野節子、斎藤真理子、きむ ふな 編著
183 インドを旅する55章 宮本久義、小西公大 編著
184 現代アメリカ社会を知るための63章［2020年代］ 明石紀雄 監修 大類久恵、落合明子、赤尾千波 編著
185 アフガニスタンを知るための70章 前田耕作、山内和也 編著
186 モルディブを知るための35章 荒井悦代、今泉慎也 編著
187 ブラジルの歴史を知るための50章 伊藤秋仁、岸和田仁 編著
188 現代ホンジュラスを知るための55章 中原篤史 編著
189 ウルグアイを知るための60章 山口恵美子 編著
190 ベルギーの歴史を知るための50章 松尾秀哉 編著
191 食文化からイギリスを知るための55章 石原孝哉、市川仁、宇野毅 編著
192 東南アジアのイスラームを知るための64章 久志本裕子、野中葉 編著
193 宗教からアメリカ社会を知るための48章 上坂昇 著
194 ベルリンを知るための52章 浜本隆志、希代真理子 著
195 NATO（北大西洋条約機構）を知るための71章 広瀬佳一 編著
196 華僑・華人を知るための52章 山下清海 著
197 カリブ海の旧イギリス領を知るための60章 川分圭子、堀内真由美 編著
198 ニュージーランドを旅する46章 宮本忠、宮本由紀子 著
199 マレーシアを知るための58章 鳥居高 編著
200 ラダックを知るための60章 煎本孝、山田孝子 著
201 スロヴァキアを知るための64章 長與進、神原ゆうこ 編著
202 チェコを知るための60章 薩摩秀登、阿部賢一 編著
203 ロシア極東・シベリアを知るための70章 服部倫卓、吉田睦 編著
204 スペインの歴史都市を旅する48章 立石博高 監修・著 小倉真理子 著
205 ハプスブルク家の歴史を知るための60章 川成洋 編著
206 パレスチナ／イスラエルの〈いま〉を知るための24章 鈴木啓之、児玉恵美 編著
207 ラテンアメリカ文学を旅する58章 久野量一、松本健二 編著
208 コンゴ民主共和国を知るための50章 木村大治、武内進一 編著

——以下続刊

◎各巻2000円（一部1800円）

〈価格は本体価格です〉